W9-CPM-110

切勿让食物成为慢性毒药

QIE WU RANG SHI WU CHENG WEI

刘子君/编著

中国长安出版社

图书在版编目(CIP)数据

切勿让食物成为慢性毒药／刘子君编著．—北京:中国长安出版社,2007.9

ISBN 978-7-80175-721-0

Ⅰ.切... Ⅱ.刘... Ⅲ.食品营养:合理营养-基本知识 Ⅳ.R161

中国版本图书馆 CIP 数据核字(2007)第 152834 号

切勿让食物成为慢性毒药

刘子君 编著

出版:中国长安出版社

社址:北京市东城区北池子大街 14 号 (100006)

网址:http://www.ccapress.com

邮箱:ccapress@yahoo.com.cn

发行:中国长安出版社 全国新华书店

电话:(010)65281919 65270433

印刷:北京隆昌伟业印刷有限公司

开本:720mm×1020mm 16 开

印张:18.5

字数:200 千字

版本:2007 年 11 月第 1 版 2007 年 11 月第 1 次印刷

书号:ISBN 978-7-80175-721-0

定价:28.00 元

前言

俗话说:“国以民为本,民以食为天”,从远古时代起,人们就非常重视合理饮食。但食能养人、也能伤人,我国传统的食物搭配,从营养学角度来看,有些恰恰是对人体健康无益,甚至是有害的。

随着人们生活水平的不断提高,因饮食方法不科学导致的问题也越来越多了。人们现在吃的都是精米白面、鸡鸭鱼肉,喝的是各种含糖饮料,低纤维、高脂肪。从20世纪80年代末开始,我国高脂血症、肥胖症、动脉硬化、高血压、冠心病、脑血管病、糖尿病和癌症等的发病率直线上升。专家指出,现在大约50%的癌症与饮食因素有关,1/3的癌症是人们“吃”出来的。“三高”——高脂、高盐和高热量,以前的“富贵病”、“老年病”如今已延伸向中青年人群,连小孩出现“三高”都很平常了。据国家卫生部的统计:目前,“富贵病”所造成的死亡人数已占当前死亡总数的70%。这和人们膳食结构的陡然骤变有着直接的或间接的联系。由此看来,“吃”,当属现代“生活方式病”的第一诱因。

哪些东西不宜吃,哪些东西不宜多吃或尽量不吃,哪些东西在哪种情况下不宜吃等等,都要尊重客观规律,把食物的特性同自己的身体状况、消化能力和生活条件结合起来,经过系统分析和权衡后做出最佳选择,只有这样,才能真正实现科学进餐,做到膳食结构合理、营养需求平衡,从而最终达到强身健体、延年益寿的目的。如果日常饮食不问禁忌,违背科学盲目进餐,那就很可能事与愿违,不仅达不到加强营养、增强体质的目的,而且,你吃进肚里的食物有可能就成为了慢性“毒药”，还会对你的身体健康造成不良的影响甚至损伤。

本书结合人们日常饮食的实际情况，围绕着日常饮食习惯的误区、日常生活的饮食禁忌、食物的搭配禁忌以及食源性中毒和怎样鉴别食物的相关常识，采用深入浅出的表达方式，向读者介绍了一系列非常有用的饮食知识和相关技巧。从科学的角度追根溯源，把道理讲清楚；本书涉及了营养学、生理学、生物化学、医学和我国传统的中医知识，是一本值得一读的生活常识读物。

目 录

第一篇 别上了生活方式的当

随着时代的飞速发展,人们的生活节奏也不断加快,各种快餐、便利店悄然走进了我们的生活,越来越多的人加入到了快餐一族。生活富裕了,各种富贵病也随之而来。俗话说:“病从口入。”在日常生活中,大多数人对自己的饮食并没有足够的重视。

第二篇　日常生活的饮食禁忌

在生活里有不少放弃原则的享乐主义者，上自五星级酒店西餐厅，下自大排档烧烤摊，只要好吃，照单全收。然而，这种不顾日常生活禁忌的饮食却无时无刻都在影响着我们的健康。还有一些人，由于单纯从个人的口味、爱好出发，缺乏必要的指导，已经养成了一些不良的饮食习惯，从而在不知不觉中，长年累月地在损害着自身的健康。因此，学一点饮食方面的有关知识，了解日常生活中的饮食禁忌绝非多余，而是十分必要。

第三篇　食物的搭配禁忌

我国的饮食文化博大精深,在长期的实践中,人们发现许多普通的食物搭配在一起食用,可以起到神奇的作用。但是,进补也要讲究科学,如果搭配不恰当,不但得不到我们所需要的营养物质,还会引起身体不适,严重的会导致疾病甚至威胁生命。

第四篇　警惕食源性毒物

近年来，隐藏在食品卫生中的不安全问题触目惊心，令人发怵。产生食品安全问题的原因是多方面的，既包括不法商贩的非法加工，也包括化学、农药污染引起的中毒，还包括某些食物本身的毒性或细菌性感染引起的中毒。食品生产与加工中任何环节的操作失误，均能导致食物中毒的发生。

第五篇 怎样鉴别和选择食物

目前，市场上的商品琳琅满目，但一些不法商贩受利益的驱使，把利益的黑手伸进了关系到人们健康的食品市场，他们以假当真，以次充好。面对如此鱼龙混杂的食品市场，了解一些食品常识，掌握一些鉴别食物的方法和技巧是十分必要的。

第一篇　别上了生活方式的当

随着时代的飞速发展，人们的生活节奏也不断加快，各种快餐、便利店悄然走进了我们的生活，越来越多的人加入到了快餐一族。生活富裕了，各种“富贵病”也随之而来。俗话说：“病从口入。”在日常生活中，大多数人对自己的饮食并没有足够的重视。

应该改掉的生活习惯

冰箱里的食物不宜直接食用

食物在放入冰箱以前暴露在空气之中，往往会受到细菌的污染。因此，放进冰箱的食物本身是带有细菌的。而冰箱里温度虽低，但仅能在一定程度上抑制细菌的生长和繁殖，并不能杀灭细菌。即使在温度更低的冷冻室里面，食物中仍有部分细菌能够生存。实验证明，将一杯每毫升 5000 万个伤寒杆菌的冰淇淋放在冰箱的冷冻室里，5 天后取出检查，每毫升冰淇淋中还有 1000 万个细菌存活；两个月后，每毫升还有 60 万个。值得重视的是耶尔森菌，它在零下 40℃的低温环境仍能生长繁殖，是冰箱中最猖獗的致病菌，放入冰箱里的饭菜很容易受这种细菌污染的，如取出后不经过加热就吃，则可引起肠道感染，出现腹痛、呕吐、腹泻等症状。

温馨小贴士

许多人有直接吃从冰箱里拿出来的食物的习惯，认为除了凉一些之外没有什么害处，其实这种想法是不正确的。因此，从冰箱中取出的饭菜不能直接食用，需经加热后再食用。

“饥餐渴饮”不利健康

累了休息，渴了喝水，有病去医院等传统的生活习惯通常是被动的。这种被动行为往往对健康不利，如果变被动为主动，做到防患于未然，就能提高健康水平。

有人以为，早上肚子不饿可以不吃。其实，这种做法十分有碍健康。因为人体所必需的能量基本上是由三餐饮食供给的。每日三餐都要吃饱吃好，尽量做到定时、定量，不要缺顿或饥饱不均，要注意营养搭配，及时给身体补充必需的维生素及微量元素，使身体能够吸取足够的能量。

不渴也喝水。如果等口渴才喝水，这时人体已经缺水了。人们应当主动定时饮水。除三餐外，一般成年人每天需要另外补充1500毫升的水。天热出汗多时，饮水还要增加。“不渴也喝水”对中老年人来说定时饮水更为重要。如果中老年人能坚持每天主动喝进适量的水，对改善血液循环、防治心血管疾病都有利。

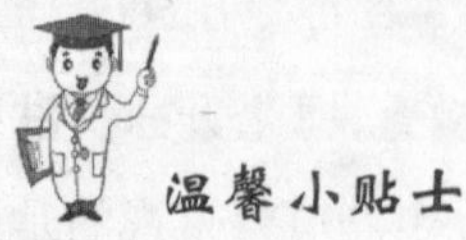

温馨小贴士

胃的表皮有一层黏膜，能分泌黏液覆盖在胃的表面，这层黏液能保护胃自身长期过量的冷食物进入胃里，会让为你为下血管收缩，黏膜层变薄，使保护胃的“天然屏障”——黏液层受到破坏，导致胃的防卫能力下降，胃酸和

胃蛋白酶的侵袭力增加，出现黏膜水肿或糜烂，最终形成慢性胃炎。

“吃饭谈事”有害健康

国际医学界最新提出，当一个人把工作或生活的压力和紧张带进用餐时间，其人虽然在进食，可身体却处在一种“战斗—逃跑”的模式中，其表现为心跳加快，血压升高，能量和血液流向四肢，专管消化吸收的胃肠功能“关闭”，致使人体内的紧张激素增多，此时，其大脑在自动和不停地想一个问题：“战斗？还是逃跑？”

专家认为，目前人们提倡健康饮食，但多是强调吃的食物有营养或有害，而忽视了应该怎样采用科学健康的方法去吃。其实，进食的速度、进食时的心情和思绪等，都会对人的健康产生不可忽视的影响。

在许多消化疾病患者中，不良的进食方式已成为重要的发病诱因，如进食速度太快、将工作压力和不良心情带进吃饭中、时间过长的宴请等，这些不良的进食方式不仅会引起胃炎和肠炎，还会引发糖尿病和心脑血管病。

专家介绍说，最理想的进食方式是在吃饭前做5次到10次深呼吸，使心情完全放松，抛开所有与饮食无关的思维，把精力集中到食物上，以愉悦的心情细嚼慢咽地专心吃饭。以此方式进食，人的消化系统和代谢吸收系统都处于最佳状态。

最近美国研究人员发现，坚持在每餐前认真地做祷告竟可以减肥，做祷告使人在进餐前进入了一种“平和快乐模式”，将人体调整到健康进餐状态。即使10分钟的工作餐也可以吃得很从容，关键是要一心一意地吃，不说话，不想事。

温馨小贴士

现在风行“吃饭谈事”，这其实也是一种“战斗餐”，看起来吃得很慢，气氛也欢快，可这种吃法不利于健康。因此，不要把“谈事”带到吃饭中，应该以健康为重。

“秋膘”不要随便贴

立秋一到，按照老习惯人们开始忙着贴秋膘。专家称，立秋后是生津养阴的好时节，高脂肪不利于养生。同时，由于现代人的饮食习惯，营养已经过剩。

饮食应定时定量，润燥强体。秋天天气渐渐转凉，人们往往会出现不同程度的口、鼻、皮肤等部位的干燥感，故应吃些有生津养阴、滋润多汁的食品，少吃辛辣、煎炸食品。秋季宜食清润甘酸和寒凉的食物，寒凉能清热，甘味食物性质滋腻，有缓急、和中、补益作用，酸味食物有收敛、生津、止渴等作用。

温馨小贴士

适合秋季食用的食品有：百合、莲子、山药、白扁豆、藕、黄鳝、栗子、胡桃、花生、红枣、梨、苹果、荸荠、海蜇、胡萝卜、荠菜、平菇、海带、番茄、兔肉等。

别等油锅冒烟才下菜

一般烹调者在烧菜时习惯视锅中油冒烟时才下入原料，认为这样炒出来的菜才会香，其实这样做有很多害处。食用油烧至冒烟，温度一般已达200℃，在这种温度下，不仅油脂中所含的脂溶性维生素遭到破坏，而且当食品与高温油接触时，食品中的各种维生素，特别是维生素C将大量被损坏。食油在高温中会产生一种“丙烯醛”的气体，它对鼻、眼黏膜有强烈的刺激作

用，使人流泪甚至造成头晕、恶心、厌食等不良反应。

温馨小贴士

炒鸡蛋小窍门：将鸡蛋打入碗中，加入少许温水搅拌均匀，倒入油锅里炒，炒时往锅里滴少许酒，这样炒出的鸡蛋蓬松、鲜嫩、可口。

剩饭重热后再吃难消化

剩饭重热后再吃，或将剩饭炒了再吃——不少人以为这样既卫生，又节约。其实，剩饭重热后再吃难以消化，久而久之可能引起胃病。

米饭中所含的主要成分是淀粉，首先，口腔内的唾液淀粉酶将淀粉水解成糊精及麦芽糖；其次，小肠内由胰腺分泌的胰淀粉酶和双糖酶继续将糊精和麦芽糖分解为单糖，供肠黏膜细胞吸收。淀粉在加热到60℃以上时会逐渐膨胀，最后变成糊状，这个过程称为"糊化"。人体的消化酶比较容易将这种糊化的淀粉分子结构水解。然而，糊化的淀粉冷却后，淀粉中的分子重新排列并排出水分，产生"离浆"现象，这叫做淀粉的"老化"。

老化的淀粉分子即使重新加热，哪怕温度很高，也不可能恢复到糊化时的分子结构。淀粉的老化结构状态降低了人体对它的水解与消化能力。所以，长期食用这种冷后重热的饭，容易引发消化不良和胃病。

温馨小贴士

凡是消化功能减弱的老人、幼儿或病患者，特别是患有肠胃病的人，最好不吃或少吃变冷后重新加热过的米饭。

嚼口香糖别超过一刻钟

经常嚼口香糖可以增加唾液分泌,从而更好地清洁口腔与牙齿。但是,医学专家却不主张将嚼口香糖作为一种时尚来倡导,尤其是过多、过长时间咀嚼口香糖有可能对健康产生不良影响。

首先,大部分口香糖都是以蔗糖为甜味剂,咀嚼口香糖时,糖分会长时间在口腔内停留,口腔中的致龋菌就会利用蔗糖产生酸性物质,对牙齿产生腐蚀。

其次,使用含汞材料补过牙的人最好不要嚼口香糖。研究发现,经常嚼口香糖会损坏口腔中用于补牙的物质。医生建议,咀嚼口香糖的时间不要超过15分钟,有胃病的人更不宜过多地嚼口香糖。

温馨小贴士

口香糖所含的口胶多不被消化,大多数可随大便排出体外。医生指出,人的肠胃内壁很光滑,并且分泌有大量黏液,口香糖不可能被粘住,吞进肚子后消化不了便会自动排出。但是为了避免意外,最好不要给小孩吃口香糖,因为不仅没有任何好处,而且如果被误吞入气管就很麻烦了。另外,孩子如果一直嚼口香糖,还会因为嚼口香糖吞下过多空气。

勿用碘盐"炸炸锅"

碘是人类健康必需的微量元素,能促进人体的生长发育,特别对大脑和神经系统起着非常重要的作用。孕妇缺碘会导致后代出现呆、傻、聋、哑、矮等一系列疾病。儿童、青少年时期缺碘可造成智力低下、生长发育迟缓、学习成绩下降等。为避免缺碘,目前我国常用的人体补碘措施主要是食用加

碘食盐。这是一种最经济、最简便、最安全、最有效的方法。虽然这种方法好，但如果不正确使用，仍会造成碘的流失，失去补碘的作用。因为碘盐是由食盐加入碘酸钾制成，碘是一种不稳定的化学物质，具有挥发性，特别是遇热极易挥发。有些人在炒菜时不注意这一点，往往在油烧热后再加入食盐“炸炸锅”，认为这样炒的菜香，岂不知这样一来，碘在热油中几乎全部丢失了。

温馨小贴士

正确的方法应该是在菜即将出锅时再加入碘盐，这样效果最好，能使人体充分吸收利用碘盐中的碘，达到补碘的目的。另外，由于碘具有挥发性，碘盐应该密封保存，以减少碘的丢失。

带饭别装绿叶菜

有些上班族喜欢自带午餐，这样不仅干净卫生，而且经济实惠，吃得也舒服、放心。那么，如何才能保证营养均衡？饭盒里应该装什么菜呢？

首先，午餐要想保证充分的能量，含蛋白质、维生素和矿物质的水果、米饭、牛肉、豆制品、各种非绿叶蔬菜、酸奶等食物是必不可少。午餐前半小时最好吃些水果。米饭是最好的主食，如果再加入含优质植物蛋白的豆制品，营养就会更全面。自带的炒蔬菜至多下锅炒至六七成熟就行，以防微波热饭进一步破坏其营养成分。荤菜尽量选择含脂肪少的牛肉、鸡肉等。

上班自带饭的最大缺陷是经过一上午时间，饭盒里的食物营养流失比较严重，并容易变质。所以，最好不带鱼、海鲜、绿叶蔬菜、回锅肉、炒饭等。

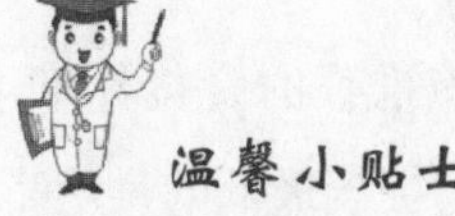

温馨小贴士

各种绿叶蔬菜中都含有不同量的硝酸盐，烹饪过度或放时间过长，会被

细菌还原成有毒的亚硝酸盐，使人出现程度不同的中毒症状。上班族自带午餐时，最好别装绿叶蔬菜。

烹调"半成品"食物最好不要炒

现今社会生活节奏加快，"半成品"式方便食品应运而生。这些洗净的"半成品"，均已切好几种食物巧为搭配，且加入了葱姜、味精等调味品，买回家后，只要在锅里放些食油，炒一下即可享用。择菜、清洗、切段、搭配等工序全部省去，这就是"半成品"食物颇受欢迎的原因。

这里要提醒的是，对于已经加入味精的"半成品"，烹调时要用小火，最好是蒸、煮而不是炒。因为味精在加热到120℃以上的油锅中炒时，就会由原来的谷氨酸钠变成焦化谷氨酸钠。焦化谷氨酸钠鲜味很低，且具有一定的毒性。据测定，三四成热的"温油锅"，油温为90～130℃，而炒菜的油温往往在150～200℃。这种油温炒出的"半成品"的菜肴，其中的味精早已变成有毒的焦化谷氨酸钠了。

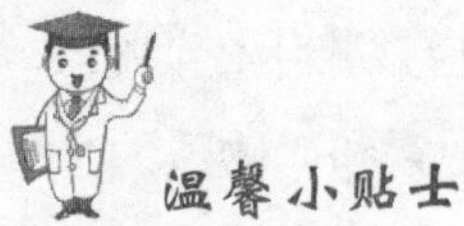

温馨小贴士

有些加有调味的"半成品"食物中是由海参、鱿鱼组配而成的。海参、鱿鱼水发时往往加入了碱，如果组配时没有冲洗干净，就有可能偏于碱性，遇到味精就可能转变成谷氨酸二钠。谷氨酸二钠鲜味极低，且具有异味。

"盐"多必失

据调查，我国人均摄盐量大大超过世界卫生组织推荐的食盐标准。其中，吃盐最多的是东北人，平均每人一天要吃18克盐，摄盐最低的是广东人，吃盐量为8克，也超出了标准。日前，中国盐业有关部门公布了以上调查结

果。据医学专家介绍，按照世界卫生组织推荐的标准，每人每天摄入食盐量应为4～6克，如果摄盐过量，会对健康造成影响。

口味重、吃得咸，对健康会有怎样的影响？一般人24小时的排盐量约为3～5克，在食物中每日只需要补充4～6克盐，就可以满足人体正常需要，如果过多，反而会加重肾脏和心血管的负担，引起肾病加重、高血压、心脏病和中风。据医生临床统计，在已知的高血压人群中，血压控制良好的不到10%，除了一部分未认真服药外，还有相当数量的人是药照吃，但血压就是降不下来，摄盐过多是主要原因之一。

同时，高盐饮食对胃同样有影响。有调查证实，与日常饮食较为清淡的人相比，吃盐多的人患胃病的几率要高70%以上；每月吃咸鱼或咸肉类食品两次以上的人，与不吃的人相比，患胃病的几率要高出一倍。消化科医生向记者解释，胃黏膜会分泌一层黏液来保护自己，但黏液怕盐，如果吃得太咸，日积月累，胃黏膜的保护层就没有了，酸甜苦辣长驱直入，娇嫩的胃怎么能受得了，时间一长就会引起胃溃疡、胃炎甚至胃癌。

很多人会以为，少吃盐只要在做菜的时候少放点盐就可以了。营养学家则提醒大家，平时即使炒菜少放盐，也不能保证摄盐量的减少，因为很多买回来的食品，尤其是熟食和其他半成品食品本身就含盐。

专家指出，1克味精就含盐0.5克，在我们平常吃的食物中含有大量隐性的盐。比如100克酱油相当于15克食盐；100克榨菜相当于11克食盐；100克香肠、火腿相当于4克食盐。许多熟菜，如空心菜、豆芽、虾类、紫菜里，也都含有一定钠盐。

所以专家提醒大家，要控盐，不光在做菜时少放盐，同时也要控制低盐饮食，少吃火腿、香肠、牛肉干、咸蛋、豆腐乳、豆豉、豆瓣酱、味精、鸡精等。

温馨小贴士

健康成年人每日吃盐量不宜超过6克；糖尿病非高血压患者不超过5

克;高血压患者不超过3克;糖尿病高血压患者不超过2克。

五种食物并非颜色越艳越好

有些消费者在购买食物时总是认为颜色越艳越好。其实,这种想法是错误的。以下五种食物并非颜色越艳越好。

(1)蘑菇。正常、新鲜的蘑菇表面有一层鳞片,摸起来有点涩,一般都有黑点,且颜色呈自然白;而经过漂白的食用菌颜色特别白,手感光滑,在较暗的光线下能看到有一点蓝色的光。有些食用菌颜色不太正常,颜色过白。业内人士透露,这样的蘑菇添加了荧光粉漂白。其原因在于新鲜蘑菇的保质期比较短,容易腐烂变黑,添加荧光增白剂可以增白、护色、延长货架期。专家说,荧光增白剂是一种化工原料,一般严禁在食品中使用,人过量食用后,将大大削弱免疫力,导致细胞畸变,有潜在致癌因素。

(2)海带。海带以叶宽厚、色浓绿或紫中微黄、无枯黄叶者为上品。海带含甘露醇,呈白色粉末状附在海带表面。海带以加工后整洁干净无霉变、手感不黏者为佳。颜色过于鲜艳或洗海带后水有异色,应停止食用。

(3)熟肉类。为了使烧鸡、烤鸭、猪腿、红肠、熏腿、猪杂等熟肉食品有诱人的颜色,一些厂商就在制造过程中加入各种人工合成色素。这样的食品对于人体健康的危害是不言而喻的。

(4)饼干。正规饼干生产企业对食品添加剂的使用都严格遵照国家的相关规定,并在产品标签上明确标注。从外观上看,正常饼干的外表颜色应较为纯正,与主要配料的颜色相一致。但一些小作坊通过添加过多的色素以“润饰”饼干的颜色。

(5)绿茶。不同品种、不同等级的茶叶,其颜色均不尽相同。但绿茶以翠碧、鲜润、活气且富有光泽的为佳。像高级龙井呈象牙色等。所以说,茶叶不能一律以“绿”定论。

温馨小贴士

市场上的绿茶品种繁多，那么如何挑选绿茶呢？一看颜色。凡色泽绿润，茶叶肥壮厚实，或有较多白毫者一般是春茶；二看外形。扁形绿茶茶条扁平挺直、光滑，无黄点、无青绿叶梗是好茶；卷曲形或螺状绿茶，条索细紧，白毫或锋苗显露说明原料好，做工精细；三闻香气。香气清新馥郁、略带熟栗香的是好茶。

粗粮虽好不宜多吃

吃粗粮成了近年来的一种时尚。很多年纪大的人喜欢吃粗粮，一方面是在怀念过去的生活，另一方面也认为它营养高、口感好。可是，粗粮虽好，也不要多吃。因为其中含有过多的食物纤维，会阻碍人体对其他营养物质的吸收，降低免疫能力。

所谓粗粮，就是相对我们平时吃的精米白面等细粮而言的，主要包括谷类中的玉米、小米、紫米、高粱、燕麦、荞麦、麦麸以及各种干豆类，如黄豆、青豆、赤豆、绿豆等。

由于加工简单，粗粮中保存了许多细粮中没有的营养。比如，含碳水化合物比细粮要低，含膳食纤维较多，并且富含 B 族维生素。

同时，很多粗粮还具有药用价值：荞麦含有其他谷物所不具有的“叶绿素”和“芦丁”，可以治疗高血压；玉米可加速肠部蠕动，避免患大肠癌，还能有效地防治高血脂、动脉硬化、胆结石等。因此，患有肥胖症、高血脂、糖尿病、便秘的人应多吃粗粮。

但专家指出，粗粮吃多了会降低免疫力。由于粗粮中含有的纤维素和植酸较多，每天摄入纤维素超过 50 克，而且长期食用，会使人的蛋白质补充受阻、脂肪利用率降低，造成骨骼、心脏、血液等脏器功能的损害，降低人体

的免疫能力，甚至影响到生殖能力。

此外，荞麦、燕麦、玉米中的植酸含量较高，会阻碍钙、铁、锌、磷的吸收，影响肠道内矿物质的代谢平衡。所以，吃粗粮时应增加对这些矿物质的摄入。

以25~35岁的人群为例，过量食"粗"的话，会影响人体机能对蛋白质、无机盐以及某些微量元素的吸收，甚至还会影响到人体的生殖能力。

纤维素含量较多对于青春期少女危害较大。因为食物中的胆固醇会随着粗粮中的纤维排出肠道。胆固醇的吸收减少，就会导致女性激素合成减少，影响子宫等生殖器官的发育。因此，青春期少女的纤维素摄入每天不应超过20克。老年人由于胃肠功能减弱，吃粗粮多了会腹胀、消化吸收功能减弱。时间长了，会导致营养不良。此外，缺铁和锌还会造成老年人贫血和大脑早衰。老人每天的纤维素摄入最好不要超过25~35克。

温馨小贴士

吃粗粮也应讲究方法。从营养学上来讲，玉米、小米、大豆单独食用不如将它们按1∶1∶2的比例混合食用营养价值更高，因为这可以使蛋白质起到互补作用。我们在日常生活中常吃的腊八粥、八宝粥、素什锦等，就是很好的粗粮混吃食物。

刚出炉的面包不要吃

有些人认为，刚出炉的面包新鲜，趁热吃才爽口。其实刚出炉的面包闻起来香，那是奶油的香味，面包本身的风味是在完全冷却后才能品尝出来。任何经过发酵的东西都不能立刻吃。如果刚出炉的面包还在发酵，马上吃对身体有害无益，易引起胃病。刚出炉的面包至少放上两个钟头才能吃。

有的顾客挑选面包喜欢挑大一点的，有些人喜欢吃大而松软的面包，说

口感好。其实面包发酵也有一个度，体积过大也许是它发酵过度，不见得营养就多一些。

温馨小贴士

肠胃不好的人不宜吃太多面包，因为面包有酵母，容易产生胃酸。

日常饮食中应注意的细节

小心节后“瓜子病”

瓜子等炒货是大家过新年的必备食品，“剥瓜子”寓意“抓银”。过年时，每家每户都会买上一堆，一家人坐在一起，边吃边聊。可您知道吗，瓜子吃多了会引发舌头肿痛、腹部不适、消化不良等“瓜子病”。

如果一次嗑瓜子量太多，持续的时间又长，瓜子与舌头反复摩擦，会引起舌尖部肿痛、红肿、起血泡等现象，节后门诊就经常出现这类病例。

常听一些人说：“吃了一个上午瓜子，肚子都吃痛了。”专家指出，过量食用瓜子等炒货，会影响消化。主要原因是，空气会不断随着瓜子仁的咀嚼、吞咽进入胃肠，引起打嗝儿、腹胀、腹痛等不适症状；还会消耗掉大量唾液和胃液，影响食物的正常消化，导致消化不良等疾病；此外，瓜子的香味不停刺激胆囊收缩，也会诱发腹痛，同时让人产生烦躁感。所以，一次吃瓜子的量最好以半斤为上限。

另外，最好选择干炒或添加甘草的瓜子，少吃五香、咸味的，这样不容易上火。还有一些炒货厂商在制作过程中添加了一些中药材，或者采取煮的方式，大大减少了上火情况的发生。

温馨小贴士

如果实在无法抵挡瓜子的诱惑，可以在吃瓜子的同时，喝一些绿茶、菊花茶，能缓解上火症状。

如何食用打包食物

在饭店聚餐，吃剩下来的菜点舍不得浪费，“打包”回家十分自然。然而你是否知道，哪些食物适合“打包”，“打包”回家后怎么食用？

鱼蕴含丰富的营养，也是大肠杆菌最好的温床，在20℃左右的温度下，6个小时后，1个细菌就会变成1亿个，所以，剩鱼带回家后，一定要加热后食用。

“打包”回来的鱼类在食用前加热也要有分寸，过度受热，鱼肉类动物脂肪组织也会产生有害人体的过氧化脂质，且油脂中的维生素A、E、D等也会失去营养价值。

贝壳类海鲜适合“打包”，但重新食用一定要重新烹饪，加热时还要另加些酒、葱、姜等作料，不仅味鲜，而且具有杀菌作用。一些海产品如果放置时间久或疑为不新鲜，一定要用醋腌制10分钟左右，以杀灭可能潜伏其中的副溶血性弧菌，防止引起胃肠道不适。

蔬菜一般不要“打包”，因为煮熟的蔬菜都含有不同量的亚硝酸盐，过夜的蔬菜经一夜盐渍，亚硝酸盐含量会增加，加热后毒性会增强，所以最好不要带回家。

淀粉类食品如年糕等最多保存4小时，在没有变味的情况下食用也可能引起不良反应。原因在于它们易被葡萄球菌寄生，而这类细菌的毒素在高温加热下也不会分解，解决不了变质问题。所以，这类食品最好在4小时内食完，此后，即使从外观看未腐败变质也不可食用。

汤、饭混吃是一种很不科学的饮食搭配。所以，切不可将打包回来的食物用汤、饭混吃的方法将其囫囵吞下，这样会影响你的消化机能而引起胃病。

温馨小贴士

打包的食物需凉透后再放入冰箱，否则食物带入的热气会促使霉菌的生长；打包的食物必须回锅，否则不能彻底杀灭细菌；剩菜保存时间不宜过长，最好能在5～6小时内吃掉，如果食物存放时间过长，食物中的细菌会释放出化学性毒素，即使加热也无能为力。

美味背后藏"杀机"

在我们的日常饮食中，一些食品因为味道独特而受到大众喜爱。但专家提醒说，这些食品在加工制作过程中会产生一些有毒或有害的物质，不宜多食。

(1)咸鱼、腊肉。要论咸鱼、腊肉的起源，主要是为了能长期保存。如今，我国很多地区仍有腌制咸鱼、腊肉的习惯，却多是为嗜好那一味。这类食品中含有亚硝胺。亚硝胺进入人体后，在适宜的条件下可以产生二甲基亚硝胺。这是一种很强的致癌物质。

(2)酸菜。酸菜自有风味，但它与白菜相比，维生素C已丧失殆尽。在腌制酸菜时，如果环境温度很高(20℃以上)、受微生物污染、食盐用量少、腌制时间短，则会产生较多的亚硝酸盐。亚硝酸盐进入人体遇到胺类物质，可以产生致癌物质亚硝胺。根据以往的流行病学调查，在我国某些地区的居民食道癌、胃癌的发病率较高，证实是与大量食用酸菜有关。

(3)烤鸭、羊肉串。这是中国的两款特色食品，就连"老外"都爱吃。但这类熏烤食品在制作过程中会产生致癌物质苯丙(a)芘。原料的脂肪含量

越高,熏烤时离火源越近,其苯丙(a)芘的含量越多。此外,烤鸭本身脂肪成分较多,有着与“西餐垃圾”的同样危害,因此少吃为妙。

(4)油饼、油条、薄脆。现在很多人都知道,在油饼、油条和煎饼果子中夹的薄脆含有明矾。它危害大脑,进入人体后排泄率极低,会在体内蓄积,到一定程度,轻者表现为记忆力减退、情绪异常,重者可致老年性痴呆。预防办法一是要少吃或不吃;二是多饮豆浆,以豆浆中的卵磷脂来增强人的记忆力,健脑益智。

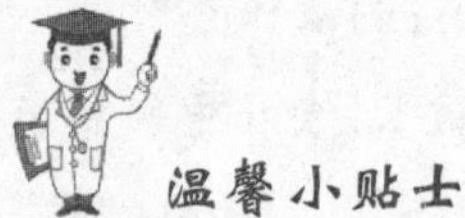

温馨小贴士

有很多人都喜欢吃小吃炸臭豆腐,其实经常吃炸臭豆腐是不健康的。豆腐在发酵过程中,会有肉毒杆菌、臭米面黄杆菌等厌氧菌繁殖。这两类细菌生命力极强,危害极大,都能损害人的中枢神经系统,没有特效药可治,愈后极差,最好的预防中毒办法就是不吃。

“富贵病”应从吃开始预防

随着人们的生活水平不断提高,患“富贵病”的人群也在不断扩大。一些人不注意饮食平衡,导致体内饱和脂肪酸堆积过多,而不饱和脂肪酸特别是 ω-3 多不饱和脂肪酸摄入不足,脂肪酸比例严重失衡;又因为工作繁忙,不注意膳食平衡,致使 ω-3 多不饱和脂肪酸、卵磷脂、维 E 等营养素摄入相对不足。

中老年人最易患“富贵病”。“富贵病”患者绝大多数是 40 岁以上的中老年人。人到中年,机体开始老化,机体各器官的消化和吸收代谢能力开始减退,膳食结构若不平衡,就会使得本来在生物体内含量就很少的、可预防“富贵病”的营养素严重不足,最终导致“富贵病”。但是值得注意的是,“富贵病”并非中老年人专利,近年来该病大有年轻化的趋势。

那么，导致“富贵病”的产生有哪些饮食误区呢？

误区一：“吃饭要吃饱吃好。”俗话说：“民以食为天。”吃是人体第一需要，但对于早已摆脱了贫困的大多数现代人来说，饮食的主要问题不是充饥，而是过食。中老年人应当注意不要过饱，在保持膳食平衡的前提下，让消化系统减轻负担，做到“先饥而后食”。

误区二：“顺其自然，想吃什么就吃什么。”这样做其实很不科学。饮食不仅要有适当的量，而且各种营养素之间的比例也应适当，即所谓的膳食平衡。一般来说“五谷杂粮什么都吃，什么都不要过量”应是一条可循原则。

误区三：“要解馋，辣和咸。”人离开盐是不行的，但摄入过多对身体有害。专家建议：成人每天摄入食盐量不应超过6克。一般认为每天超过10克就可产生不良影响。

误区四：“为了减肥，不吃早餐。”合理的饮食应该是一日三餐，对于患有心脑血管病的中老年人来说，有时一日四餐、五餐可能更好。早餐不但要吃，还要吃好，要摄入全天所需能量的1/5，同时还应吃些奶、蛋、肉、蔬菜及水果。

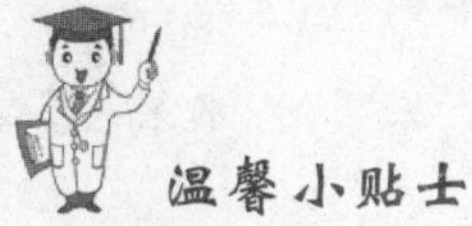

温馨小贴士

营养专家指出，“富贵病”是“吃”出来的疾病，所以从“吃”开始预防有十分重要的意义；①注意膳食营养平衡；②有意识地多摄入各种可预防“富贵病”的营养素；③科学加工食物，防止各种营养素的流失；④尽量饮食天然、新鲜的食品，比如多吃新鲜蔬菜和水果。

早餐冷食有损健康

很多白领一早就喝蔬果汁，虽说可以提供蔬果中直接的营养及清理体内废物，但忽略了一个最重要的关键问题，那就是人的体内永远喜欢温暖的环境。身体温暖，微循环才会正常，氧气、营养及废物等的运送才会顺畅。

所以吃早餐时，千万不要先喝蔬果汁、冰咖啡、冰果汁、冰红茶、绿豆沙、冰牛奶等，短时间内，也许不觉得身体有什么不舒服，事实上会让身体日渐衰弱。

吃早餐应该吃热食，才能保护胃气。学说的胃气，其实是广义的，并不单纯指胃这个器官而已，其中包含了脾胃的消化吸收能力、后天的免疫力、肌肉的功能等。

因为在早晨，夜间的阴气未除，大地温度尚未回升，体内的肌肉、神经及血管都还呈现收缩的状态，假如这时候你再吃喝冰冷的食物，必定使体内各个系统更加挛缩，血流更加不顺。日子一久或年龄渐长，会觉得怎么也吸收不到食物精华，好像怎么吃，身体也不结实，时常感冒，小毛病不断，这就是伤了胃气，降低了身体的抵抗力。

早上第一样食物可以是热稀饭、热燕麦片、热牛奶、热豆花、热豆浆、芝麻糊、山药粥或广东粥等，然后再配着吃蔬菜、面包、三明治、水果、点心等。这才是营养合理的早餐。

当心"美味综合症"

"美味综合症"是由于短时间内食用了大量的鸡、鸭、鱼、肉等美味佳肴，使人出现头昏、心慌等一系列病症。其病因是食入的食品中含有较多的麸氨酸钠，它是味精的主要成分，具有刺激味觉、增进食欲的作用。但如果食入过多，它会分解成谷氨酸，使新陈代谢出现异常，导致疾病的发生。

美味综合症的表现是食鸡鸭鱼肉半小时后发病，会有头昏脑胀、眩晕无力、心慌、气喘等症状，有些人会表现为上肢麻木，下肢颤抖，个别病人则表

现为恶心及上腹部不适。

温馨小贴士

对于生长发育期的儿童，美味佳肴不可一次吃得过多，儿童的自控力差，容易偏食，父母在饮食上要把好关，做到有粗有细，荤素搭配，切不可因暴饮暴食而引起美味综合症。

千万不要生吃的几种常见食物

有些食物是可以生吃的，而有些食物则不可以生吃，一旦生食过量，就容易引起中毒。以下几种食物在生吃时一定要小心。

(1)荸荠。常吃生荸荠，其中的姜片虫就会进入人体并附在肠黏膜上，可造成肠道溃疡、腹泻或面部浮肿。

(2)白糖。白糖中常有螨虫寄生，生吃白糖很容易得螨虫病。螨是一种全身长毛的小昆虫，肉眼看不见，螨在糖中繁殖很快。若螨虫进入胃肠道，就会引起腹痛、腹泻，形成溃疡。若进入肺内，会引起咯血、哮喘。若进入尿道，可引起尿路炎症。因此，白糖最好不要生吃，食用前应该进行加热处理(一般加热到70℃左右保持3分钟就可以了)。

(3)蜂蜜。蜜蜂在酿制蜂蜜时，常常采集一些有毒的花粉，这些有毒的花粉酿进蜂蜜以后，人吃了生蜜就容易发生中毒。另外，蜂蜜在收获、运输、保管的过程中，又很容易被细菌污染。因此，生蜂蜜不可食用。

(4)豆浆。豆浆味美可口，其营养价值并不比牛奶低。但饮用未煮沸的豆浆，可引起全身中毒。因为生豆浆中含有一些有害成分——抗胰蛋白酶、酚类化合物和皂素等。抗胰蛋白酶影响蛋白质的消化和吸收；酚类化合物可使豆浆产生苦味和腥味；皂素刺激消化道，引起呕吐、恶心、腹泻，从而破坏红细胞，产生毒素，以致引起全身中毒。

(5)河鱼。肝吸虫卵在河塘的螺蛳体内发育成尾蚴,并寄生在鱼体内,若吃了生的河鱼,肝吸虫就会进入人体发育成虫,可使人体产生胆管炎,甚至发展成肝硬化。

(6)螃蟹和龙虾。生螃蟹带有肺吸虫的囊蚴虫和副溶性弧菌,龙虾则是肺吸虫的中间寄主,生吃螃蟹和龙虾后,肺吸虫进入人体,会造成肺脏损伤,严重者会使肠道发炎或肠道水肿充血。

(7)生鸡蛋。蛋清所含的抗生物蛋白在肠道内与生物素结合后,会阻碍人体对生物素的吸收。生鸡蛋还常含有沙门氏菌,会使人呕吐、腹泻。

(8)豆角。豆角包括扁豆、芸豆、菜豆、刀豆、四季豆等。吃豆角容易中毒,是因为豆角里面含有一种毒蛋白"凝集素",这种物质在成熟的或较老的豆角中最多。豆角应该煮沸或用急火加热10分钟以上,这样"凝集素"就会被除掉。吃炒豆角或者用豆角做馅时,要充分加热,吃凉拌豆角也要煮10分钟。

温馨小贴士

据《本草纲目》和其他古书记载,牡蛎有去热、消渴、美颜、细肌肤等作用,而进一步分析,牡蛎含有许多维生素B群、肌醇、胆碱和各种矿物质,其中含量较多的营养素要算是锌和铁了。但是应该注意的是,海洋受到污染已是不争的事实,因此,吃牡蛎的时候一定要慎重,以免病从口入。

吃火锅当心寄生虫病

随着天气的变冷,火锅一下子"热火朝天"起来。但是,人们在大饱口福的同时往往忽略了病从口入。火锅好吃,但要防止寄生虫病和胃肠道疾病的发生。

吃火锅要掌握科学性,一是要生熟分开,不要吃夹生的,筷子夹了生食

不要立即夹熟食；二是身体有疾患的人吃火锅要注意选择，例如患有糖尿病、高血压的病人海鲜火锅要少吃，有胃炎、便秘、痔疮等疾病的人麻辣火锅不宜多吃，各种动物内脏也不宜多食；三是火锅底汤不要喝，许多人涮完火锅后喜欢用锅汤下面条等，殊不知火锅汤由于长时间加热，硝酸盐、亚硝酸盐含量很高，可能致癌；四是吃火锅要荤素搭配，吃点素菜和水果有助于食物的消化和吸收。

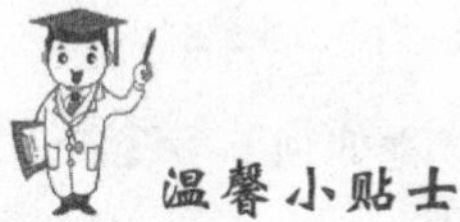

温馨小贴士

吃火锅时一定要高温加热，尤其是肉类，一定要在沸汤里煮10分钟以上。在此特别提醒，孕妇和儿童应尽量少吃火锅，以免影响胎儿和儿童的生长发育。

夏季莫为"清淡"误

夏季谈及饮食，"清淡"之说便大行其道，"清淡"文章连篇累牍。为了执行"清淡路线"，原来经常吃的鱼肉禽蛋很少吃了，就连平时每天都喝的牛奶也停了，说是喝了牛奶"火气"旺；在饮食的数量上不少人也减少了，大有"缩食"的味道。这样做的结果是，不少人的体质迅速下降，体重减轻，消瘦乏力，抗高温和疾病的能力下降，工作、学习效率降低，甚至有人产生"疰夏"现象。

在夏天，人的身体消耗超过了春秋冬季节，加上人在夏季的睡眠休息质量较差，就更需要靠增加营养来支撑。如果一味走"清淡路线"，少吃甚至不吃多营养食物，减少饮食，其结果必然使热量入不敷出，导致体质大大下降。

温馨小贴士

在味道清淡的饭菜中加入少量的醋会比实际较咸。

吃饭时别在桌上垫报纸

吃饭时不能用报纸垫桌子，更不提倡用印刷物直接接触食物，否则很可能导致油墨污染。

不少人都有这样的经历：吃饭时为了不弄脏桌子，便在桌上垫几张报纸。究其原因，除了方便，还省得擦桌子。

用报纸当桌布，听着似乎有不少好处，但事实究竟如何？专家指出，油墨中的主要污染物是重金属，包括铅、铬、镉、汞等，它们都可能对人体产生一定危害。比如，铅元素不仅会阻碍人体血细胞的形成，还能通过血液进入脑组织，造成脑损伤。当体内的铅积累到一定程度时，就会出现精神障碍、噩梦、失眠、头痛等慢性中毒症状。

此外，报纸印刷时使用的油墨通常含有乙醇、异丙醇、甲苯、二甲苯等具有毒性的有机溶剂。虽然这些有机溶剂干燥后，绝大部分危害会消除，但残留部分仍然会对人体形成潜在危险。

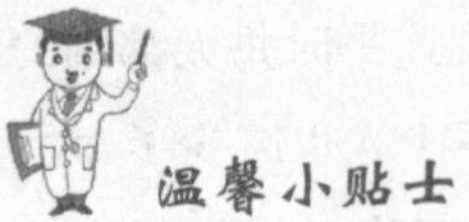

温馨小贴士

报纸，特别是报纸彩页，油墨面积大、墨层厚，有机溶剂的残留会比较多。如果长期吸入，可能影响到大脑的中枢神经，对健康造成极大危害。

不宜经常食用沙锅菜

沙锅是家常烹饪使用的锅中比较有“个性”的一类，它并非金属制品，但保温性能极佳，非常适宜用来烹饪汤菜，尤其是在冬季，围着热气腾腾的沙锅，喝上两口又美味又暖身的汤，实在是不错的享受。

但是，需要注意的是，在使用砂锅炖制的菜肴时，由于加热时间过长，动物

性食用原料蛋白质降解，水的化解能力减弱，凝胶液体大量析出，使其韧性增加，食用时口感差，不利于人体消化吸收，而且用砂锅炖菜，原料中的矿物质、维生素损失率高。另外，由于密封较严，原料中异味物质也难逸出，部分戊酸及低脂肪还存于原料及汤汁中，在热反应中，生成对人体有害的物质。

温馨小贴士

新买的沙锅先"喝"点粥，来堵塞沙锅的细微孔隙，就不会有渗水的毛病出现啦。

油条不宜长期多吃

"炸油条"一直在我们早餐中独占鳌头。然而，在油条制作过程中必须要掺入明矾，它是对人体一种极有害的物质，它纯属是"铝化合物"。如果长时间以油条为食，可使大量的有害物质沉积在人体器官中，使人的骨质变得松软，记忆力衰退，加速人体的老化。再者，油条是在连续高温中炸煎，又含有十多种非挥发性毒物，可导致肝炎、肠炎和诱发癌症等。

温馨小贴士

油条、油饼这类食品中含铝较多，这是因为在炸油条时面中掺入了硫酸钾铝（明矾），以一根 50 克重油条来说，就含铝 10 毫克左右，如果每天吃 2 根油条，1 个月可摄入铝 600 毫克。为了预防老年性痴呆，宜少吃或不吃加入明矾的油条、油饼。

吃苏打饼干每周别超 50 克

苏打饼干在制作的过程中加入精盐，使钠含量增加；加入精炼混合油，

使脂肪含量增加；并且通过高温烘烤，使丙烯酰氨含量增加。这可能会对人的健康产生不利影响。

(1)吃苏打饼干，增加了钠的摄入，可升高血压，加重水肿。

食盐(氯化钠)与高血压病、肾性水肿、肝性水肿和心衰的关系日益明了，得了这些疾病应该限制食盐或钠的摄入，采用低盐(每日钠摄入不超过2000毫克)、无盐(每日钠摄入不超过1000毫克)或低钠(每日钠摄入不超过500毫克)饮食。因苏打饼干含较高的钠，故高血压病、心衰和水肿的病人不应吃苏打饼干。

(2)吃苏打饼干，增加了脂肪摄入，更容易变胖，增加患糖尿病等慢性病的风险。

苏打饼干中，因加入精炼混合油，使其脂肪的含量远高于馒头等食物。100克面粉蒸制的馒头含脂肪1克，而100克苏打饼干中含脂肪8克。摄入100克苏打饼干较之摄入100克面粉蒸制的馒头，等于多摄入7克脂肪，相当于多摄入63千卡的热能。可见，如果你怕长体重，或想减肥，或想降血脂，最好别随意吃苏打饼干。吃苏打饼干会增加丙烯酰氨的摄入，可能增加患癌症的风险。

(3)现代研究证明，淀粉类食物高温烘烤时，除产生风味独特的物质外，还产生一种国际公认的潜在致癌物——丙烯酰氨。

1000克苏打饼干中约含丙烯酰氨200微克，远远高于馒头中的含量(馒头中几乎不含丙烯酰氨)，但低于炸薯条(811微克)中的含量。丙烯酰氨会促进形成良性或恶性肿瘤，并导致中枢和末梢神经受损。国际癌症研究机构已将丙烯酰氨归类为对人类有可能致癌的物质。应当明确的是，丙烯酰氨是人类可能的潜在致癌物，但目前仍没有证据表明，吃高温烘烤的淀粉类食物会使人类患癌症的发生率增加。

温馨小贴士

专家指出，在保证有足够新鲜蔬果的情况下，每周吃1次苏打饼干，每次

不超过50克还是允许的。

过量食用白糖有害大脑

白糖可直接进入血液中，结果使血液流动不畅。过多地吃白糖及其制品，也会产生这种不良作用。白糖进入细胞中可带进水分，使细胞呈“泥泞”状态。这不仅对大脑不利，而且还易导致脑溢血、脑血栓。

脑力劳动者食白糖过多，会导致体内缺乏维生素B1。这是因为白糖在代谢过程中产生的乳酸、丙酮酸等中间产物要靠含有维生素B1的脱羧辅酶分解为二氧化碳和水排出体外。若白糖摄入过量，而食物中维生素B1来源有限，一旦缺乏，则影响乳酸、丙酮酸等代谢产物的分解。这些物质若在体内蓄积，尤其对大脑，则会干扰大脑高级中枢神经功能，引起头晕、头痛、乏力失眠、食欲不振、精神萎靡、神经衰弱等病症。

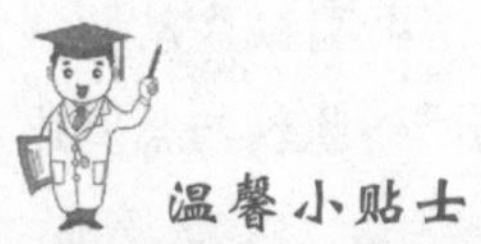

温馨小贴士

炒苦瓜时加点白糖，再淋少许醋，不仅减轻苦味，烹成的菜吃起来还特别清香可口。

植物油好还是动物油好

人们认为动物油含饱和脂肪酸多，易引发冠心病、肥胖症等疾病，认为其营养价值不如素油，转而青睐植物油，其实这种仅用脂肪酸的饱和度来评定脂肪的营养价值是不够全面的。要得出客观的结论，最好从油脂的脂肪酸含量、在体内消化吸收率的高低以及所含维生素的多少来做全面分析、比较。长期食用植物油可促使体内过氧化物增加，影响对维生素吸收，增加乳腺癌、结肠癌发病率；过氧化物在血管壁、肝脏、脑细胞上形成时会引起动脉

硬化、肝硬化、脑血栓等疾病。

从亚油酸含量多、消化吸收率好、维生素E含量高等几个方面看，植物油夺标的可能性较高。但鸡油、鸭油中也含有一定量的亚油酸，动物内脏（心、肾）和血液也含有花生四烯酸，而且鱼油所含的高度不饱和脂肪酸有明显的降血脂作用。黄油、奶油含有维生素A和D，这是一般植物油所没有的。不过，它们所含胆固醇较多，对高血脂症和冠心病人不利。有些已被植物油加工制成的“人造黄油”所取代，有的也用维生素A、D加以强化。

猪油、牛油、羊油的消化吸收率低于植物油，是不含维生素，含饱和脂肪较多，可促进胆固醇的吸收和升高血脂。用牛骨髓油制做的“炒面”发热量很高，所含胆固醇也高，有的人不敢食用。其实对那些胆固醇代谢正常，经常参加运动，体力活动多，并多吃些富含维生素和膳食纤维的食物，膳食能保持平衡的青壮年人来说，对这种冬令补品偶尔一吃并无大碍，无需绝对禁忌。

植物油所含不饱和脂肪酸有降低血胆固醇的作用，可减少动脉粥样硬化的威胁，比含饱和脂肪多的动物油要好。不过高脂肪膳食与某些癌症的高发关系密切，无论荤油还是素油，所起作用都是一样的。有人调查：在肠癌高发地区，人群每日脂肪量大多在120克以上（有的地区甚至超过150克）；中发地区为60～120克脂肪，低发地区则为20～60克。当然，脂肪的摄入量除烹调油外，还包括膳食中其他食品所含脂肪，特别是动物性食品，含饱和脂肪较多，为保持膳食中各种脂肪酸（单不饱和脂肪酸、多不饱和脂肪酸以及饱和脂肪酸）比例平衡（各占1/3），烹调时最好用植物油。

温馨小贴士

不同类油脂各有其优缺点，既不应笼统否定，也不可能一味求全。最好是根据具体情况，知“油”善用，趋利避害，充分发挥各自的营养作用或治疗功能。最好是植物、动物油搭配或交替食用，其比例为10∶7。

多吃鸡蛋会中毒

鸡蛋是一种营养丰富的食品，一个鸡蛋重约50克，含蛋白质7克、脂肪6克、产生热能82千卡。鸡蛋蛋白质的氨基酸比例很适合人体生理需要，易为机体吸收，利用率高达98%以上，营养价值很高。鸡蛋中钙、磷、铁和维生素A含量很高，B族维生素也很丰富，还含有其他许多种人体必需的维生素和微量元素，是小儿、老人、产妇以及肝炎、结核、贫血患者，手术后恢复期病人的良好补品。

鸡蛋虽好，但在吃的数量上还应讲究科学。据近期调查表明：在一些城市职工中，有些从事脑力劳动或轻体力劳动的青年人，为增加营养，一天要吃5～6个鸡蛋；有的中、小学生每天早餐吃3个鸡蛋，午、晚餐也吃1～2个。在一些农村里，产妇每天要吃10～15个，月子里竟吃300～450个。他们认为：鸡蛋有营养，多吃补身体。其实不然，吃得太多，反而会给身体带来一些不良影响。

首先，鸡蛋中含有大量胆固醇，吃鸡蛋过多，会使胆固醇的摄入量大大增加，造成血胆固醇含量过高，引起动脉粥样硬化和心、脑血管疾病的发生。以产妇为例，一个鸡蛋约含胆固醇250毫克，10个鸡蛋约含2500毫克胆固醇。这个量是正常摄入量的近10倍。加之，鸡蛋中富含的脂肪属饱和脂肪酸，摄入过多，必然会使血清胆固醇急剧上升，并能促使动脉粥样硬化和心脑血管病的发生。

其次，多吃鸡蛋容易造成营养过剩、导致肥胖。妇女产后在哺乳期间，每天热能的需要量一般为2800～3000千卡左右，蛋白质需要量为90克，如每天吃10个鸡蛋，等于摄入70克蛋白质，60克脂肪，约820千卡热量，加之乳母还要吃一定量的主食、鸡、鱼、肉、豆制品、蔬菜及水果等，每天热能摄入量可以达到3500～3800千卡，蛋白质和脂肪的摄入量都可达到120～140克。这就远远超过了她们每天的实际营养需要，致使营养过剩，会使多余脂

肪在体内堆积而形成肥胖。

多吃鸡蛋还会造成体内营养素的不平衡，从而影响健康。我们的日常膳食是由多种食物组成的，合理的平衡膳食要求含有人体所需要的各种营养素，并要求各种营养素在膳食中都应有适当的比例。因为各种营养素在体内是互相协调、互相制约而发挥作用的。这样，身体才能正常发育和保持健康。古今中外，不论哪一种食物，尽管它的营养价值很高，也不可能含有人体所需的全部营养素。长期食用一种食物，会使某些营养素过剩，而另一些营养素缺乏。鸡蛋也不例外，鸡蛋本身也不能供给人体所需的全部营养素，比如，它本身不含碳水化合物，维生素 C 含量也几乎是零。因此，过多吃鸡蛋，必然会使其他食物摄入量相对减少，使摄入的各种营养素不平衡。天长日久，容易造成由于其他营养素缺乏或过剩而引起相关疾病。

吃鸡蛋过多，还会增加肝脏与肾脏的负担。人体所需的 8 种必需氨基酸，每天吃 1 ~ 2 个鸡蛋，就可以满足需要。由于身体已不需要，也不会再吸收利用，就会转化为脂肪堆积体内或当作热量被白白浪费掉，而且多吃进去的那些鸡蛋，其蛋白质分解代谢产物会增加肝脏的负担，在体内代谢后所产生的大量含氮废物还都要通过肾脏排出体外，又会直接加重肾脏的负担，所以过多吃鸡蛋对肝脏和肾脏都不利。

那么，一个人每天吃几个鸡蛋才比较合适呢？从营养学的观点看，为了保证平衡膳食、满足机体需要，又不致营养过剩，在一般情况下，老年人每天吃 1 ~ 2 个比较好。对于青年和中年人，从事脑力劳动或轻体力劳动的，每天吃 2 个鸡蛋也比较合适；从事重体力劳动，消耗营养多的，每天可吃 2 ~ 3 个鸡蛋；少年和儿童，由于长身体、代谢快，每天也可吃 2 ~ 3 个。孕妇、产妇、乳母身体虚弱者以及大手术后恢复期的病人，由于需要多增加优良蛋白质，每天可吃 3 ~ 4 个鸡蛋，但不宜再多。

温馨小贴士

鸡蛋清对重金属中毒来说，具有解毒的作用。溶于水的蛋白质遇到重

金属离子会变性，就好比鸡蛋清煮熟凝固一样。鸡蛋清含有大量蛋白质，蛋白质遇到重金属会凝固变性；也就是说，鸡蛋清吸收了重金属。

熟鸡蛋不宜用凉水冷却

日常生活中，有些人喜欢把煮熟的鸡蛋捞出后置于冷水中冰一下，认为这样容易剥壳，其实这种做法很不科学。这是因为鸡蛋的蛋壳内有一层保护膜，蛋煮熟后，膜则被破坏，当煮熟的蛋放入冷水中，蛋发生猛烈收缩，蛋白与蛋壳之间就形成一真空空隙，水中的细菌、病毒很容易被负压吸收到蛋内这层空隙中。

另外，鸡蛋投入冷水中时，温度急骤降低，气室内压力随之下降，冷水中的细菌通过气孔进入蛋内。美国科学家曾做过这样的试验：把几个刚煮熟的鸡蛋放到冷水中（每毫升水中仅含10个肉毒杆菌芽胞），结果全部蛋白都产生了可怕的肉毒毒素。肉毒毒素是一种毒性极强烈的嗜神经病毒，危害人体健康。

温馨小贴士

熟鸡蛋不宜用冷水冷却，可以在煮蛋时放入少许食盐，这样，煮熟的蛋壳就很容易剥掉。或将鸡蛋放入冷水里浸湿，再放进热水里煮，蛋壳不会破裂，也容易剥下。

单面煎鸡蛋应尽量少吃

不少到餐馆吃早饭的人都会随餐点一份“单面煎蛋”，觉得这样吃起来更加鲜嫩，而且能吸入更多营养。所谓单面煎蛋，是指煎鸡蛋时只煎一面，蛋黄呈“糖心”的蛋。然而，最近美国的一项研究发现，在没有煮熟的蛋中，

含有对人体有害的细菌。

需要特别提醒的是，煎鸡蛋也要尽量少吃，尤其是单面煎蛋。不仅蛋黄一面容易残留致病菌，贴着锅的一面经煎炸后容易变焦，变焦的鸡蛋可能含有致癌物苯并比，而且，经常吃煎蛋容易使油脂摄入过量，诱发高血脂和脂肪肝。这些说法决非危言耸听。首先，生鸡蛋容易被致病菌污染。因为鸡蛋是由鸡的卵巢和泄殖腔产出的，而卵巢、泄殖腔的带菌率很高，所以蛋壳表面，甚至蛋黄都可能被细菌污染。在显微镜下可以观察到，鸡蛋的外壳布满小孔，这些小孔的直径比致病菌要大几十倍乃至几百倍。因此，鸡蛋随时可能被病原体侵入。如果食用了这种鸡蛋，人可能会出现畏寒、发热、恶心、呕吐、腹泻等食物中毒现象。

相比较而言，鸡蛋煮着吃比煎着吃更有营养。不过，专家建议，煮的时间时间一般掌握在 8～10 分钟最佳。这样，既能杀死有害致病菌，又能比较完整地保存鸡蛋的营养素。

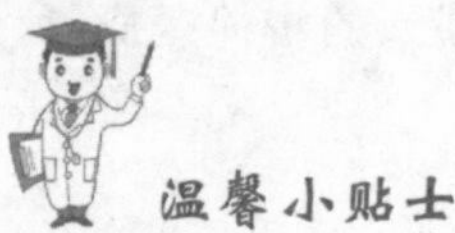

温馨小贴士

专家提醒民众，蛋中含有细菌，一定要将蛋煮熟，否则会引起严重疾病。

吃鱼用油炸不科学

日常生活中，大多数人在做鱼的时候，都习惯先把鱼用油炸一下，然后进行烹饪，其实这不是科学饮食方法。

人们都说吃鱼能健脑。有资料说，这是因为鱼体内含有丰富的 DHA（廿二碳六烯酸）。DHA 既是人脑脂肪的主要成分，又是大脑发育不可缺少的物质。因此，人体为保证脑细胞的正常生长，提高智力，必须有充足的 DHA 的摄入。

可是，一般的陆生食物，如猪肉、牛肉、奶品、谷物、鸡蛋、蔬菜、水果、豆

类中，几乎都不含有DHA。只有鱼虾等水产品中才含有较丰富的DHA，尤其是海鱼，其DHA含量较之淡水鱼虾更高。然而，DHA是一种多不饱和脂肪酸，它在空气中，特别是在高温下极易氧化遭到破坏。因此，我们在多吃新鲜水产品时，应尽量避免油炸。

温馨小贴士

油炸食物表面包绕一层脂质，不易被消化吸收。胃肠消化能力较弱的人，吃油炸食物太多，胃肠道负担太重，消化不了这些食物，会造成消化不良、腹泻、食欲下降等症状。总之，油炸食物营养成分损失较多，并可能含有一些有害物质，且不易消化。故此类食物小儿少食为宜。

兔肉虽好冬季少吃

古人有“飞禽莫如鸪，走兽莫如兔”的说法，对兔肉的营养价值和保健作用给予了极大的肯定。兔肉味甘、性凉，具有补中益气、凉血解毒、止渴的作用。兔肉的肌纤维细嫩，结缔组织少，非常容易被人体消化吸收。人体对兔肉的消化率可达85%，比猪肉、牛肉、羊肉的消化率约高10% ~35%。所以，兔肉特别适合消化功能相对减弱的儿童和老年朋友食用。

在日本，兔肉被称为“美容肉”，它备受年轻女子的青睐。兔肉之所以具有美容的作用，这是因为兔肉富含卵磷脂、多种氨基酸、蛋白质、维生素E、烟酸、维生素B1、维生素B2、维生素E、锌、铁、钙等多种对人体有益的营养物质。其中，兔肉中所含的优质蛋白、烟酸、维生素E等有保护皮肤细胞活性、维护皮肤弹性的作用，所以经常食用兔肉，能使皮肤变得细腻，且具有光泽。同时，兔肉中脂肪含量很低，对于酷爱苗条的女性来说，食用兔肉还可避免引起肥胖。

但是，肉类也有寒热温凉之分，冬季多吃点羊肉、狗肉等温热性的肉类，

对于抵御寒冷的确大有裨益，但对于凉性的兔肉，最好还是少食，特别是脾胃虚寒、阳虚患者在冬季更应该和兔肉划清界限，否则，不仅起不到抵御寒冷的作用，还会因为兔肉性凉，能凉血，易损阳气，进而让人觉得更加怕冷。另外，中医认为，血遇寒则凝。为了避免寒凝血淤诱发痛经，女性经期也最好不要食兔肉。

温馨小贴士

兔肉性凉，多食容易损伤胎气，导致胎动不安或妊娠出血，因此，有先兆流产的孕妇不宜食用兔肉。中医认为，血遇寒则凝。为了避免寒凝血淤诱发痛经，女性经期也最好不要食兔肉。

蔬菜类饮食误区

炒胡萝卜和芹菜最好别放醋

胡萝卜、芹菜营养价值丰富，胡萝卜中含有大量的胡萝卜素，摄入后可以变成维生素A，而维生素A是维持眼睛和皮肤健康的关键，并可促进钙的吸收，防止缺钙。芹菜中含有丰富的维生素群及植物纤维素。夏季天气炎热，体力消耗大，人容易食欲不振，凉拌菜时加点醋，既清脆爽口，增进食欲，还能补充消耗的维生素和膳食纤维。除了胡萝卜、芹菜外，任何可以凉拌的蔬菜都是可以用醋调味的。因为醋中所含的醋酸是种弱酸，且浓度很低，用来凉拌蔬菜时不会破坏胡萝卜和芹菜的营养成分，所以可以放心食用。

但是，炒胡萝卜或芹菜时放醋，情况就不一样了。菜加热后会加速醋酸与菜的化学反应，醋酸会大大破坏胡萝卜素含量，而芹菜属于绿色蔬菜，加

热烹制过程中，营养物质和叶绿素在醋酸的作用下会被破坏，使绿色蔬菜迅速变成黄褐色，既破坏了菜肴的美感，又使菜肴营养价值降低。因此，炒胡萝卜、芹菜等蔬菜时最好不要加醋。

温馨小贴士

吃太咸的烤鱼等食物，如果淋上醋或沾醋吃就不会感到太咸。

胡萝卜生吃好还是熟吃好

小时候我们经常生吃胡萝卜，脆脆的，很好吃。现在我们也经常把胡萝卜切成丝做凉菜。但是，有的报纸上介绍胡萝卜只有熟吃才有营养，那么胡萝卜到底是生吃好还是熟吃好呢？

众所周知，胡萝卜对人类的最大贡献是富含β胡萝卜素，β胡萝卜素是人体维生素A的主要来源。有人曾做过实验：同量胡萝卜三份。A组生食；B组用微量的油脂烹调后熟食；C组配给足量的油脂，烹调后熟食。A、B、C三组β胡萝卜素的消化吸收率分别为10%、30%、90%。可见，β胡萝卜素在体内消化吸收率与油脂配比成正比，胡萝卜用食油烹制后食用比生食营养价值高。还有实验结果显示：A组：将胡萝卜切成片，用油炒6～12分钟，胡萝卜素保存率为79%；B组：将胡萝卜切成块加调味品，炖20～30分钟，胡萝卜素的保存率为93%；C组：将胡萝卜切成块加调味品，加肉后用压力锅炖15～20分钟，胡萝卜素的保存率高于97%。可见，尽量减少胡萝卜与外界空气的接触，可以提高胡萝卜素的保存率。

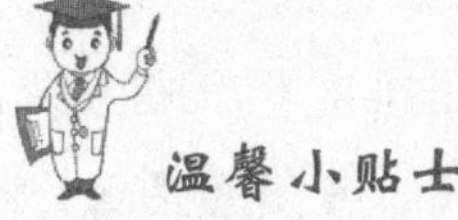

温馨小贴士

吃胡萝卜的科学方法是：将胡萝卜切成块加调味品和食油，或用肉（猪

肉、牛肉、羊肉)炖食,尽量不要生吃胡萝卜。

黄瓜当水果生吃不宜多

黄瓜是西汉时从西域引进的,最初叫“胡瓜”。李时珍说:“张骞出使西域得种,故名胡瓜。”黄瓜的含水量为96% ~98%,它不但脆嫩清香,味道鲜美,而且营养丰富。

黄瓜是一味可以美容的瓜菜,被称为“厨房里的美容剂”,经常食用可有效地抗皮肤老化,减少皱纹的产生,并可防止唇炎、口角炎。黄瓜还有降血糖的作用,对糖尿病人来说,黄瓜是最好的亦蔬亦果的食物,是糖尿病人首选的食品之一。另外,黄瓜中的苦味素有抗癌的作用。《本草纲目》中记载,黄瓜有清热、解渴、利水、消肿之功效。

黄瓜虽好,但当水果生吃,不宜过多,每天1根(约100克)即可。黄瓜中维生素较少,因此常吃黄瓜时应同时吃些其他的蔬果。黄瓜尾部含有较多的苦味素,不要把“黄瓜头儿”全部丢掉。有肝病、心血管病、肠胃病以及高血压的人都不要吃腌黄瓜。脾胃虚弱、腹痛腹泻、肺寒咳嗽都应少吃。

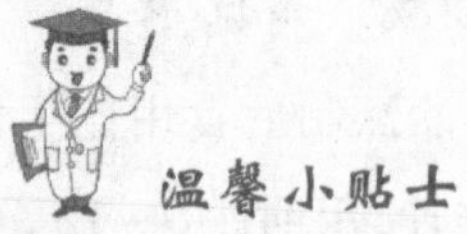

温馨小贴士

黄瓜是很好的减肥品。希望减肥的人要多吃黄瓜,但千万记住,一定要吃新鲜的黄瓜,而不要吃腌黄瓜,因为腌黄瓜含盐,反而会引起发胖。

大白菜心也要洗和泡

白菜含有多种营养物质,是人体生理活动所必需的维生素、无机盐及食用纤维素的重要来源。大白菜含有丰富的钙,它比番茄高5倍、比黄瓜高1.9倍;抗坏血酸(维生素C)比黄瓜高4倍、比番茄高1.4倍;胡萝卜素比黄瓜高1.8

倍。大白菜是预防癌症、糖尿病和肥胖症的健康食品。美国一家专门研究癌症的科研所发现:“多吃白菜能防癌”。在中国古代《本草纲目》中就有记载,大白菜还具有很好的药用价值:其性平味甘,可解热除烦、通利肠胃,有补中消食、利尿通便、清肺止咳、解渴除瘴的作用。

但是做制作大白菜过程中,许多人都以为,剥去一层又一层的大白菜心是很干净的,不需要洗。其实,大白菜从生长至包心需要 2~3 个月的时间,期间需要多次施肥、治虫,加之空气污染,细菌早就在菜心扎下了根儿。因此,大白菜心不但不能一剥就吃,而且要用食盐水浸泡 30 分钟以上,反复清洗再吃。

温馨小贴士

大白菜的吃法很多。可取菜心横切加酱油、醋、香油凉拌生吃,也可炒、煨、熘等熟吃。例如:炒大白菜、鸡汤或虾米白菜等,也可做配菜、泡菜、腌菜、酸菜酱菜、风味菜及脱水菜等。如果剁碎作水饺、包子的馅,更为好吃。但白菜滑肠,不可过多冷食,气虚胃寒的人宜少吃。

春日吃笋注意啥

春天,被誉为“素食第一品”、“春天的菜王”的春笋纷纷萌出,“好竹连山觉笋香”,正是春笋尝鲜的好时节。

春笋味清淡而鲜嫩,营养丰富,含有充足的水分、植物蛋白、脂肪、糖类、大量的胡萝卜素和维生素 B、C、E 以及钙、磷、铁等人体必需的营养成分和微量元素,其中含量较高的是纤维素、氨基酸。春笋不仅是佳蔬还是良药,中医临床研究发现,春笋味甘性寒,具有利九窍、通血脉、化痰涎、消食胀等功效。

竹笋烧肉,可滋阴益血;芝麻油闷笋,能化痰消食;小儿患麻疹,可食嫩

笋尖做的汤，使麻疹出透，缩短病期；食笋粥，对久泻形成的脱肛有疗效。现代医学认为，竹笋具有吸附脂肪、促进食物发酵、有助消化和排泄作用，所以常食春笋对单纯性肥胖者大有益处。

然而，竹笋不仅含有难溶性草酸钙，尿道、肾、胆结石患者不宜多食，而且还含有较多的粗纤维素，对于胃肠疾病患者及肝硬化等患者可能是致病因素，容易造成胃出血、肝病加重等。

吃春笋还要防过敏，过敏性疾病是我们的机体对所接触的外界物质的一种异常免疫反应，哮喘、过敏性鼻炎、荨麻疹、皮炎等是较常见的过敏性疾病，严重的过敏反应可表现为过敏性休克、喉头水肿、甚至死亡。尤其是老人、儿童不宜多吃，每餐最好不要超过半根。中医认为，竹笋有滋阴、益血、化痰、消食、利便等功效，但笋中的大量纤维素较难消化，同时笋中含有难溶性草酸，食用过多易诱发哮喘等老慢支疾病、过敏性鼻炎、皮炎等。春季本来就容易过敏，对于容易产生摄入性过敏的人来说，食用春笋还易引起荨麻疹。因此，小儿应少量吃春笋，但不能吃毛笋；老人吃笋一定要细嚼慢咽。

为防止出现过敏，吃笋应先少量尝点，如有反应，马上停止；如没有反应，可适当再吃。若用笋片、笋丁炒菜，要先用开水把笋烫 5 ~ 10 分钟，然后再配其他食物炒食。这样既可高温分解大部分草酸减少弊端，又能使菜肴无涩感，味道更鲜美。同时，吃笋时尽量不要和海鱼同吃，避免引发皮肤病。

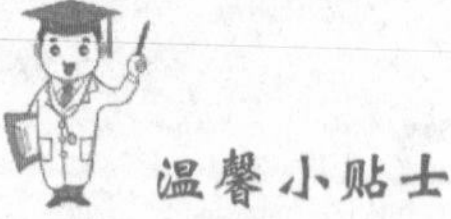

温馨小贴士

竹笋虽然是一种好食品，但因吃竹笋而引起过敏性疾病的人也并非罕见。有过敏性疾病的患者，在吃笋时应先少量尝点，如有反应，马上停止，而已有明确竹笋过敏者则应避免再次食用竹笋。

生吃蔬菜有讲究

有的蔬菜是适合于生吃的。例如青萝卜，生吃可以保存更多的维生素。

不过，为了保证清洁卫生，应该讲究点吃法。

比如，吃西红柿时，最好先用清水洗净后再用开水烫一下去皮后再吃；莴苣也最好是先剥皮，洗净，再用开水烫一下，拌上作料腌上1～2小时再吃。至于北方冬天里的大白菜心，则只需洗净后切丝，拌上调料即可食用。

值得提醒的是，有些人喜欢生吃豆芽，这样不好。因为大豆类含有抗营养成分的物质（如抗凝血素、胰蛋白酶抑制素及生物砭等），不利于营养的吸收。因此，凡是豆芽都应该炒熟了吃，而且绿豆芽最好在起锅之前放点醋，不但味美，还能保护维生素C等营养成分不丢失。黄豆芽则最好是炖肉（或骨头）吃，这样可以使人体充分地消化吸收豆瓣中丰富的蛋白质和油脂。

温馨小贴士

热水法减少蔬菜农药残留：适用于芹菜、菠菜、菜花、豆角等。将蔬菜表面污物洗净，然后放入沸水中，两三分钟后捞出，再用清水洗一两遍。

少吃反季蔬菜

在中医看来，食物和药物都是由气味组成的，而它们的气味只有在当令时，即生长成熟符合节气的时候，才能得天地之精气。

《黄帝内经》中有一句名言叫做“司岁备物”，就是说要遵循大自然的阴阳气化采备药物、食物，这样的药物、食物得天地之精气，气味淳厚，营养价值高。所以人们应该吃节气菜，吃药也最好服用野生草药。

动植物在一定的生长周期内才能成熟，含的气味才够。违背自然生长规律的菜，违背了春生夏长秋收冬藏的寒热消长规律，会导致食品寒热不调，气味混乱，成为所谓的“形似菜”。没有时令的气质，是徒有其形而无其质。如夏天的白菜，外表可以，但味道远不如冬天的；冬天的西红柿大多质硬而无味。这些反季节菜，含激素太多，长期食用的话，对人体有害无益。

这就是孔子的名言:“不时,不食。”就是说,不符合节气的菜,尽量别吃。

温馨小贴士

苦瓜清热降火,但实在太苦,很多人吃不惯。奉上一法:只要在切好的苦瓜上撒上盐,腌渍一会儿,并用水过滤,苦瓜就变得不太苦了。

野味易染病营养也不高

梅花鹿、非洲鸵鸟等被允许摆上餐桌,但这并非意味着野生动物就可以放心地吃了,因为传染病与野生动物有很大联系,如天花、流行性感冒、肺结核、SARS、艾滋病、登革热、出血热也来自于野生动物。病毒首先通过接触传染给人类,之后病原体直接在人群中传播,引起流行病。有时病原体实际上已在人体内安家落户,但只是潜伏的敌人,一旦时机成熟,会成为人类的新杀手。

有些人认为野生动物味道鲜美、营养丰富,其实并非如此。比如,野猪的肌肉纤维明显比家猪粗,而且不易消化;而狍子、竹鼠、鳄鱼肉等,在烹饪中一般都要添加很多佐料,才能去除腥臊味。营养学家曾将家禽、家畜和野生动物的营养进行分析比较,发现它们在蛋白质、碳水化合物、能量等主要指标上相差无几,因此得出结论:人们完全没必要靠吃野生动物来“滋补”身体。如果要吃,最好吃经过检疫部门检验、对其体内所含病菌了解得较为清楚的种类。

温馨小贴士

巧用桔子皮去除肉类异味:炖肉或排骨时,在锅里加入几块洗干净的桔子皮,可除异味和油腻感,同时可以使汤的味道更鲜美。

水果类饮食误区

西瓜不宜冷藏后再吃

许多人买回西瓜后，不是立即就吃，而是放入冰箱冷藏后再吃，以求凉快。可长时间吃冰西瓜会损伤脾胃。

西瓜性寒、味甜。西瓜切开后经较长时间冷藏，瓜瓤表面形成一层膜，冷气被瓜瓤吸收，瓜瓤里的水分往往结成冰晶。医生认为，人咬食“冰”的西瓜时，口腔内的唾液腺、舌部味觉神经和牙周神经都会因冷刺激几乎处于麻痹状态，以致难以“品”出西瓜的甜味和诱人的“沙”味。

还可刺激咽喉，引起咽炎或牙痛等不良反应。另外，多吃冷藏西瓜会损伤脾胃，影响胃液分泌，使食欲减退，造成消化不良。特别是老年人消化机能减退，吃后易引起厌食、腹胀痛、腹泻等肠道疾病。

温馨小贴士

西瓜不宜冷藏后再吃，最好是现买现吃。如果买回的西瓜温度较高，需要冷处理一下，可将西瓜放入冰箱降温，应把温度调至15℃，西瓜在冰箱里的时间不应超过两小时。这样才既可防暑降温，又不伤脾胃，还能品尝西瓜的甜沙滋味。

莫让发霉甘蔗变“杀手”

甘蔗含糖丰富(12.4%)、味甘甜、水分足(占84.2%)，所以很受家长和

孩子们的欢迎。但甘蔗盛产于南方各省，在收割和运输过程中如果环境过于闷热、潮湿，就容易发霉，发霉的甘蔗表皮缺乏光泽，削皮后可见其芯子呈淡黄、浅灰或棕褐色，咬断后断端上有白色绒毛状菌丝，吃的时候有一股酸味或酒味。显微镜下检查可发现其中含有大量的串珠镰刀霉素或节菱孢霉菌，这两种霉菌都可以产生具有强烈毒性的 3 - 硝基丙酸，它会刺激消化道并损害脑神经。

孩子往往在吃了霉甘蔗后 15 分钟到 7 小时(多数在食后 2 ~5 小时)发病。最初是恶心、呕吐、腹痛、腹泻等消化道刺激症状，不久便出现头痛、头晕、狂燥、抽搐、视物不清等神经系统症状，检查时可发现眼球震颤、颈项强直、腱反射亢进并出现病理反射，但脑脊液检查并无异常。严重时可因呼吸衰竭而死亡，即使挽回生命，部分病人也会遗留神经系统方面的后遗症，如步履蹒跚，四肢僵硬和智能发育障碍。因此，发霉的甘蔗千万不能吃。

温馨小贴士

食用霉变的甘蔗引起食物中毒，多见于北方初春季节。大家在购买甘蔗时，一定要注意鉴别甘蔗是否新鲜。一旦发现其芯子呈淡黄、浅灰或棕褐色，咬断后断端上有白色绒毛状菌丝，或吃的时候有一股酸味或酒味，千万不要购买或继续食用。

吃橘子有时也伤身

橘子是冬春季的主要水果，含水量高，营养丰富。食用得当，能补益机体；食用不当，反而有害。那么，我们在吃橘子时要注意什么呢？

一是食用应适量。每天吃 3 个橘子就能满足一个人一天维生素 C 的需要量。若食用过多，当维生素 C 过量时，体内代谢草酸增多，易引起尿结石、肾结石。

二是橘子与牛奶不宜同食。喝牛奶若同时吃橘子，牛奶中的蛋白质易与橘子中的果酸和维生素 C 发生反应，凝固成块，不仅影响消化吸收，还会有腹胀、腹痛、腹泻等症状。

三是橘子不宜与萝卜同食。萝卜进入人体后，会迅速产生一种叫硫酸盐的物质，并很快代谢产生一种抗甲状腺的物质——硫氰酸。若此时摄入橘子，橘子中的类黄酮物质会在肠道被细菌分解，而转化成羟苯甲酸和阿魏酸，它们可以加强硫氰酸抑制甲状腺作用，从而诱发或导致甲状腺肿。

四是胃肠、肾、肺功能虚寒的老人不可多吃，以免诱发腹痛、腰膝酸软或寒痰等病状。

温馨小贴士

桔子好处虽多，但宜常吃而不宜多吃。中医认为桔子性温，多吃易上火，会出现口舌生疮、口干舌燥、咽喉干痛、大便秘结等症状。因桔子果肉中含有一定的有机酸，为避免其对胃粘膜产生刺激而引起不适，因此，最好不要空腹吃桔子。此外，桔子还含有大量的胡萝卜素，如果一次吃的过量或近期连续摄入过多，血液中胡萝卜素浓度过高将会导致皮肤发黄。此时除了多喝水、暂时不吃桔子类水果外，还应限制摄食胡萝卜素含量丰富的食物，大约经过 1 个月左右后，皮肤的颜色就会恢复正常。桔子中的有机酸会刺激胃壁的粘膜，饭前或空腹时吃桔子对胃不好。老年人要少吃，胃肠、肾、肺功能虚寒的老人不可多吃，以免诱发腹痛、腰膝酸软等病状。

买水果别太贪“色相”

夏天是水果销售的季节，但一些消费者在品尝水果的时候，却常常觉得不对劲：黄亮的香蕉吃起来有一股生味儿；芒果闻不到香味；草莓、樱桃颜色漂亮，吃起来却没味儿；西瓜一点儿都不甜；个头很大的草莓中间是空的，吃

进嘴里尝不出什么味道;红红的西红柿一口咬下去会酸掉你的大牙;模样漂亮的樱桃、猕猴桃口感极差。食品专家指出,口感不好是因为这些蔬菜水果使用激素的原因,这是一个大家都知道的秘密。为争取蔬菜水果早日上市,卖个好价钱,一些贩运商会要求果农使用催熟剂和膨大剂等激素,至于提前采摘下来的蔬菜水果,在运输途中使用催熟剂则是家常便饭了。

虽然有关专家称,合理范围内使用催熟剂和保鲜剂是允许的,但营养与医学专家称,人们对经济效益的过度追求导致各类激素的滥用,而激素会直接导致食品的低营养化。激素催熟的水果对人体健康到底会造成什么样的危害,目前虽没有完全定论,但不少专家相信,长期食用对身体肯定有影响。

专家指出,膨大剂的使用会使果蔬的细胞非正常撑大,形状也会变得比较奇特,其中所含的一些成分如氨基酸、糖等不够,导致口感较差,营养也会降低;催熟剂如乙烯等的使用则会加快果蔬成熟,缩短其生长期,最后出来的产品虽然外表看起来与正常生长的无异甚至优于正常生长的,但是同样存在口感差、营养成分低的问题。尽管如此,目前很多果蔬都在不同程度地使用催熟剂。而这样做的目的,主要是因为经济上的原因,赶在季节前出售,价格会高很多。

但消费者在不知情的情况下食用了大量含有化学激素的食品,是否会对人体健康造成损害,由于研究工作尚未展开,目前未有科学的说法。但很多专家们都指出,从理论上讲,服用激素对人体健康一定会造成影响。如会出现过敏反应、腹泻,体内残留的激素浓度过高会引起其他相关疾病,现在肿瘤病人增多,与激素的泛滥不无关系。

温馨小贴士

激素或类激素过多是儿童性早熟发病的主要原因。儿童如果长期食用催熟的蔬菜水果,和食用含有激素的肉类快餐、保健品一样,会导致一些小孩发育紊乱,出现异于同龄人的生理状况,产生性早熟等不良反应。因此有

关专家呼吁，家长不要再给孩子吃一些人工催熟的蔬菜水果，这样只会加剧孩子的性早熟程度，因为有六成的性早熟都是人为吃出来的。

吃素果真能长寿吗

有资料显示，国内有人对终生清淡素食的645名寺庙和尚进行体检后发现，有45.6%的和尚患有慢性疾病，其中34.3%的慢性疾病与长期营养不良有关。据调查，长期吃素会造成营养素缺乏，主要有以下一些：

优质蛋白质缺乏：人类所需要的蛋白质有两种：一种是完全蛋白质，又称优质蛋白质，含包括必需氨基酸在内的所有氨基酸。动物性蛋白质，如奶类、精肉、禽蛋和鱼虾内的蛋白均属此类；另一种是不完全（或半完全）蛋白质，所含氨基酸数量不足，而且缺乏某些必需氨基酸。植物性蛋白质即属此类，故素食者易造成完全蛋白质缺乏。当人体蛋白质供给不足时，会减轻体重，患贫血，感染疾病，创伤、骨折不易愈合；严重缺乏时，血浆蛋白降低，可引起浮肿。

维生素缺乏：素食者饮食单调，最容易缺乏维生素B_{12}、D。维生素B_{12}参与红细胞制造、维持神经系统的正常功能。维生素D能帮助钙质吸收。

微量元素缺乏：素食者易缺乏微量元素镁、钙、铁、锌等。机体内缺乏微量元素镁会引起冠心病；微量元素铁有造血的源料，缺乏易引起贫血；钙能强化骨骼牙齿、帮助肌肉收缩、参与凝血反应，缺钙时，易造成骨质疏松等；锌能帮助肌肉的生长发育、维持正常人体新陈代谢和男性性功能正常化。

温馨小贴士

天热了，清凉的椰子汁深受市民喜爱，挑选时将椰子晃一晃，若水声清脆，则椰子汁多。若喜吃椰子肉，则应选手感较重，摇起来较沉的椰子。

食用冬枣应当限量

很多人都知道，柿子、黑枣含有较多的鞣酸，在胃内遇到鱼、肉类等蛋白质含量较高的食品，可以生成溶解性较差的鞣质蛋白，易于沉积在胃内形成结石。所以，吃冬枣过量就会引起胃结石。

冬枣的最大特点是维生素C含量极高：每100克含419毫克。而一片维生素C制剂的含量是100毫克。据此粗算一下，一枚冬枣的维生素C含量接近于一片维生素C制剂。大量的维生素C进入人体后，可以产生尿酸沉积于泌尿系统、肌腱、关节等软组织处。

温馨小贴士

虽然冬枣导致胃结石的根本原因目前尚无法证实，但为保平安，食用冬枣应当限量。尤其是那些胃肠蠕动功能较差的老年人更应注意。

“日啖荔枝三百颗”要小心

“日啖荔枝三百颗，不辞长作岭南人。”是苏东坡流放岭南后的名句，可是要在现代生活中将之付诸实施却得小心一点。无节制进食荔枝会出现头昏、大汗、全身无力症状，有的还会感觉到口渴和饥饿感，症状重的会出现抽搐、面瘫、四肢瘫痪、心律不齐及血压下降，甚至昏迷等。

传统中医认为，荔枝性甘温，具有补气养精、散寒行气的作用，阴虚体质的人，特别是患有慢性扁桃体炎、咽喉炎的人，多吃荔枝会加重“虚火”，故民间有“一颗荔枝三把火”的说法。每年荔枝上市季节，都会出现一些吃荔枝“上火”的患者。

专家分析，虽然荔枝含有大量果糖，但是大量的果糖同时会刺激体内分

泌大量胰岛素，胰岛素可以降低血糖浓度，多吃荔枝影响食欲，热量摄取不足，机体储糖减少，而脂肪及蛋白质未能及时分解补充，就可能导致低血糖的产生。病人出现症状后应尽快喝大量糖水，及时到医院治疗。一般经静脉输入葡萄糖，并做对症处理后，一二天内就可以恢复健康。

温馨小贴士

如果你太喜欢吃荔枝了，那么可以在吃荔枝前后喝一点盐水或凉茶、绿豆汤、冬瓜汤、生地汤等以预防“上火”。

别拿水果当饭吃

一些爱美的女孩因为怕吃正餐让自己发胖，于是用水果来代替正餐。专家指出，当身体非常肥胖时，改用水果餐是可行的，但如果体重处于正常范围，午餐只吃水果，是不足以应付一整天的工作量。

从营养学角度来说，人体需要碳水化合物、矿物质、蛋白质等多种营养素。若长期靠“水果”为生，对人体的内分泌、消化系统、免疫系统等都将产生不利影响。水果中的确含有丰富的维生素和矿物质，还有有益于人体健康的生物活性物质，像胡萝卜素、生物类黄酮、花青素和前花青素、有机酸等。可是，人体所需要的另外一些营养素，如生命必需的蛋白质，在水果中的含量却很低。一个人如果不吃肉或豆制品，想完全通过水果摄取每天所需要的蛋白质，那至少要吃 9000 克，就是 18 斤以上的水果，才能满足身体的需要。同时，水果中的非血红素铁难以被人体利用，长期用水果当正餐，肯定会引起蛋白质和铁的摄入不足，从而引起贫血、免疫功能降低等现象，因为减肥而损害健康得不偿失。此外，午餐吃水果，下午会感到饥饿，到晚餐实在熬不住，难免吃得超量，这样一来难以获得减肥效果，甚至更加肥胖。

温馨小贴士

对于正常饮食来说,让水果成为配角。偶尔吃水果餐也未尝不可,切勿天天如此。午餐适量吃点谷类食品,主菜可以选一份鱼或肉,配一些绿色蔬菜,然后来一份酸奶或水果沙拉,作为午饭后的补充。

瓜果敷面美容要慎重

现在一些女孩子为了美容,喜欢用一些新鲜瓜果切成片敷在脸上,其实,从医学角度来看,这种做法是不科学的,因为皮肤本身的吸收能力与排泄能力相比,实在太弱了。瓜果中的维生素C对皮肤深层的色素不起作用,不能使肤色变白。人们在敷面前往往会先除去脸上的污垢和油脂,瓜果中的有机酸便趁机与皮肤直接接触,产生一定的腐蚀和刺激作用,引起皮肤逐渐粗糙老化。

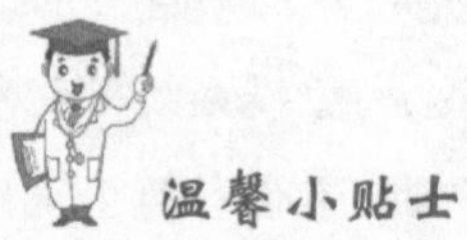

温馨小贴士

大多数瓜果汁中都含有较多的糖分和其他营养物质,为细菌和螨虫滋生繁殖提供了养料。因此,爱美的你在用瓜果敷面美容时一定要谨慎。

板栗吃多 小心胀肚

一到板栗上市的季节,街边的糖炒栗子,饭店里的栗子羹、板栗烧白菜,超市里的栗子糕等,都让人一望而生食欲,而板栗的营养价值又如何呢?

专家解释说,板栗属于坚果类,但它不像核桃、榛子、杏仁等坚果那样富含油脂,它的淀粉很高。干板栗的碳水化合物达到了77%,与粮谷类的75%

相当;鲜板栗也有40%之多,是马铃薯的2.4倍。鲜板栗的蛋白质含量为4%~5%,虽不如花生、核桃多,但略高于米饭。

在某些方面板栗的营养高于粮食。板栗的维生素B_1、B_2含量丰富,维生素B_2的含量至少是大米的4倍,每100克还含有24毫克维生素C,这是粮食所不能比拟的。人们恐怕很难想到,鲜板栗所含的维生素C比公认含维生素C丰富的西红柿还要多,更是苹果的十多倍!板栗所含的矿物质也很全面,有钾、镁、铁、锌、锰等,虽然达不到榛子、瓜子那么高的含量,但仍然比苹果、梨等普通水果高得多,尤其是含钾突出,比号称富含钾的苹果还高4倍。

亮油油的栗子还有较高的药用价值。板栗有健脾胃、益气、补肾、强心的功用,主治反胃、吐血、便血等症,老少皆宜。板栗富含柔软的膳食纤维,血糖指数比米饭低,只要加工烹调中没有加入白糖,糖尿病人也可适量品尝它。

板栗的营养保健价值虽然很高,但也需要食用得法。首先,板栗不能一次吃得太多,吃多了容易胀肚,每天只需吃六七颗,坚持下去就能达到很好的滋补效果。其次,最好在两餐之间把板栗当成零食,或做在饭菜里吃,而不要饭后大量吃。这是因为板栗含淀粉较多,饭后吃容易摄入过多的热量,不利于保持体重。

温馨小贴士

选购板栗的时候不要一味追求果肉的色泽洁白或金黄。金黄色的果肉有可能是经过化学处理的栗子,相反,如果炒熟后或煮熟后果肉中间有些发褐,是板栗所含酶发生"褐变反应"所致,只要味道没变,对人体就没有危害。

吃苹果不削皮　营养更丰富

"每天一苹果,医生远离我。"这是欧洲流行的一句俗语。可见,苹果是营养价值很高的水果。

在食用或加工苹果时,果皮经常被弃掉,但是研究表明,苹果皮中含有丰富的抗氧化成分及生物活性物质,吃苹果皮对健康有益。

苹果皮中含有很多生物活性物质,例如:酚类物质,黄酮类物质以及二十八烷醇等,这些活性物质可以抑制引起血压升高的血管紧张素转化酶,有助于预防慢性疾病,如心血管疾病、冠心病,降低其发病率。

此外,苹果皮的摄入可以降低肺癌的发病率。国外研究表明,苹果皮较果肉具有更强的抗氧化性,苹果皮的抗氧化作用较其他水果蔬菜都高。普通大小苹果的果皮抗氧化能力相当于800毫克维生素C的抗氧化能力。

苹果皮中的二十八烷醇还具有抗疲劳和增强体力的功效。苹果皮可以抑制齿垢的酶活性及口腔内细菌的生长,具有抗蚀作用,可以保护牙齿。还可以使皮肤白嫩,防止黑色素的生成,有美容功效。

目前已经有很多厂家通过从苹果皮中提取生物活性物质来开发功能食品。苹果皮粉作为一种很有价值的食品添加剂,可以用其生产强化食品,少量地添加苹果皮粉就能够增加食品中的多酚类物质、黄酮类物质的含量。

对于便秘有效的是苹果中所含的食物纤维,包括水溶性和不溶性两种。被称做果胶的水溶性纤维有很强的持水能力,它能吸收相当于纤维本身重量30倍的水分,而且和琼脂中所含的纤维一样,它会在小肠内变成魔芋般的黏性成分,苹果酱中稠糊糊的成分就是果胶。

实验证明,苹果的果胶能增加肠内的乳酸菌,因此能够清洁肠道。苹果中不溶性的食物纤维有纤维素、半纤维素和木素等,能够使便量增加。果胶大部分聚集在皮中以及皮附近。果胶不仅会增加便量,在腹泻时还能吸收水分,使大便保持一定硬度。因此,便秘时吃苹果不要削皮,而腹泻时,吃削下来的苹果皮更有效果。

建议您在食用苹果时,最好清洗干净后带皮一起吃。

饮料类饮食误区

关于喝水的三种误解

误解之一:不渴就不喝水。

人体每天需要2公升水,即8杯水。人从食物中摄取所需水分的60%,其余40%需喝水补充。一般地说,有口渴的感觉时,身体已经急需补充水分了。这时身体已经脱水,在补充水分以后,还会有典型的脱水感觉:如注意力分散、容易激动、疲劳,甚至头疼。这就告诉我们不要等感觉口渴时再喝水。

在炎热干燥的天气进行体育锻炼时,出汗多,需要多喝水,大家都理解。可是在寒冷潮湿的天气锻炼以后,人们却往往不注意补充水分,以为在这种情况下锻炼身体不会丢失多少水分。其实,在寒冷潮湿天气锻炼,每小时也会失去1公升以上的水分,丢失的途经不是通过皮肤,而是通过肺部散失的(如呼吸加快),只是人们感觉不到。因此,在锻炼之前必须喝半杯到1杯水,然后每半小时再补充一些水分。

误解之二:吃药时,用水把药送下就行了。

常言说,水是液体药品,此话一点不假。对许多病症的患者,医生都嘱咐多喝水。比如说,人发烧的时候,体温每升高1℃,新陈代谢就加快大约7%,也就是说比平时多需要7%的水分。此时,即使没有口渴的感觉,也要尽量多喝水,最好是温开水。便秘者苦不堪言,有人只知道多吃粗纤维食物,却不知道多喝水也可缓解便秘。腹泻患者也需要多喝水。严重的腹泻会导致脱水,这时不仅要多喝水,还要补充矿物质、盐和糖。尿道感染和肾结石患者更需要多喝水,每天至少喝2.5公升水。因此,生病以后,除了按医嘱服药以外,一般还得补充水分,加速机体新陈代谢。

误解之三:又不想养颜,喝那么多水干什么。

许多男士认为,女士多喝水可以养颜,其实,男士更需要喝水。有关专家研究发现,有病多喝水可缓解病情,没病多喝水可以防病,特别是像尿结石和膀胱癌这样的重症,需要多喝水,而这两种病患者中有3/4是男士。即使男士与女士喝同样多的水,男士也容易脱水,因为男士比女士易散失水分,而且男性易患结石病。美国医生的调查表明,饮水量与尿道癌的发病率有很大关系:平均每天喝2.5公升以上的水,尿道癌发病率比每天只喝1公升水的人低50%。

温馨小贴士

想减肥的人饭前20分钟喝两大杯水,能使胃有饱胀感,自然可降低食欲,减少饮食量。

把水烧开三分钟后再饮用

现代医学研究表明,处于静止状态的水,3天以后就会变成不宜饮用的衰老水。因此,用瓶罐所装的水不适合做家庭日常饮用水。幸好目前一般家庭大都饮用自家烧的开水,这的确是一种良好的卫生习惯。

讲到烧开水,不少人已经知道开水久沸,其中的致癌物亚硝酸盐会相对增加。因此,人们烧开水时,大都一烧开就立即熄火,以为这样做会减少亚硝酸盐的生成。殊不知,这无异于“前门拒狼,后门进虎”。这个比“狼”更凶的“虎”就是氯化物。

科学家研究证实,自来水含有13种对人具有潜在致癌、致畸和致突变的氯化物(为卤代烃和氯仿等)。水中这类有毒物质的含量同水温密切相关:90℃时,卤代烃含量由原来常温下每升53微克上升到191微克,氯仿则由

43.8微克升到177微克；到100℃时，两者含量分别下降到110微克和99微克；继续沸腾3分钟，则降为9.2微克和8.3微克，这时的开水才称得上是符合卫生标准的饮用水。

科学实验还证明，煮沸1~3分钟，水中亚硝酸盐含量增加十分缓慢；煮沸超过5分钟，其含量才会急剧增加；如果继续煮沸至10分钟，这种有害物质就成倍增加。

温馨小贴士

把自来水烧开3~5分钟，亚硝酸盐和氯化物等有害物的含量最低，最适合人们饮用。

常喝纯净水会缺钙

有了饮水机和纯净水，喝水似乎变得方便多了，但中消协正式发布消费警示，儿童和老年人不宜长期喝纯净水。

因为纯净水是经过分离过滤装置滤过的饮用水，一方面滤掉了水中的有害物质，另一方面也滤掉了对人体有益的矿物质和微量元素。儿童和老人身体中钙的需要量30%来自于水，长期喝纯净水的话，这部分钙的来源就没有了；另外食物中的钙比水中的钙吸收要来得慢，低很多。长期喝这样的水，不仅不能补充钙、锌等微量元素，体内已有的矿物质反而会被纯净水吸收排出体外。

温馨小贴士

桶装密封的纯净水，一旦启封与空气接触，24小时后，就开始滋生细菌。因此，把一桶纯净水喝上几周的做法是不可取的。

白开水超过三天不宜喝

很多人认为,白开水无论放多久都能饮用。但是,这里要提醒大家,白开水超过三天之后就不宜饮用。

水储存过久,就会被细菌感染产生亚硝酸盐,亚硝酸盐一旦大量进入人体,能使组织缺氧,出现恶心、呕吐、头痛、心慌等症状,严重还能使人缺氧致死。亚硝酸盐在人体内还能形成亚硝胺,促发肝癌、胃癌等。装在保温瓶里的开水变温后,细菌繁殖更快,还原的亚硝酸盐更多。

温馨小贴士

早晨起床后,先喝一杯白开水已经成了大多数人都认可的常识,觉得这样既清肠,又能将唾液中的消化酶带进肠胃,吃东西时,可以更充分地分解食物。但实际上,不少人都忽视了一点,那就是喝水前最好先刷牙。

哪些水适合夏天喝

炎热的夏天,汗水会带走身上大量的盐分。这样的天气下,喝点什么样的水才能补充营养,让身体保持健康呢?

专家指出,由于夏天人体出汗多,可以经常喝点含盐的水,如淡盐水、盐茶水、盐绿豆汤等。世界卫生组织曾给出科学吃盐的建议,即每人每天不宜超过6克,但夏天可以适当增加一些。

之所以要喝这些含盐饮料,是因为其中含有大量的钠、钾等矿物质,可以补充人们因大量出汗而带来的矿物质流失。人出汗后如果单纯补充水分,会越喝越渴,既达不到补水的目的,还可能导致体温升高、小腿肌肉痉挛、昏迷等“水中毒”症状的发生。此外,喝盐水时最好适量加些糖,以补充

机体的能量消耗。

夏天如果不是大量出汗，平时可以喝白开水和茶水。白开水中富含多种矿物质和微量元素，能够调节人体内平衡，这是普通饮料所无法达到的。

喝水的方法也有讲究，大口豪饮虽然一时痛快，却使排尿和出汗量增加，导致更多的电解质流失，还增加了心血管、肾脏的负担，容易使人出现心慌、乏力、尿频等症状。水喝得太快太急，容易与空气一起吞咽，引起打嗝、腹胀。合理的喝水方法应该是少量、多次、慢饮。特别是夏天户外活动结束后，不宜立即饮水，应稍作休息，不要一次喝得太多。

在家喝水进行自我调节很方便，可是出门在外怎么办呢？市场上的饮料各种各样，其中乳酸菌饮料和茶饮料比较适合夏天饮用。乳酸菌饮料的含奶量比较低，在总体营养价值上不如酸奶，但喝起来更解渴。其中的活性乳酸菌对人体非常有益，能促进营养的吸收、调节胃肠道功能。有些乳酸菌饮料还添加了人体所需的钙和维生素，可以起到一定的补充营养作用。

另外，清新爽口的茶饮料则具有利尿、防暑降温的功效，还有抗氧化、抗疲劳的作用，也适合夏天饮用。同时，茶饮料和茶水一样，其中含有维生素A和维生素E，有助于保护皮肤，减少紫外线辐射的影响。

温馨小贴士

至于年轻人非常喜爱的碳酸饮料，它虽然解渴，但除了热量外，几乎没有什么营养成分，而且含糖量比较高，多喝容易引起肥胖和糖尿病，尤其不适合孩子饮用。

少喝碳酸饮料

碳酸饮料就是我们俗称的汽水，是充入二氧化碳气儿的一种软饮料。眼下市场上，各种口味、品种碳酸饮料很丰富，尤其受年轻人的欢迎。但专

家提醒您，喝碳酸饮料可得适量，尤其是年轻人更不能上瘾，因为它对人体的副作用会大大超过它带来的感官刺激。

果汁型的碳酸饮料里加入了原汁原味的果汁，比如橘汁汽水、橙汁汽水，把新鲜水果榨成汁加到汽水里，增加了很多维生素等营养成分。但和它相比，果味型的碳酸饮料就是用香精配出来的了，像橘子汽水、柠檬汽水等，虽然色泽鲜艳，但只是模仿了水果的味道，并不是新鲜水果，所以营养价值比起水果要逊色很多。

可乐型碳酸饮料比较特殊，它是由很多果香混合在一起的，喝起来非常爽口，而且味道独特。此外，还有一些低热量的碳酸饮料含糖量很低，倒是可以适当多喝一点。

在诸多的碳酸饮料中，有三种成分影响着人们的健康：

(1)二氧化碳过多影响消化。别看碳酸饮料的口味儿多样，但里面的主要成分都是二氧化碳，所以你喝起来才会觉得很爽、很刺激。

有人说，碳酸饮料含二氧化碳，可能对人体不太好。事实上，足量的二氧化碳在饮料中能起到杀菌、抑菌的作用，还能通过蒸发带走体内热量，起到降温作用。不过，如果碳酸饮料喝得太多，对肠胃是没有好处的，而且还会影响消化。因为大量的二氧化碳在抑制饮料中细菌的同时，对人体内的有益菌也会产生抑制作用，所以消化系统就会受到破坏。特别是年轻人，喜欢喝汽水，喜欢汽儿带来的刺激，但一下喝太多，释放出的二氧化碳很容易引起腹胀，影响食欲，甚至造成肠胃功能紊乱。

(2)大量糖分有损牙齿健康。碳酸饮料除了含有让人清爽、刺激的二氧化碳气儿，碳酸饮料的甜香也是吸引人们饮用的重要原因，这种浓浓的甜味儿来自甜味剂，也就是说饮料含糖量太多。

饮料中过多的糖分被人体吸收，就会产生大量热量，长期饮用非常容易引起肥胖。最重要的是，它会给肾脏带来很大的负担，这也是引起糖尿病的隐患之一。所以本身就患有糖尿病的人，尽量不要饮用。

(3)磷酸导致骨质疏松。如果你仔细注意一下碳酸饮料的成分，尤其是

可乐,不难发现,大部分都含有磷酸。通常人们都不会在意,但这种磷酸却会潜移默化地影响你的骨骼,常喝碳酸饮料,骨骼健康就会受到威胁。人体对各种元素都是有要求的,所以,大量磷酸的摄入就会影响钙的吸收,引起钙、磷比例失调。一旦钙缺失,对于处在生长过程中的青少年身体发育损害非常大。缺钙无疑意味着骨骼发育缓慢、骨质疏松,所以有资料显示,经常大量喝碳酸饮料的青少年发生骨折的危险是其他青少年的3倍。

温馨小贴士

在选择碳酸饮料的时候,尤其在夏秋季要选购近期生产的产品,购买时要尽量选择罐体坚硬不易变形的产品,因为喝不完的饮料,其中的二氧化碳在存放过程会溢出,再次饮用时就会影响口感,容易滋生细菌。特别要提醒您的是,购买碳酸饮料一定要到正规销售场所购买知名品牌的产品。

可乐等于慢性"毒药"

软性饮料的酸碱平均值,像可口可乐、百事可乐是3.4。这种酸度酸到可以溶解牙齿和骨头。软性饮料并无营养价值。它们只有比较多的糖、酸度和像是糖精和色素的添加物。有些人喜欢在餐后喝冰冷的软性饮料,想想看会有什麽影响?

我们人体维持对消化酵素最佳功能的体温是在37℃。而冰冷的软性饮料远低于37℃,有时甚至是接近零度。这会降低酵素的功能,而且增加消化系统的负担,从而消化较少的食物。事实上,这些食物会发酵。发酵的食物产生难闻的气体,会坏掉并形成毒素,而被我们的肠子所吸收,并且在血管中循环送至全身。毒素的传送会导致各种疾病的形成。在喝可口可乐或百事可乐或是其他软性饮料前想一想。你可曾在喝气体的饮料的当时想过你喝的是什麽?你吞下二氧化碳,而这是全世界没有人会建议你喝的东西。

温馨小贴士

研究者对市面上出售的3种不同配方的可口可乐饮料进行杀伤精子的试验后得出结论:新婚男子饮用可乐型饮料,精子会直接遭到杀伤,从而影响男子的生殖能力。若受伤的精子一旦与卵子结合,可能会导致胎儿畸形,或先天性不足。

男性常喝牛奶的害处

牛奶营养丰富,每天喝牛奶的人越来越多,但有许多研究发现,常喝牛奶的男性易患前列腺癌。前列腺癌是男性生殖系统常见的恶性肿瘤,美国波士顿一研究小组对20885例美国男性医师进行了长达11年的随访调查,食用的奶制品主要包括脱脂奶、全脂奶和乳酪等,其中有1012例男性发生前列腺癌。统计学分析后发现,与每天从奶制品中摄入150毫克钙的男性相比,每天摄入600毫克钙的男性血浆中1.25-二羟维生素D3(有抗前列腺癌作用)浓度显著降低,发生前列腺癌的危险上升32%。在排除了年龄、体重、吸烟、体育锻炼等影响因素后发现,每天进食奶制品2.5份以上(每份相当于240毫升牛奶)的男性与进食奶制品0.5份以下的相比,发生前列腺癌的危险上升34%。

美国费城的研究人员通过近10年的流行病学调查也证实,多食奶制品会增加男性发生前列腺癌的危险。国内也有研究发现,牛奶摄入量与前列腺癌发病率显著相关,其原因可能是某些品牌的牛奶中雌激素含量较高。

令人庆幸的是,水果和蔬菜中一些植物化合物有一定的抗癌作用。番茄红素是一种重要的类胡萝卜素,它广泛存在于水果及蔬菜中。番茄、杏、番石榴、西瓜、番木瓜和红葡萄均含有较多的番茄红素,其中尤以番茄中的含量为最高。

美国研究人员对46000例男性进行了6年的随访调查，发现有773例发生前列腺癌。研究发现，与不吃生番茄的人相比，每周吃2~4次生番茄的人发生前列腺癌的危险性要降低26%，番茄比萨和番茄酱也都有这样的作用；直接食用番茄红素也可降低发生前列腺癌的危险。番茄红素的抗氧化性能是天然类胡萝卜素中最强的，它有保护遗传物质DNA（脱氧核糖核酸）、抑制癌细胞增殖和调节激素状态等作用，其抗前列腺癌作用已被大量研究所证实。

温馨小贴士

为了爱护前列腺，男性喝牛奶还是悠着点儿好，别把它当成饮料喝。另外，要特别注意营养均衡，不妨每天多吃点儿番茄。

空腹喝奶不易吸收

许多人清晨喝牛奶，认为这样能将营养成分全部吸收。其实，空腹喝牛奶会很快经胃和小肠排入大肠，结果各种营养成分来不及消化吸收就被排出体外。正确喝牛奶的同时进食适量的粮谷类食品，这样不仅充分利用了牛奶的优质蛋白质所含的营养价值，又补充了谷类食品中赖氨酸的不足，保证足够的能量供应，还可增加牛奶在肠胃的停留时间，有利于牛奶的消化和吸收。

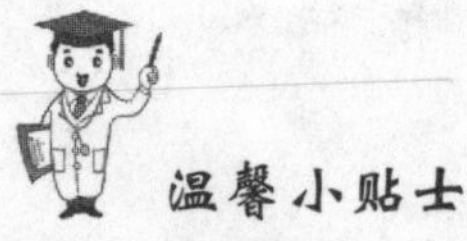

温馨小贴士

不宜使用铜器加热牛奶。铜能加速对维C的破坏，并对牛奶中发生的化学反应具有催化作用，因而会加速营养素的损失。

现挤的牛羊奶不可随便喝

目前,有的农民牵着自家养的奶牛或奶羊在人行道上卖现场挤出的新鲜牛、羊奶,而且生意颇好,收入相当可观。让人不由得想起贾平凹《废都》里那个跪在牛屁股下喝鲜奶的庄之蝶来。

大多数人都认为,现挤的奶是好东西呀,买一小碗回去给小孩喝,对身体补得很。但专家指出:所谓"现挤的奶营养价值高"的说法是没有科学依据的。在路边供应鲜奶的牛羊的乳头没经过卫生消毒,卖奶人在挤奶前也没洗过手,这样挤出来的奶很容易携带有大量病菌。这些现挤的奶若是没有经过长时间的煮沸消毒,很可能会使食用者感染肠胃病甚至肠结核,严重者会产生结核转移,引发其他器官疾病。从理论上来说,现挤的奶和目前市面上出售的经过巴氏消毒法消毒过的包装奶相比,营养价值上并没有什么不同,而包装奶明显要比路边现挤的奶要卫生安全得多。因此,专家特别提醒广大消费者:"现挤的奶不可随便喝,要喝奶时应煮沸。"

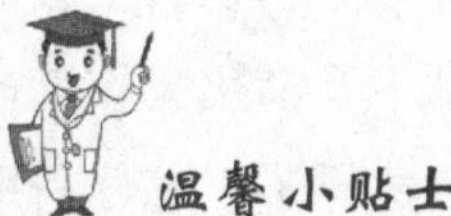

温馨小贴士

快超过食用期限的鲜奶不适合生饮,可小火加热煮沸,放凉后加入菜肴或点心中烹调用,亦可和蛋液混合用来煎吐司,或煮鱼汤、浓汤等。

饮牛奶过量也会致病

牛奶是营养佳品,常饮对人体健康有益。所以,有的人认为饮牛奶多多益善。其实好东西超过限量,也会适得其反,过量饮牛奶不但无益,还会损害人体健康,甚至造成严重疾病。

(1)饮牛奶过量易导致动脉硬化,诱发血管疾病。法国保健和医学研究

所的专家埃尔·亨利罗朗经过10余年的深入研究发现,牛奶里含有一种名为酪蛋白的蛋白质,它能生成一种对血管非常危险的分子——高半胱氨酸,这种分子损害血管的弹性组织,从而使脂类,特别是胆固醇极易积淀血管壁上,以致血管逐渐阻塞,最终导致动脉加速硬化。

(2)老年人饮牛奶过量易患白内障。因为鲜牛奶中含有较多的乳糖,乳糖在酶的作用下水解为半乳糖,血液里吸收了过多的半乳糖,可在人眼晶状体内蓄积,影响晶体正常代谢,使晶体蛋白发生变性,从而失去透光性,形成老年白内障。

温馨小贴士

一般人每日饮牛奶量控制在500毫升以内,最适宜的饮奶量为200~400毫升,即每日两小杯,对人体非常有益。

酸奶喝太多的可怕后果

酸奶一直是那些对牛奶过敏的人的保健圣品,大家都认为这些东西吃了有百利而无一害,有人经常把酸奶当饭吃,对酸奶中的益生菌也颇具好感。但是,营养师称:如果摄取菌群过多,也会破坏人体肠道中的菌群平衡,反而使消化功能下降。

步入超市不难发现,如今酸奶产品竞争已经进入了"细菌战"时代。超市奶制品专柜中,酸奶的包装上各种菌种的"专业"名称加起来不下10种……益生菌名目繁多,酸奶产品的技术换代也越来越快。有些酸奶不仅标明菌类名称,还标明了菌群数量,如"每千克富含100亿个活性益生菌"等,并称是从国外进口的菌群,菌株纯正、活力强。还有些广告则大力宣传各菌种能帮助消化以及不同的保健功能,有些厂商还宣传其酸奶可以"平衡和改善胃肠功能"、"增强人体自身免疫能力"、"排出毒素"、"预防龋齿"等保健

功能。

菌种多就一定有益吗？营养学专家认为，酸奶中添加的菌群虽然“名目繁多”，但作用大同小异，主要是有利于人体消化吸收。不过，由于菌群需在低温冷藏条件下才能存活，所以包装上标明的活菌群的数量与饮用时的数量是不一致的。

目前市场上各种名称的酸奶大体上有两种，一是纯天然发酵型酸奶；二是配制型酸奶，即在第一种酸奶的基础上加入食用乳酸、柠檬酸、有机酸等成分的调味酸奶。

据了解，制作纯天然发酵酸奶的菌种无外乎就是乳酸链球菌和乳酸杆菌两种乳酸菌，而目前市场上宣称的各种菌群只不过是添加了促进乳酸菌繁殖的成分。如一些标称添加“双歧乳酸杆菌”的酸奶就是在乳酸杆菌中添加了以低聚果糖或异麦芽糖为主的双歧因子。

但是大家要在购买酸奶的时候注意“死菌”现象，实际上大部分的益生菌由于缺乏耐酸性，根本无法到达肠道发生作用，更不存在过量摄取的问题。

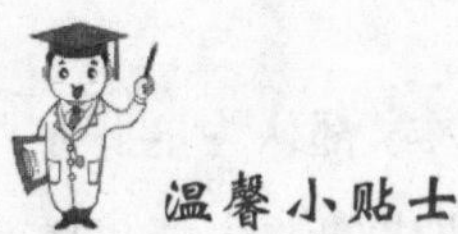

温馨小贴士

目前国内虽然有100多家企业都生产益生菌酸奶，但其中只有三五个菌种耐酸性较强，能够抵抗胃液的强酸，而超市的销售环境无法保障强低温，致使活性益生菌在存放过程中大量死亡。因此，你在饮用酸奶的时候一定要适可而止，千万不要多喝哟。

鲜橘皮不宜泡水喝

冬天是橘子当令的时节，经常看到有人吃完橘子后，把橘皮洗一洗，用来泡水喝，认为这样有利于健康。其实，鲜橘皮和中药中所用的陈皮并不是

一回事，不具备药效，用它泡水还可能对健康产生不利影响。

众所周知，橘子皮又名陈皮，是一味理气、健胃、化痰的常用中药。陈皮是成熟的橘皮经晒干或晾干制成的。陈得越久越好，一般放至隔年后才可以使用。而鲜橘皮则含挥发油较多，气味很强烈，有刺激性，会刺激肠胃，此时虽然可促进消化液分泌及有刺激性祛痰作用，可陈皮的药用功效是不止于此的。如《医林纂要》言："陈皮上则泻肺邪、降逆气；中则燥脾湿、和中气；下则舒肝木、润肾命。"而这些仅靠挥发油是难以做到的。据研究证明，陈皮水煎剂中有肾上腺素样的成分存在，但较肾上腺素稳定，煮沸时不被破坏。陈皮隔年后挥发油含量大为减少，而黄酮类化合物的含量相对增加，这时陈皮的药用价值才能充分发挥出来。

不能用鲜橘皮代替陈皮泡水的另一个原因是，鲜橘皮表面有农药和保鲜剂污染，这些化学制剂有损人体健康。近年来，为了防止橘子树遭病虫害，从开花到结果期间，要多次喷洒农药，而且大部分农药不能分解，一旦残留在橘子表面，就很难去除。此外，为了防止细菌侵入橘子内，果农摘下橘子后，大多用保鲜剂浸泡后再上市。保鲜剂能抑制橘子表面的细菌、延长保鲜期，这虽然对果肉没有影响，但在橘子皮上难以避免会残留有部分毒素。用这种鲜橘子皮直接泡水喝，可能对健康产生不利影响。

不过，我们吃完橘子后，可以自己将鲜橘皮加工为陈皮。鲜橘皮究竟放至何种程度就可以泡水了呢？有经验表明：贮存时间过久易虫蛀霉变，品质难保证；时间太短其燥性不减，副作用大。一般选取当年的净果皮阴干，装两层塑料袋，密闭保存一年，第三年使用效果最好。此时的陈皮不烈不燥，气味纯正浓郁，口感很好。保存之前一定要注意，将鲜橘皮充分冲洗、浸泡，除去有害的残存农药和保鲜剂。

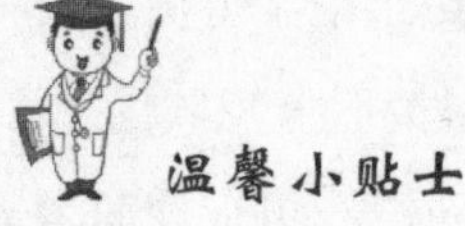

温馨小贴士

陈皮性温、辛、苦，并非人人可以饮用。有发热、口干、便秘、尿黄等症状

者，不宜用陈皮泡水喝。

天冷靠喝酒御寒要不得

天寒时，人们常常喝上几杯酒来暖和身子，认为饮酒可以御寒。一般来说，喝酒可使呼吸加快、血管扩张、血液循环的速度随之加快、热量消耗增加，让人感到身上热乎乎的；同时，酒里含有酒精，饮酒后导致神经出现短时的兴奋，口腔和咽喉黏膜也出现轻轻颤动。这样，全身就有一种温暖和舒适的感觉。

实际上，这是调节体温的中枢发生紊乱的前兆。特别是酒喝多时，可引起体温调节功能失调、热量丧失增多，这时胃受酒精的麻醉，功能也明显下降，人体产热功能减弱。

御寒一是要进食有营养的食物，增加热量；二是加强保暖。若是单纯靠饮酒御寒，反倒不耐寒。所以，不宜饮酒御寒。

温馨小贴士

饮酒时宜多以豆腐类菜肴作下酒菜。因为豆腐中的半胱氨酸是一种主要的氨基酸，它能解乙醛毒，食后能使之迅速排出。

解酒三大误区

误区一：浓茶解醉酒。茶与酒两者合在一起大大加重了心脏的负荷，可引起心律失常或心功能不全，因此，心脏有疾患者切忌用浓茶解酒。酒精被吸收后，90%以上被肝脏的醇脱氢酶氧化为乙醛，再被醛脱氢酶氧化为乙酸，最后被肾脏排出。此过程一般需4～6小时。饮酒后饮茶，可促使尚未氧化的乙醛过早进入肾脏，而乙醛对肾脏有损害作用。

误区二:喝醋解醉酒。人大量饮酒后,由于酒精对胃肠黏膜的严重刺激,使胃和十二指肠充血,胃酸分泌增加,同时促进了胰液的大量产生。此时喝醋,不仅加重对胃肠黏膜的刺激,更易诱发胃、十二指肠溃疡或急性胰腺炎等病症。

误区三:汽水解醉酒。汽水对人的肠胃有损害,会刺激胃黏膜,减少胃酸分泌,影响消化酶酌产生,甚至会导致急性肠胃炎、胃痉挛。有些患有肠胃病的人,在醉酒后又大量喝汽水,会造成胃和十二指肠大出血。血压不正常的人,在酒后喝汽水,可导致血压迅速上升。

温馨小贴士

白萝卜解酒:白萝卜1公斤,捣成泥取汁,分1次服。也可在白萝卜汁中加红糖适量饮服。也可食生萝卜。

酒后喝茶会伤肾

有人说,喝醉了可以喝点浓茶解酒。其实,以茶解酒不但不科学,而且有伤身体。早在明朝李时珍的《本草纲目》中就明确记载了酒后饮茶的危害:"酒后饮茶伤肾,腰腿坠重,膀胱冷痛,兼患痰饮水肿、消渴挛痛之疾。"酒后喝茶,特别是喝浓茶,确实会对肾脏造成不良影响。酒精在消化道被吸收后,90%在肝脏进行降解。酒精先被肝脏的醇脱氨酶转化为乙醛,然后再被醛脱氢酶转化为乙酸,乙酸又可进一步被氧化为二氧化碳和水,再分别经肾和肺排出,一般来说这一过程需要2~4小时。茶的主要成分茶碱有利尿作用,浓茶中的大量茶碱更能迅速发挥利尿作用,促使尚未分解的乙醛过早地进入肾脏,而乙醛对泌尿系统有很大的损害作用。医学研究还表明,酒精对心血管有很大的刺激性,而浓茶同样有兴奋心脏的作用,喝完酒再喝茶,更增加了对心脏的刺激,这对于心脏功能欠佳的人是很不利的。所以,酒后、

醉后最好不要立即喝茶，尤其不能喝浓茶，以防不测。

保护身体健康，最好当然是有节制地喝酒，不过量，不酗酒，避免空腹饮酒。如果过年难免喝得多一些，酒后及时喝点果汁，有较好的解酒效果；还可以喝些热汤，尤其是姜丝炖鱼汤，其解酒功效更好。

温馨小贴士

可吃些柑橘、苹果之类的水果，如无水果，冲杯果汁或糖水喝下也有助于解酒。当然，最好的办法是节制饮酒，尤其不要一醉方休。

男人小心“啤酒病”

啤酒含有丰富的糖类、维生素、氨基酸、无机盐和多种微量元素等营养成分，称为“液体面包”，适量饮用，对散热解暑、增进食欲、促进消化和消除疲劳均有一定效果。但近年的医学研究发现，如果人们长期大量饮用啤酒，会对身体造成损害，专家称之为“啤酒病”。

啤酒心：在酒类饮料中，啤酒的酒精含量最少，一升啤酒的酒精含量相当于一两多白酒的酒精含量，所以许多人把啤酒当作消暑饮料。但如果无节制地滥饮，体内累积的酒精就会损坏肝功能，增加肾脏的负担，心肌组织也会出现脂肪细胞浸润，使心肌功能减弱，引起心动过速；加上过量液体使血循环量增多而增加心脏负担，致使心肌肥厚、心室体积扩大，形成“啤酒心”。长此以往，可致心力衰竭、心律紊乱等。

啤酒肚：由于啤酒营养丰富、产热量大，长期大量饮用会造成体内脂肪堆积，致使大腹便便，形成“啤酒肚”。病人常伴有血脂、血压升高。

结石和痛风：有关资料还表明，萎缩性胃炎、泌尿系统结石等患者，大量饮用啤酒会导致旧病复发或加重病情。这是因为酿造啤酒的大麦芽汁中含有钙、草酸、乌核苷酸和嘌呤核苷酸等，它们相互作用，能使人体中的尿酸量

增加一倍多,不但促进胆肾结石形成,而且可诱发痛风症。

肠胃炎:大量饮用啤酒,使胃黏膜受损,造成胃炎和消化性溃疡,出现上腹不适、食欲不振、腹胀和反酸等症状。

癌症:饮啤酒过量还会降低人体反应能力。美国癌症专家发现,大量饮啤酒的人患口腔癌和食道癌的危险性要比饮烈性酒的人高3倍。

铅中毒:啤酒酿造原料中含有铅,大量饮用后,血铅含量升高,使人智力下降,反应迟钝,严重者损害生殖系统;老年易致老年性痴呆症。

温馨小贴士

成人每次饮用量不宜超过300毫升(不足一易拉罐量),一天不超过500毫升(一啤酒瓶量),每次饮用100~200毫升更为适宜。另外,饮用啤酒最适宜的温度在12~15℃,此时酒香和泡沫都处于最佳状态,饮用时爽口感最为明显。再者不宜与腌熏食品共餐。宜食水果及清淡菜肴,花生米是最好的啤酒下酒菜。

果汁应该怎样喝

果汁当中含有丰富的维生素,是老少皆宜的饮品。人们一般早餐很少吃蔬菜和水果,如果早晨喝一杯新鲜的果汁或纯果汁应该是一个好习惯,补充身体需要的水分和营养。可惜的是人们常常喝一杯牛奶,就喝不下别的了。要注意的是,空腹时不要喝酸度较高的果汁,先吃一些主食再喝,以免胃不舒服。不管是鲜果汁、纯果汁还是果汁饮料,中餐和晚餐时都尽量少喝。果汁的酸度会直接影响胃、肠道的酸度,大量的果汁会冲淡胃消化液的浓度,果汁中的果酸还会与膳食中的某些营养成分结合影响这些营养成分的消化吸收,使人们在吃饭时感到胃部胀满,吃不下饭,饭后消化不好,肚子不适。除了早餐时外,两餐之间也适宜喝果汁。

年龄不同,每天果汁的饮用量是不一样的。婴儿每天的饮用量在20~40毫升左右,最好是加水稀释;对学前儿童来说,一次的饮用量可以在150毫升左右;正常成年人每天的饮用量大约是250毫升,其中1/10是鲜果汁或纯果汁,即每天喝一杯果汁就足够了。我们不要期望果汁会提供身体所需的全面的营养成分,它只是一种有一定营养价值的饮料而已。

温馨小贴士

有的人以为,果汁尤其是鲜果汁、纯果汁或者没有加糖的果汁就没有热量,不会使人长胖,其实这种理解是错误的:一杯纯苹果果汁(250毫升)所提供的能量比50克馒头提供的能量还要高!

常喝果汁当心患"果汁尿"病

在各大超市的货架上,各类的果汁饮料琳琅满目,许多人图方便,用果汁来代替水果。然而,这些果汁饮料(不包括家庭现榨果汁)都含有各种添加剂,如色素剂、防腐剂等,用喝果汁来代替吃水果不可取。

专家指出,果汁型饮料中人工色素对儿童健康的危害不容忽视。孩子如果天天喝饮料,过量色素进入体内,容易沉积在他们未发育成熟的胃肠黏膜上,引起食欲下降和消化不良,干扰体内酶的代谢,对孩子新陈代谢和体格发育造成不良影响。

美国一家科研机构对100多名贫血儿童进行调查发现,其中80%以上有饮用果汁型饮料的嗜好。各种果汁饮料都含有较多的糖或糖精以及大量的电解质,会阻碍人体对铜的吸收,铜缺乏会影响血红蛋白的生成,从而导致贫血。有时孩子们厌食恰恰是由于过量食入果汁和饮料中的高糖及其他天然营养成分引起的。建议父母们在给儿童饮用高浓度苹果汁和梨汁时应该用水稀释,有节制地让孩子饮用。

温馨小贴士

有一种称为“果汁尿”的病，发生率正呈越来越高的趋势，其原因就在于人们饮用果汁太多，水果中大量的糖不能够为人体所吸收利用，而是从肾脏排出，使尿液发生变化所致。这种情况日久天长，会引起肾脏病变。

山楂泡水喝　当心伤了胃

许多人都知道，用干山楂片泡水当茶饮，可以降血脂。但是，有些人喝了一段时间山楂茶后，还没来得及看到血脂下降，却先喝出了胃病。那么，怎样喝山楂茶，才能既达到降血脂的目的，又不至于喝出胃病呢？

专家指出，喝山楂茶确实能降血脂，在中医典籍《黄帝内经》中就有相关记载。但是山楂的作用首先是消食，在民间，无论小孩或成人，都一直有用山楂来消积食、促消化的传统。中医理论认为，面食吃多了消食用麦芽，米吃多了消食用稻芽，肉吃多了消食用山楂。由此看来，山楂具有很强的助消化功能，所以患胃病的人一般不宜空腹喝山楂茶，特别是胃酸过多、胃炎、胃溃疡、反流性胃炎、反流性食管炎患者，不适合饮用。

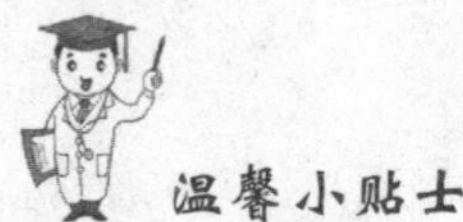

温馨小贴士

想通过喝山楂茶降低血脂，不是短期内就能达到的，要坚持每天饮用，日久天长，才能达到降血脂、软化血管的作用，但每天使用的山楂剂量不应超过25克。如果山楂茶中配上可降压的决明子、抗氧化的何首乌，效果会更好。

中药泡茶　常服有害

近年来,中草药当茶饮也成为一种时尚,但是药学专家提醒人们,有些干花、中草药当茶饮用对身体并无大碍,但有些却不宜饮用。

(1)胖大海是纯粹的中药,只适于风热邪毒侵犯咽喉所致的音哑,因声带小结、声带闭合不全或烟酒过度引起的嘶哑,用胖大海无效,而且,饮用胖大海会产生大便稀薄、胸闷等副作用,特别是老年人突然失音及脾虚者更应慎用。

(2)决明子虽然有降血脂的作用,但同时可引起腹泻,长期饮用对身体不利。

(3)甘草长期服用会引起血压升高。虽然甘草有补脾益气、清热解毒等功效,但长期服用会引起水肿和血压升高。

(4)银杏叶含有毒成分,用其泡茶可引起阵发性痉挛、神经麻痹、过敏和其他副作用。银杏叶有毒,不可泡茶饮用。

(5)干花泡茶也不是绝对安全,如饮用野菊花茶后少数人出现胃部不适、胃纳欠佳、肠鸣、便溏等消化道反应,脾胃虚寒者、孕妇不宜。

温馨小贴士

不要将干花、中草药当补品饮用。另外,无论剂量过大还是服用时间过长,都可能发生毒副作用。正在服用西药的患者饮用中草药茶更应注意,因为不适当地与西药联用可能对身体造成伤害。

喝茶也能醉人伤身

现在越来越多的人在紧张的工作之余手捧一杯清茶,感受那特有的清

香和惬意。适当饮些茶,对身体是有好处的。茶叶中含有多种维生素和氨基酸,具有解油除腻、兴奋神经、消食利尿、生津止渴的作用。但是,饮茶不当,非但对身体无益,还有可能醉人伤身。如果空腹或平时以素食为主,较少吃脂肪食物的人饮大量浓茶,或平时没有饮茶习惯,偶然饮大量浓茶,都容易引起“醉茶”。其症状是心慌、头晕、四肢无力或站立不稳,同时伴有饥饿感。发生茶醉人后,应马上吃些饭菜,或吃些糖果,可以起到解醉的作用。

为防止饮茶“伤人”,饮茶必须注意以下几点:

(1)饮茶以每日1~2次,每次2~3克比较适宜。不宜空腹、服药时或睡前饮浓茶。

(2)有些人不宜饮茶:营养不良的人和婴幼儿,患神经衰弱、失眠、甲状腺机能亢进、结核等慢性病的人,发热病人,患胃、十二指肠溃疡的病人,心脏病人,哺乳期及怀孕妇女。

(3)少饮新茶。新茶由于贮存期短,茶中未经氧化的多酚类物质含量较高,醛类、醇类也较多,这些物质对人的肠胃黏膜有较强的刺激作用,容易出现胃痛、腹胀等症状。新茶中还含有较多活性较强的鞣酸、咖啡因、生物碱等物质,这些物质易使人出现“茶醉”。为此,新茶上市时不宜多饮,应贮放一段时间,待茶中部分多酚类、醛类、醇类物质自动氧化、挥发和活性物质释放后再饮。

温馨小贴士

茶叶经过多次冲泡还能使一些难溶性有害物质如某些极微量的残留农药等会逐渐被浸出。因此,每杯茶放3克花茶或红茶或者绿茶,一般以冲泡2~3次为好,不宜多次冲泡。。

吃醋有利也有弊

醋是我们日常生活中最常用的调料之一,在防病治病方面有着一定的

作用。质量好的食醋,酸而微甜,带有香味,不仅是调味佳品,而且是良好的酸性健胃剂,有的还含某些维生素,如维生素 B_1、B_2 和烟酸等。烧菜时加些醋,可以促进菜中钙、磷、铁等成分的溶解,并被充分吸收利用。

醋酸有一定的杀菌作用。醋拌凉菜,既调味、助消化,又预防肠道传染病发生。蛔虫遇到酸时会自动退缩,在发生胆道蛔虫引起的腹痛时,通常用醋 50 毫升加温开水 50 毫升缓缓口服,能使胆道括约肌缓解,达到止痛、退虫目的,为进一步治疗创造了条件。

醋煮沸蒸发,每日 2 次,消毒空气,对预防流感或流行性腮腺炎等有一定效果。用酸辣汤发汗治伤风,更为人们所推崇。

醋虽然有一定的保健作用,但用它治病,尤其是治疗病毒性肝炎、高血压、降低胆固醇的科学依据不足,国内外也没有做过这方面的实验。用来减肥更无任何科学依据。

长期喝醋会腐蚀牙齿,使之脱钙。应该用水稀释后,用吸管吸,喝后用水漱口。胃酸过多的人,不宜喝醋。醋是酸性物质,不宜长期食用,食用过量会影响人体的酸碱平衡,对患有慢性肾脏疾病者,甚至会引起酸中毒。

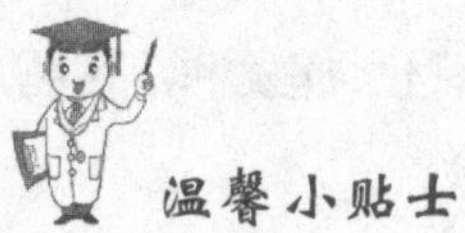

温馨小贴士

对萎缩性胃炎、胃癌等胃酸缺乏者,喝醋有一定益处,但必须把酸度降低,少量、间隔食用。

常喝豆浆也有弊

豆浆能改善骨骼代谢,预防骨质疏松,减少动脉硬化的危险。然而专家指出,豆浆并不是十全十美的,它含有某些抗营养因素,不仅不利于人体对养分的消化吸收,反而有害健康。

比如说豆类中含有抑制剂、皂角素和外源凝集素,这些都是对人体不好

的物质。对付它们的最好方法就是将豆浆煮熟,长期食用豆浆的人不要忘记补充微量元素锌。

专家指出,患有急性胃炎和慢性浅表性胃炎者不宜食用豆制品,以免刺激胃酸分泌过多加重病情,或者引起肠胃胀气。

豆类中含有一定量低聚糖,可以引起嗝气、肠鸣、腹胀等症状,所以有胃溃疡的朋友最好少吃。胃炎、肾功能衰竭的病人需要低蛋白饮食,而豆类及其制品富含蛋白质,其代谢产物增加肾脏负担,宜禁食。

豆类中的草酸盐可与肾中的钙结合,易形成结石,会加重肾结石的症状,所以肾结石患者也不宜食用。

温馨小贴士

豆类中含有一定量低聚糖,可以引起嗝气、肠鸣、腹胀等症状,所以有胃溃疡的朋友最好少吃。胃炎、肾功能衰竭的病人需要低蛋白饮食,急性胃炎和慢性浅表性胃炎患者不宜食用豆制品,以免刺激胃酸分泌过多加重病情,或者引起胃肠胀气。

豆类中的草酸盐可与肾中的钙结合,易形成结石,会加重肾结石的症状,所以肾结石患者也不宜食用。

痛风是由嘌呤代谢障碍所导致的疾病。黄豆中富含嘌呤,且嘌呤是亲水物质,因此,黄豆磨成浆后,嘌呤含量比其他豆制品多出几倍。所以,豆浆对痛风病人不宜。

餐馆的免费茶水要慎喝

目前部分酒店、茶馆为了招揽顾客,往往提供免费茶水。一般情况下,消费者进餐馆时也很少在意茶水质量的好坏。针对餐饮场所的免费茶水,有关部门对多家酒楼、茶馆内的茶叶进行突击抽查,结果发现这些茶水饮用

质量堪忧,很多竟是劣质茶叶冲泡而成,有的残留农药和重金属还严重超标。

在一些酒店、餐馆的仓库内,执法人员搜查出一批“多无”茶叶——无QS标识、无生产日期、无厂名厂址、无净含量……相关人员指出,我国已将茶叶、炒货等28大类食品纳入QS生产许可证管理,如果茶楼、饭店仍销售未张贴QS标识的产品,就属于违法行为,而且,“野路子”茶叶泡出的茶水根本无法保证质量。

据专家介绍,劣质茶叶由香精、茶梗等炮制而成,其特点是泡出来的茶叶混浊、杯底沉淀多、多是碎叶和叶梗。这些廉价的劣质茶叶质量也难以保证,并且很有可能残留农药和重金属,如吸收过量,就会给人体造成危害。

温馨小贴士

专家提醒市民,看到餐饮场所提供的茶水浑浊不清,尽量勿饮用,并建议爱饮茶者可自带茶叶,到饭店再请服务员泡开饮用。

涮羊肉的汤不要喝

一到冬天,气温骤降,涮羊肉也随之成为人们餐桌上的“主打”项目,很多人在吃饱后还习惯从火锅里盛些汤喝。据此,专家提醒大家,反复沸腾过的涮羊肉汤不仅没有营养,而且汤里含有一些对身体有害的物质,对人的健康不利。一些人以为涮火锅的汤会聚了羊肉、肥牛、豆制品、海鲜等食品的精华,味道鲜美而且营养丰富。其实,恰恰相反。因为在吃一顿涮羊肉的过程中,同一锅汤要反复沸腾,其中有的营养物质经过这样几十次甚至上百次的沸腾,都已经被破坏了,我们谁都不会认为蒸锅里的水有营养,经过多次沸腾的汤其实就与蒸馒头时蒸锅里的水一样。

此外,吃一次涮羊肉一般需要一个小时以上,这期间,火锅里会有很多

食品在反复煮，比如配料或是没有捞出来的羊肉、肥牛等。这些物质在高温中长时间混合煮沸，彼此之间会发生一些化学反应，有关研究已证明这些食品反应后产生的物质对人身体不仅没有益处，甚至还会导致一些疾病的发生。因此，大家吃过涮羊肉后不要喝锅里的汤。

温馨小贴士

寒冷时节适当吃些涮羊肉、肥牛等，对人身体是有益处的，因为牛羊肉都有温补的作用。但是不要再顺手从锅里盛汤喝，因为看上去油汪汪的鲜汤，其实对人身体是有害无益的。

补品类饮食误区

甲鱼补身并非人人都适合

甲鱼营养丰富，古往今来均被誉为滋补佳品。它富含人体必需的氨基酸（蛋白质）和不饱和脂肪酸，同时还含有丰富的钙、铁、锌、镁、硒等微量元素和抗细胞氧化酶。常吃可以降低胆固醇，是预防动脉硬化的理想补品，对高血压、冠心病、脑卒中等患者有较好的保健作用。近年研究还发现，甲鱼有抗癌和提高机体免疫力的功效。

但是，一些专家介绍：甲鱼对久病体虚、阴虚胃寒、食欲不振、消化不良、痛风、甲亢、肝肾功能不全等老弱病者并不适合。很多人因食甲鱼而加重病情。

一位患有慢性肠胃炎合并肝功能不全的老大爷，身子骨日渐虚弱。儿女们买来甲鱼给老爸补补身子，希望老人家快些康复。可用甲鱼“补”了两天，老爷子腹泻次数却有增无减；又“补”了两天，只见他昏昏欲睡、胡言乱语，连上厕所都不能自理了。于是，赶紧送院治疗。大夫通过系统检查后判定：这是因为吃了甲鱼后，过量的蛋白质与胃、肠道的细菌发生作用，产生大量的组胺物质，诱发了肝昏迷，若不是及时住院治疗，恐有生命危险。

温馨小贴士

专家提醒患有肝炎、肝硬化、肾衰竭、体弱多病的老年人，不要盲目用甲鱼补身。因为这类人的肝、肾解毒、排毒能力差，食用甲鱼后，会有大量组胺物质入血，机体无法将毒素快速排出体外，从而诱发肝昏迷，甚至危及生命。

不要乱吃滋补强壮剂

有些得了阳痿、不育症的患者，难于启齿，又不好意思就医，于是便自做主张，滥服“参茸丸”、“男宝”、“金鹿丸”等滋补强壮剂，其中不少患者不仅无效，反而病情加剧；有的患者原来精子只是数量少，误补后结果精子变为零。这究竟是什么原因造成的呢？

专家指出，从中医的角度看，“虚弱”是造成男性不育的一个重要原因，但不是唯一的病因，其他还有“湿热”和“气血瘀滞”等因素。后两种病因造成的不育是绝不能用滋补强壮来治疗的。所用药物与病情不符，不但对正气无益，反而助长邪气。正如《内经》所说：“无盛盛，无虚虚，而遗人夭殃。”就是告诫人们必须注意补泻的运用。

如何正确应用滋补强壮药呢？中医认为，疾病的性质，除了寒、热、上、下等以外，还有虚实不同。虚证是由于先天不足，后天失调以致气血阴阳有所不足；实证则大多由病邪侵犯人体所致。凡是虚证，都应该选用具有补益性的药物进行治疗。实证则应该选用具有祛邪的药物进行治疗。“虚则补之，实则泻之”，则可以促使病人逐渐恢复健康，否则实证再用补性药物，必

将促使病情日益加剧，造成不良后果。如人参、葶苈均能治喘，但人参补肺适宜于肺虚喘促；葶苈则泻肺而适用于痰多喘急。如果误投错用，为害亦大。

即使是虚证还有气血阴阳不足的情况，同样也要根据病情施补，哪个脏腑有病，便选用相应的补药，同时尚要考虑到气血的不同与阴阳的偏衰。清代名医余听鸿深谙功补之道，他说："见病不可乱补，一日误补，十日不复，服药者可不慎乎?"说明应用补药也要慎重。因此，应用滋补药物也必须遵循辩证施治原则。用任何补药都要在医生指导下谨慎使用，才能起到治疗作用。

温馨小贴士

"是药三分毒"。体内阴阳是相互消长的，如多用助阳药易损阴；多用滋阴药可损阳。凡此种种，误伤机体，均可能招致阴阳失调，气血不和，百病丛生。

蜂胶不宜长年服用

时下被传为"现代万能药"、"紫色黄金"的蜂胶到底是不是灵丹妙药?专家指出：蜂胶其实就是一种典型的天然抗生素，健康人群绝对不宜长期服用，否则会给人体造成严重损害。

一些专家对时下吹得神乎其神的"蜂胶热"表示了严重的忧虑。专家指出：将蜂胶吹嘘为灵丹妙药是不负责任的做法。消费者应该对蜂胶的功效有个清醒的认识，不要被那些夸大其词的宣传所误导。蜂胶是工蜂从植物幼芽或树干破伤部位采集树脂后，混入其上颚腺分泌物和蜂蜡等合成的胶状固体物，是蜂房的建筑材料和蜜蜂的日常防护材料，其组成成分相当复杂。据有关研究机构长年研究，蜂胶具有抗菌、抗霉变和抗病毒等特点，其

杀灭或抑制的细菌、病毒比较多，包括葡萄球菌、链球菌、链霉菌、大肠杆菌、沙门氏菌、黑曲霉、灰葡萄孢霉，以及疱疹、马铃薯病毒、流行性感冒等等。国内外医学报告也指出，蜂胶或及其提取物确有一定的药理作用，特别是在降低血压、防治胃溃疡、抗辐射、抗肿瘤等许多方面，辅助疗效较为明显。但是，蜂胶的这些特性都表明：它是一种作用明显的天然抗生素。如果健康人长年服用天然抗生素，这与长年吃药有什么区别？因此，在服用蜂胶产品时，必须严格对症下药，控制剂量，蜂胶绝对不是人人皆可用的滋补品。

温馨小贴士

由于蜂胶中的成分复杂，而国内多数地方的加工工艺仍比较落后，根本无力将蜂胶中普遍存在的重金属去除，人若长年服用，日积月累所造成的损害同样是不可小视的。

药膳不可能适合所有的人

近几年，许多酒家餐馆在原有特色菜的基础上又推出了不少药膳系列菜肴，如黄芪炖鸡、菠萝鸡片、鹿头汤、冰糖莲子……而很多消费者也把这些具有保健功效的药膳作为进补的首选。但是，专家提醒，既然是药入膳食，就不宜随便吃，特别是长期食用，不但不能保健养生，还可能不利身体健康。

一些餐馆乱用一些“稀奇”的原料做药膳以哗众取宠，其实在常用的近5000种中草药药材中，根据国家卫生部确定的药食两用原料共有79种。而现在市场上和人们自己购买使用的远不止这些，且不少餐馆里药膳品种配方也不符合中医药理论。事实上，一种药膳不可能适合所有的人。就拿黄芪炖鸡、菠萝鸡片、冰糖莲子、鹿头汤这几道常见的药膳来说，吃的讲究就很大。黄芪炖鸡春季食用，菠萝鸡片是夏季佳肴，鹿头汤冬天喝最好，冰糖莲子秋季食最佳。针对不同的人，这四道菜的作用也很不同。菠萝鸡片、冰糖

莲子适于阴阳平和健康的人食用，黄芪炖鸡则是增强免疫力的药膳，鹿头汤适于阳虚怕冷者，而阴虚火旺者则切忌食用。

另外，对于越是值钱、贵重的药物和食物就越有滋补作用的说法，专家认为，这其实是一个误区。药膳的最大特点就是根据中医理论的指导来制作的，不仅可以做补汤，还可以制成糕点、面食，粥品、茶饮和糖果等。

温馨小贴士

在选择药膳之前，要对中药药材的温、热、寒、凉四性，辛、甘、酸、苦、咸五味及其作用有一个基本的了解。如果你对药材的药性不了解，选择不当，不但无法达到进补强身的作用，还有可能会弄巧成拙。同时，还应该注意药物与药物、药物与食物、食物与食物之间的配伍禁忌。

红枣补身有禁忌

红枣是中药处方的常用之品，也是日常食品。许多妇女在产后或月经期间，喜欢调配红枣水补身。红枣真的是妇女补身佳品吗？

红枣性温味甘，具有补益脾胃、调和药性、养血宁神的功效，是中药处方的常用之品。红枣煮水对于经血过多而引起贫血的女性有帮助，可改善怕冷、苍白和手脚冰冷的现象，而且红枣性质平和，无论在月经前或后，都可饮用。

月经期间，一些女性会出现眼肿或脚肿的现象，其实这是湿重的表现，这些人就不适合服食红枣，因为红枣味甜，多吃容易生痰生湿，水湿积于体内，水肿的情况就更严重。有腹胀的人，也不适合喝红枣水，以免生湿积滞，越喝肚子的胀风情况越无法改善。体质燥热的妇女，也不适合在月经期间喝红枣水，这可能会造成经血过多。

过量食用有损消化功能。红枣可以经常食用，但不可过量，否则会有损消化功能、造成便秘等症状。此外,红枣糖分丰富,尤其是制成零食的红枣,不适合糖尿病患者吃,以免血糖增高,使病情恶化。如果吃得太多,又没有喝足够的水,会容易蛀牙。除了红枣外,还有南枣与黑枣。南枣具有补中益血和润肺生津之效,跟红枣一样可壮胃气,健脾肾,是很好的食疗品。黑枣于古方喜用之,有些较为辛燥的药物,如果配黑枣煎服,能使药性归于中和,可免服后发生不良反应。黑枣有滋润养血之力,虽功效缓和,长期食用效果也不错。

除了红枣对一些女性疾症的禁忌之外,它还有很多好处。例如在产后饮用可减少烦躁,红枣汤对产后贫血、气血虚弱及产后调养有明显效果。红枣还可减轻因心血不足所引起的心跳加速、夜睡不宁和头晕眼花等症状。

温馨小贴士

产后妇女食用,可减少烦躁与抑郁。红枣所含维生素P能健全人体的毛细血管,对高血压及心血管系统疾病患者大有益处,其所含铁和磷等微量元素是造血所必需的。

易致病的饮食误区

四种最易致癌的用油习惯

“油”是人们每日必吃的食物,因此,它的用法是否科学对人体健康至关重要,如果使用不当,日积月累,可能引发癌症。

误区1:高温炒菜。很多人炒菜时喜欢用高温爆炒,习惯于等到锅里的油冒烟了才炒菜,这种做法是不科学的。高温油不但会破坏食物的营养成

分，还会产生一些过氧化物和致癌物质。建议先把锅烧热，再倒油，这时就可以炒菜了，不用等到油冒烟。

误区2：不吃植物性食用油，或者不吃动物油。如果没有油，就会造成体内维生素的缺乏以及必需脂肪酸的缺乏，影响人体的健康。一味强调只吃植物油，不吃动物油，也是不行的。在一定的剂量下，动物油（饱和脂肪酸）对人体是有益的。

误区3：长期只吃单一品种的油。现在，一般家庭还很难做到炒什么菜用什么油，但我们建议最好还是几种油交替搭配食用，或一段时间用一种油，下一段时间换另一种油，因为很少有一种油可以解决所有油脂需要的问题。

误区4：血脂不正常的人群或体重不正常的人群，用油没有什么不一样的。对于血脂不正常的人群或体重不正常的特殊人群来说，我们更强调的是选择植物油中的高单不饱和脂肪酸，在用油的量上也要有所控制。血脂、体重正常的人总用油量应控制在每天不超过25克，多不饱和脂肪酸和单不饱和脂肪酸基本上各占一半。而老年人、血脂异常的人群、肥胖的人群、肥胖相关疾病的人群或者有肥胖家史的人群，他们每天每人的用油量要更低，甚至要降到20克。

温馨小贴士

小磨香油在贮存过程中易酸败、失香。在其保存上可采用以下方法：把新鲜香油装进一小口玻璃瓶内，以每500克油加入精盐1克，将瓶口塞紧，不断地摇动，使食盐溶化，放在暗处。3日左右，再将沉淀后的香油倒入洁净棕色玻璃瓶中，拧紧瓶盖，置避光处保存，随吃随取。要注意的是，装油的瓶子切勿用橡皮等有异味的瓶塞。

长期吃一种油不利健康

研究发现，长期单一食用一种油，会造成脂肪酸失衡，影响健康。专家建议，食用油中含有大量人体生长发育所必需的脂肪酸，而要达到饮食的均衡营养，必须抛弃长期单一食用一种油的习惯，要多种选择，交替食用。

脂肪酸能够给人体提供能量，在人体组织再生和代谢方面，对眼睛、大脑等起到重要作用，同时对于心脑血管等方面的疾病预防也有重要作用。然而，任何单一的植物油都不能提供均衡的膳食脂肪酸。

温馨小贴士

世界卫生组织曾建议：食用油的食用种类一定要多样化，不要长期单一食用一种油，以造成脂肪酸失衡。脂肪酸一旦失衡，可以导致癌症和其他慢性疾病，给人体带来严重危害。

油炸花生不科学

花生营养丰富，含有多种维生素、卵磷脂、蛋白质、棕榈酸等。用油煎、炸或爆炒花生，对花生中富含的维生素 E 及其他营养成分会有所破坏，而水煮花生则破坏较小。此外，从口感上，油炸花生米较为油腻，而水煮花生则很清爽。如果从中医角度来讲，花生本身含大量植物油，遇高热烹制，还会使花生甘平之性变为燥热之性，多食、久食易上火。而水煮花生则保留了花生中原有的植物活性化合物，如植物固醇、皂角甙、白藜芦醇、抗氧化剂等，对防止营养不良，预防糖尿病、心血管病、肥胖具有显著作用。

温馨小贴士

在煮花生时，费水费火常困扰很多人，这里教您个小窍门。煮前先将各种香料放在锅的最下面，然后放洗好的花生，最后要加没过花生一手背深的水，用大火急煮，开锅5分钟后就关火，关火后再焖一个小时就行了。这样不仅省水省火，还能让花生更好地入味。

常吃隔夜菜易致癌

青菜、菠菜等绿叶菜反复回锅，每重复炒一次，其中的致癌物质就增加数十倍。

绿色蔬菜反复回锅，叶绿素易发生化学反应，产生可降解成分，易致癌。而螃蟹、鱼类、虾类等海鲜，隔夜后易产生蛋白质降解物，会损伤肝、肾功能。剩汤长时间盛在铝锅、不锈钢锅内，也易发生化学反应，应盛放在玻璃或陶瓷器皿中。此外，冰箱不是保鲜箱，蔬菜、水果等生鲜菜果久放，易繁殖细菌。

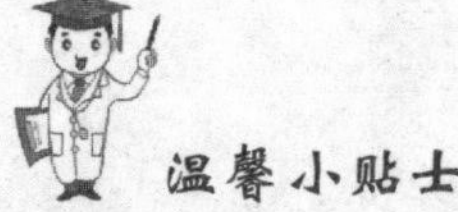

温馨小贴士

要养成这样的饮食习惯：要清淡、新鲜，不要吃隔夜菜；回锅肉、红烧肉也要吃新鲜的。剩菜放置不要超过12小时。

常吃“宵夜”弊端多

许多人有“宵夜”的习惯，晚上10点多钟约上三五知己，到大排档或酒家吃喝一顿，然后尽兴而归。其实，习惯“宵夜”的人却不知道，就在你酒醉

饱餐后,迷迷糊糊地躺在床上的时候,病魔也就悄悄地降临了。

“宵夜”吃得太饱,诱发胰腺炎和糖尿病。“宵夜”过饱,加上饮酒过多,很容易诱发急性胰腺炎,使人在睡眠中休克,就是身强力壮的人也会因抢救不及时而造成死亡。如果胆道口壶腹部位原有结石嵌顿、蛔虫梗阻以及慢性胆道感染等,则更容易诱发急性胰腺炎。另外,如果中老年人长期在“宵夜”时吃得过饱,反复刺激胰岛素大量分泌,往往造成胰岛素细胞过早衰竭而提前“退休”,进而诱发糖尿病,对中老年人的健康造成极大的威胁。

“宵夜”过饱可使鼓胀的胃肠对周围器官造成压迫,胃肠、肝、胆、肾、等负担增加,会产生信息传给大脑,使大脑相应部位的细胞异常活跃起来,一旦兴奋的“波浪”扩散到大脑皮质的其他部位,就会诱发各种各样的梦发生。而噩梦常使人感到疲劳不堪,久而久之,就会引起神经系统的病变,诱发神经衰弱等疾病。

夜间睡眠时,吃的夜宵长时间停滞在胃中,可促进胃液的大量分泌,对胃黏膜造成刺激,久而久之,易导致胃黏膜糜烂、溃疡,抵抗力减弱,如果食物中含有致癌物质,例如常吃一些油炸、烧烤、煎制、腊制食品,长时间滞留在胃中,更易对黏膜造成不良影响,进而导致胃癌。

温馨小贴士

为了你的身体健康,有常吃“宵夜”习惯的人,尽早改变这一习惯。别在大吃大嚼之时,让病魔悄悄地偷袭你的身体。

晚餐不当易生病

营养学家和医学专家研究认为,晚餐不当易引起多种疾病。常见的有:

(1)冠心病。晚餐经常摄入过多热量,可引起血胆固醇增高,过多的胆固醇堆积在血管壁上,久而久之,就会诱发动脉硬化和冠心病。

(2)肥胖症。晚餐过饱，血中糖、氨基酸、脂肪酸浓度就会增高，再加之晚上人们活动量小，热量消耗少，多余的热量在胰岛素的作用下合成脂肪，逐渐使人发胖。

(3)尿道结石。尿道结石的主要成分是钙，而食物中含的钙除一部分被肠壁吸收外，大部分排出体外。据测定，人们排尿高峰一般在饭后4~5小时，如果晚餐过晚，排尿高峰期人处于睡眠状态，尿液全部留在尿道中，久而久之，就会形成尿道结石。

(4)糖尿病。中老年人如果长期晚餐过饱，反复刺激胰岛素大量分泌，往往造成胰岛素B细胞负担加重，进而衰竭，诱发糖尿病。

(5)肠癌。晚餐过饱，必然有部分蛋白质不能被消化吸收，这些物质在肠道细菌的作用下，产生一种有毒有害的物质，睡眠时肠壁蠕动减慢，延长了这些物质在肠道的停留时间，促进大肠癌的发生。

(6)神经衰弱。晚餐过饱，必然造成肠胃负担加重，紧张工作的信息不断传向大脑，使人失眠、多梦等，久之易引起神经衰弱等疾病。

(7)急性胰腺炎。晚餐暴饮暴食，容易诱发急性胰腺炎，使人在睡眠中休克，若抢救不及时，往往危及生命。如果胆道有结石嵌顿、蛔虫梗阻、慢性感染等，则更容易诱发急性胰腺炎。

温馨小贴士

要养成这样的饮食习惯：要清淡、新鲜，不要吃隔夜菜；回锅肉、红烧肉也要吃新鲜的。剩菜放置不要超过12小时。

吃得越好越易得肠癌

高脂肪、低纤维饮食是大肠癌高发的重要危险因素。高脂饮食的另一个称号是大肠癌“催化剂”。经常食油炸类食品和牛、羊、鸡肉以及熏烤食品。这些高脂食物含大量饱和脂肪酸，易导致大肠菌群组成紊乱，促使致癌物生成和发展。而膳食纤维被营养学家称为“没有营养”的营养，因为它的作用是其他营养素所无法替代的。缺乏膳食纤维，粪便在肠道内停留时间会延长，造成肠道对废物再次吸收，导致粪便中的致癌物长时间刺激肠壁。因此，纤维素被称为肠道的清洁工，它就像一把小刷子一样，促进肠道蠕动，清洗肠道内的垃圾和废物，减少肠道致癌物的停留时间，从而降低大肠癌的发病率。

温馨小贴士

在平时的饮食中一定要注意粗细搭配，像玉米、小米、大麦、小麦皮（米糠）和麦粉（黑面包的材料）等杂粮食物纤维含量较多，苹果、香蕉、芹菜、番茄、胡萝卜、四季豆、豌豆、薯类等也是纤维素的高能食品，这些食品都能降低肠癌的发病率。

吃得太多＝慢性自杀

在经济落后、食品资源匮乏的年代或地区，人们追求的是如何能吃得饱，以满足低水平的生命活动所需。在达到小康水平后，市场上琳琅满目的食品对于不少已脱贫的人，常会因无法摆脱强烈的食欲而贪吃美味。也有的人缺乏营养保健知识，认为吃得下或多吃些总归是好事，从而放纵自己的嘴巴，这就是现在因营养过剩而致高血脂、脂肪肝、高血压、心脑血管疾病、糖尿病、肿瘤逐年高发的原因之一。

有人对小鼠作了实验，让一组小鼠不加限制地任其吃高营养饲料，另一组给予适量营养。结果发现，前一组小鼠死得早，死亡的病因大多是肺部感染、冠心病和癌症。在恶性肿瘤中尤以乳腺癌发生率最高，达71%。而后面一组在较长的观察期内无一死亡，也没有患肿瘤的。在实验过程中，还观察

到前一组因营养过剩而导致肥胖,血中胆固醇增加,并伴有胰岛素分泌增多,而过多的胆固醇及胰岛素会抑制免疫功能,从而解释了饱食一组小鼠多种疾病高发,并导致死亡的原因。

老年性痴呆是一种令病人、家属和社会都感到“头痛”的疾病,它是一种由于脑纤维化、脑萎缩引起的精神病。老年性痴呆的形成机理虽有多种说法,而经过大数量、长时间的调查发现,患者在青壮年时期食欲比常人高许多。科学家分析后认为,吃东西后,胃、肠道的血流量会增加,如果吃得太多,尤其是吃难以消化的高脂肪,血液会在较长的时间内集中在消化系统,势必使脑部血流减少。大脑如果长期处于慢性缺血情况下,就会使脑中的“成纤维细胞生长因子”明显增多,其结果是脑中的毛细血管内皮细胞增生、脂肪细胞堆积,导致脑动脉硬化,使大脑因血流不畅导致供血进一步不足,从而出现大脑早衰和智力减退。美国曾报道过一项研究成果,认为大约有1/4 的人体内有一种特别的,叫 APOE4 的基因,带有这种基因的人,在摄入热能过多,尤其是吃高脂肪食品后,会比常人更容易使过多的热能和脂肪所产生的氧自由基损坏脑组织,从而加速了痴呆过程,如果再吸烟,就更易发生“早老性痴呆”。

人类的心脑血管疾病、肿瘤、糖尿病的发病还在逐年增加,并导致成为死亡的前几位原因。虽然医学家对于缓解或改善这些疾病症状有一些治疗方法,但尚无根治的办法,至少不可能再回复到病前的健康状况,而老年性痴呆则更无良好的治疗方法。所以,要预防和推迟这些疾病的发生,就应管好自己的嘴巴,不要吃得太多,尤其是在中年后,吃七八分饱足矣。

温馨小贴士

过饥过饱、暴饮暴食,都能导致伤身。俗语说:“吃饭七分饱,犹带三分饥。”节食使肠胃负担减轻,并且有利于激发人体能量替代系统,产生出生命力。现代科学发现:人肠胃内存在大量的固氮菌,固氮菌能直接把空气中的氮元素合成人体需求的蛋白质和氨基酸等营养物质。古人有"辟谷食气"养生法，就是激发这一系统达到"食气"状态，达到祛病延年、健康长寿之目的。

肥肉油渣是致癌物

猪油渣和锅巴都是家庭常见的东西。猪油渣是由猪肥肉、猪板油等，在油锅内加热炼出油后所剩下的渣渣，吃起来脆、香、松而可口。而锅巴是在做饭过程中，由于火力过旺或在饭做熟时继续加热，使锅底烧焦所形成的东西，吃起来焦香可口。因此，总是有不少人舍不得把猪油渣和锅巴扔掉，并且是当作一种美味食品来吃。

然而，这两种食品虽然好吃，但对人体健康伤害很大。如猪肥肉或猪板油在加热时，由于温度很高，使有机物质受热分解，并经环化、聚合而形成了一种叫3,4一苯并芘的物质。据检测，在油渣中3,4一苯并芘含量相当高，并且煎炸的时间越长，含量越高。做饭时，由于加热过度使锅底烧焦而出现的锅巴，也含有3,4－苯并芘类有毒物质，这也是众所周知的致癌物质。这种物质会增加食道癌、胃癌等癌症的发病率。

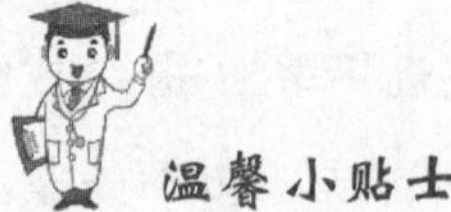

温馨小贴士

日常生活中，有许多人不注意生活科学知识，经常用肥肉炼油后，剩下的油渣又当菜来食用，这种做法是不利健康的。由于猪肉或大油，在炸炼时温度过高，有机物质受热分解，经过环化、聚合会形成一种致癌性物质。炸炼时间越长，其含量越高。常吃或多吃油渣的人会增加食道癌、胃癌的发病率。

吃薯片等于吸汽车废气

打开一袋散发着迷人香味的薯片，你很难不被它金黄酥脆的外表所诱

惑,拿起一片放入嘴巴,随着“喀吱”声,土豆特有的清香立刻充溢了口腔,那满足的感觉会一直传递到大脑。你也可以蘸着番茄酱、辣椒酱、烧烤酱等吃,更充分地满足你的食欲。一包薯片旋即就被你打扫得干干净净。

瑞典政府研究发现:含有大量碳水化合物的谷物类,如果进行烧烤油炸等烹调处理,会生成具有致癌作用的丙烯酰胺。以油炸土豆食品为日常零嘴的英国、法国、美国等国家纷纷进行了试验和检测,得出的结论都是肯定的。

在国际癌症研究机构(IARC)对致癌物质危险程度的5级分类中,丙烯酰胺被列为第2级,致癌性相当高。IARC的5级分类中,最危险的是1级,属于确认致癌物质,其次是2A和2B级,具有较高致癌可能性。1级的有煤焦油、石棉、口嚼香烟、镉元素等;2A级的有丙烯酰胺、用作木材防腐剂的杂酚油、汽车排放的废气等。薯片中的丙烯酰胺与汽车排放的废气属于对人体危害程度相等的有毒物质,所以有人说,吃薯片等于在吸汽车的废气!这并不为过。

温馨小贴士

薯片中含铝过量,如长期食用铝含量过高的膨化食品,会引起神经系统病变,表现为记忆减退,视觉与运动协调失灵,严重者可能痴呆。人体摄入过量的铝,还会抑制骨生成,发生骨软化症等。

吃“生鱼”易得寄生虫病

随着人们生活的不断提高,有些人在过年过节这段时间就想品尝些人间美味,更有不少人还计划能吃出点花样和噱头,吃些稀奇古怪、平时少见少尝的东西。然而,卫生部门却告诫,美味固然可口,但吃下去对人体是否有益就得当心了,特别是喜欢尝新尝怪的人,一定要注意食品卫生,不能为

贪口腹之虞而吃出毛病。为此,提醒食客们,有什么食后不适,应去医院就诊,千万不要自作主张乱服药。

一位20岁左右的患者因一时贪嘴成了肝吸虫的“宿体”(虫寄生在患者体内)。这位患者曾多次在与朋友吃饭的过程中吃“生鱼”,不久他便出现了持续高烧的症状,起初还以为自己患了感冒,到附近医院就诊后吃了多种药物,病情始终没有好转。后来,有医生建议他去做肝吸虫检查。结果发现,他的胆管、胆总管和胆囊都长满了肝吸虫虫卵。

在日常生活中,人们接触较多的是草鱼、鲫鱼、鲤鱼,殊不知,这些鱼最易携带肝吸虫,生吃这些带肝吸虫鱼的人一定会被感染。

温馨小贴士

不少市民虽然知道进食生鱼会患肝吸虫,但误认为喝酒能杀死肝吸虫,于是怀着一种侥幸心理照吃不误,其实这种观念是绝对错误的,因为酒精不能直接杀灭肝吸虫虫卵。

吃油辣食品过量易频发

时下无论是洋快餐还是国产中餐,油腻的炸鸡布满大街小巷,加上水煮鱼、麻辣火锅等构成了当今饮食的激情碰撞。马路旁林立的香鸡排摊子如此诱人,寒冬里三五好友吃麻辣锅更是一大享受,酒足饭饱干脆打个通宵麻将,饮酒零食更是整夜不离手;不知不觉间,你的头发似乎一根一根离家出走了……!

有的人嗜好油辣食品,每餐无辣椒简直难以下咽,以致头发日见稀疏,无奈去医院诊治,皮肤科大夫了解病情后判定,这是因吃油辣食品过量而诱发的脱发。

烟、酒、油腻的食物与调味过重的料理都被证实对头发的生长有不良影

响，甚至会直接造成脱发。许多人愿意买昂贵的洗发/护发用品，却忽略饮食与生活习惯其实对头发的影响更为直接且明显；压力与熬夜是最为人所熟知的掉发因素，其他如辣味、油脂、糖分的摄取，重要维生素的补充与否，都对头发的影响极大。

头发会新陈代谢，会掉落，也会再生。每天掉头发在100根以内是正常的。但生活与饮食处于不正常的状态时，身体也会忠实地将健康状态反映在头发上！

不同程度的皮脂腺分泌会让头发分成干性、中性与油性，摄取含大量油脂的食物，会使皮脂腺分泌过盛而阻塞，于是头发不掉都不行！辣椒摄取过量也会造成发质干枯，饮酒则会造成流经头皮微血管的血液循环不良，相对带给头发的养分也受阻，最后只得接受掉头发的事实。特别要注意的是，若维生素A摄取过量，也会导致脱发！

那怎样的饮食才会帮助头发生长呢？下面的建议提供大家参考：

(1)多食用包心菜、蛋、豆类等等具有含硫胺基酸养分的天然食物，肉类则是适量即可，吃太多反而会造成酸性体质而增加脱发的机率。

(2)尽量少吃甜食，过量的糖分摄取(尤其是果糖)会造成额头秃，相关研究已经证实，糖分摄取过量会对头发有负面影响。

(3)多尝试天然、无污染的食物，才会增加人类体内的碱性，降低酸性体质成分，可促进头发生长。

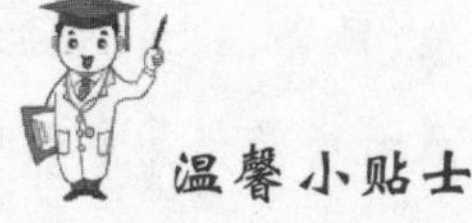

温馨小贴士

专家指出，油辣食物因含油量多，且刺激性强，吃多了对头发的生长会产生不良影响，甚至会直接造成脱发，其原因是油辣食物会使维生素B、C损失惨重，且影响其吸收。长久下来，使皮脂腺分泌过于旺盛而阻塞，致使头发干枯、脱落。因此，要想拥有柔亮飘逸的秀发，最好少吃油辣食物。

多吃胡椒伤眼睛

胡椒大家都很熟悉，不仅是家庭必备的调味品，还是常用的中药之一。具有温中散寒、醒脾开胃之效。可治疗肠胃受寒所致的胃脘痛、呕吐、腹胀、腹泻、肠鸣等病症。

然而，中医理论认为，胡椒除了会令人产生舌麻感外，还能升高血压。平时属阳盛内热、阴虚火旺体质者和孕妇以及有咯血、鼻衄（流鼻血）、便血、便秘、痔疮、高血压、胃溃疡、牙龈红肿、咽喉肿痛、口臭等病症者，应禁食或少食胡椒。

明代医学家李时珍曾在《本草纲目》中写下这样一段话："胡椒大辛热，纯阳之物……时珍自少食之，岁岁病目，而不疑及也。后渐知其弊，遂痛绝之，病目亦止。"据说，李时珍年轻时经常患眼病，却始终找不出病因。后来渐渐发觉年年复发的眼疾竟与自己平时特别爱吃胡椒有关。于是在停食胡椒一段时间，眼病果然康复了，后来他又试吃了1、2粒，很快就觉得双目干涩，视力模糊。为此，特在撰写《本草纲目》中收录胡椒时予以指出，以示后人。

温馨小贴士

胡椒性热，古人认为食用过量会损肺、发疮、齿痛、目昏、破血、堕胎等，因此，即使是平时调味也不应过量。对于眼病患者，最好还是借鉴李时珍的经验，不吃为妙。

有些蔬菜会引发痛风病

痛风病人都知道多吃素少吃荤，但事实上有些蔬菜对痛风病人也是不宜多吃的。

根据测试，豆苗、黄豆芽、绿豆芽、菜花、紫菜、香菇这几种菜蔬中，每100克含嘌呤高达150～500毫克，属于高嘌呤食物，其嘌呤的含量与鲨鱼、带鱼、鸡汤、肉汤、鸭汤、海鳗、沙丁鱼、干贝、鳕鱼、乌鱼、动物肝肾等相仿，而高于虾、蟹、鸡肉、猪肉、牛羊肉、豆类和豆制品等。因此，痛风病人要尽量少吃这些蔬菜。

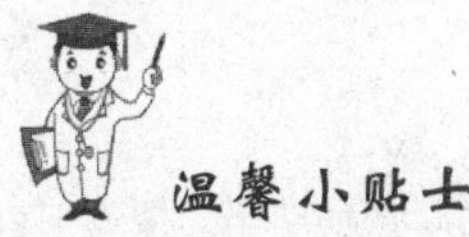

温馨小贴士

通常，痛风病人有许多荤菜不能吃，于是病人便想到吃些口味好的菜蔬，比如香菇、菜花、豆芽、豆苗等。殊不知吃这些菜的同时恰恰把大量的嘌呤吃进了体内，于是就引起痛风发作。

喝浓茶吃咸食者易缺钙

现代医学研究发现，浓茶中咖啡因会大大增加老人发生骨折的危险。平时饮用量越多，茶的浓度越高，则发生骨折的危险越大。这是因为茶中的咖啡因可明显遏制消化道中十二指肠内钙质的吸收。此外，咖啡因还可以增加尿中钙质排出量，通过遏制吸收与加速排泄这双重途径，使体内出现缺钙现象，进而诱发骨质中钙的丢失，导致骨质疏松而易发生骨折。

饮食过咸导致缺钙，是因为盐的成分主要为氯化钠，大量的氯化钠进入血液后，使血液中钠的浓度过高。生理机能反应是口干。口干是人体稀释钠的本能需要，而大量饮水会造成大量排尿，这样血液中钙、磷通过肾脏排出量增多；为了保护血液中钙和磷的一定浓度以及维持血液中和骨骼间钙、磷的平衡，人体骨骼中的钙、磷就逐渐溶入血中，保持两者间的平衡。久而久之，发生骨骼脱钙、脱磷，引起骨质脆弱，容易发生骨折和其他骨病。

温馨小贴士

专家提醒,饮茶以清淡为宜,饮食不要过咸。

嗜茶者当心贫血

茶叶具有醒脑提神、消食化积、利尿解毒、清心解暑等功效,茶叶中还含有丰富的维生素,对人体健康十分有益。因此适度饮用有益健康。但是,饮茶过多也会对身体产生一些不利影响,比如会导致缺铁性贫血。

嗜茶为何会发生缺铁贫血呢?这与茶叶中含有的大量鞣酸有关。铁质在人体内参与造血活动,过量饮茶者,茶叶中含有的大量鞣酸会与铁离子形成不溶性鞣酸铁而排出体外,致使铁丢失增加,吸收减少,从而可导致铁性贫血的发生。

要预防嗜茶者引起的缺铁性盆血,首先,应限制茶量,每月饮茶量不应超过200克;其次,饮茶不宜过浓;第三,注意多食一些富含铁质的食物,如瘦肉、动物肝、蛋类、绿叶蔬菜等;第四,应注意调整饮茶时间,避免在进餐前半小时饮浓茶,以减少茶叶中鞣酸与食物中铁离子接触的机会;第五,孕期、哺乳期妇女、生长发育中的儿童及缺铁性贫血患者不宜饮茶。

温馨小贴士

新茶是指摘下不足一月的茶,这种茶形、色、味上乘,品饮起来确实是一种享受。但因茶叶存放时间太短,多酚类、醇类、醛类含量较多,如果长时间饮新茶会出现腹痛、腹胀等现象。同时新茶中还含有活性较强的鞣酸、咖啡因等,过量饮新茶会使神经系统高度兴奋,可产生四肢无力、冷汗淋漓和失眠等“茶醉”现象。

感冒别喝苦丁茶

上火了喝点苦丁茶,已经成为很多人的习惯。生活中还有不少人偏爱它那种苦尽甘来的味道。

苦丁茶的药用效果非常明显,中医认为,它具有散风热、清头目、除烦渴的作用,可用来治疗头痛、牙痛、目赤、热病烦渴、痢疾等。现代药理研究则证明,苦丁茶中不仅含有人体必需的多种氨基酸、维生素及锌、锰、铷等微量元素,还具有降血脂、增加冠状动脉血流量、增加心肌供血、抗动脉粥样硬化等作用,对心脑血管疾病患者的头晕、头痛、胸闷、乏力、失眠等症状均有较好的防治作用,因此备受中老年人的青睐。但苦丁茶并不是什么人都能够随便喝的,这一点往往为大家所忽视了。以下几种人喝苦丁茶时应该悠着点儿:

风寒感冒者:冬季是感冒的高发季节,患了风寒感冒的人应该多吃些温热的食物,如生姜等,祛除体内的寒气,如果此时饮用苦丁茶,会有碍风寒的发散,不利于感冒的治愈。

虚寒体质者:虚寒体质者最突出的特点是冬季特别怕冷,常常感觉手脚冰凉。这种体质的人喜欢吃羊肉、狗肉等温性食物,而且不容易"上火",但喝了寒性的苦丁茶后,手脚冰凉的症状会加重,不利于虚寒体质的改善,严重的甚至会出现腹痛、腹泻等症状。

慢性肠胃炎患者:慢性肠胃炎患者常常存在着不同程度的脾胃虚寒,腹部受凉或吃了凉性食物时,容易肚子疼或拉肚子,苦丁茶会加重这些症状。此外,老年人脾胃功能相对减弱,婴幼儿脾胃功能尚未健全,也不宜饮用苦丁茶,否则容易引起消化不良、厌食、腹泻等副作用。

经期女性:女性月经期处于失血状态,抵抗力降低,此时如果喝寒性的苦丁茶,极易导致气血受寒而凝滞、经血排出不畅,引发痛经,严重者可造成月经不调。经常痛经的女性,即使不是在经期,也最好少喝苦丁茶。

新产妇:刚生完宝宝的新产妇身体虚弱,应适当多吃一些温补性的食物。寒性的苦丁茶不仅不利于产后子宫的恢复,还会伤及脾胃,极易引发日后缠绵难愈的腹部冷痛。

温馨小贴士

据《中药大辞典》界定,苦丁茶由枸骨、大叶冬青这些植物制成。而动物实验证实,枸骨具有抗生育的作用,因此,怀孕了及近期准备要小孩的人最好不要喝苦丁茶。

感冒初期不宜吃西瓜

西瓜是夏季的最佳水果之一。可西瓜不能尽情地吃,吃得不好会伤身体的。吃得过多,会伤脾胃,易引起咽喉炎,尤其是感冒初期吃西瓜,会使感冒加重或延长治愈的时间。

从中医理论上说,无论是风寒感冒还是风热感冒,其初期都属于表症,应采用使病邪从表而解的发散办法来治疗。表未解时,不可攻里,否则会使表邪入里,病情加重。西瓜性寒,有清热功能,感冒初期,病邪在表之际,吃西瓜就相当于服用清里热的药物,因而会引邪入里,势必加重病情或延长治愈的时间。

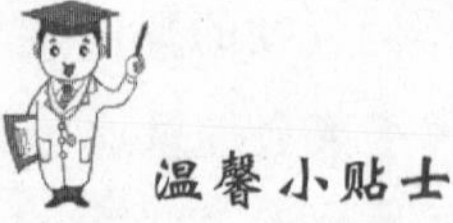

温馨小贴士

不过,当感冒加重出现了高热、口渴、咽痛、尿黄赤等热症时,病邪已入里,在正常用药的同时,若吃些西瓜,则能够除烦止渴,有助于感冒的痊愈。

饮食不当可加重关节炎

科学研究表明:关节炎的发作及病情发展除了同风寒、潮湿、精神因素、过度劳累、创伤和自身免疫等有关以外,饮食因素亦不容忽视。

(1)锌的缺乏可致关节炎病情加重。研究人员发现:类风湿关节炎患者血清中锌的含量比正常人低得多,而关节滑膜内需要锌离子。故关节滑膜内缺锌可能是类风湿性关节炎发病或病情加重的原因之一。研究进一步证实:类风湿关节炎患者血清中组氨酸含量低,而组氨酸代谢与锌的代谢关系密切。锌离子有抗炎作用,在体内有稳定溶酶体膜、抑制前列腺素合成、阻遏慢反应物质释放的功能。所以类风湿关节炎患者在医生指导下服用锌剂及多食含锌食品,可使炎症得到控制,从而减轻和改善症状。

(2)肥腻食物可加重关节炎病情。肥腻食物在体内氧化过程中能产生酮体,过多地吃肥腻食物,就会增加酮体含量,而过量的酮体会引起代谢失调,强烈地刺激关节。因此,专家建议,关节炎病人平时应少吃肥腻食物,多吃新鲜蔬菜、水果和海藻类食品,烹调菜肴时用植物油,尽量不吃肥肉、奶油及油炸食品。

(3)高甜食品可加重关节病情。专家们通过对42例类风湿性关节炎病人的有关研究(其中20例每天吃奶糖6块,持续1个月,22例不吃甜食),结果发现,不吃甜食的一组,经同样药物治疗,症状缓解,关节疼痛、肿胀、僵硬得以改善,有的甚至明显好转;而吃奶糖的一组,其中9例上述症状没有任何改善,有的病情还有加重趋势。由此可见,关节炎患者不要多食高甜食品。

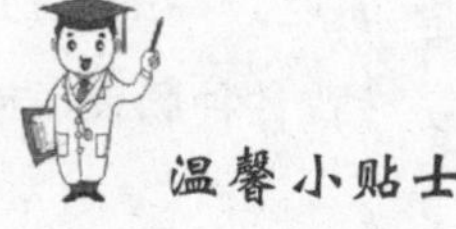

温馨小贴士

人体唾液主要由腮腺、颌下腺和舌下腺三腺所分泌,每天分泌量为1000~1500毫升,酸碱度近中性。唾液中主要含有淀粉酶、粘蛋白和一些无机盐。医学研究证实:唾液减少与风湿性关节炎发病和病情加重有关,风湿性关节炎病人唾液分泌明显减少。为防止唾液减少、缺乏,在日常生活中要注意口腔的清洁卫生,预防感染,多吃萝卜及其他新鲜蔬菜、水果,并注意补充水分。

过冷过烫的食物有害健康

有些人爱吃过烫的食物,还有些人则爱吃过冷的食物,这两种习惯好不好呢?

先说吃过烫的食物。人们都有这样的经验,有时不小心,突然喝了一口滚热的汤,往往烫得吞咽不下,轻的口腔粘膜被烫得发红充血,重的会起泡,甚至引起口腔溃疡。过烫的食物比人的口腔、食道、胃肠里的温度高出很多,它进入食道,会损伤食道黏膜,常吃过烫的食物,不断地损害食道,会引起食道黏膜的增生,这些地方的细胞就容易发生恶性变,引起食道癌。另外,人的舌头上的味蕾遇到过热的食物会受到伤害,使人感受滋味的能力减弱,降低人的食欲。温度过高的食物还会破坏消化道中的各种酶,或者降低酶的催化作用,酶受到破坏会直接影响人对食物的消化和吸收,时间一长会发生营养不良。所以吃过烫的食物是有害的,要改掉这种不良习惯。

那么,吃过冷的食物好不好呢?人们也有这样的体验,当你吃冰棒时,第一口会觉得舌头发麻,两颊发木,牙根疼。如果连续吃很多,整个口腔就会变木,唾液分泌减少,胃内觉得发凉。有时由于过凉的刺激会使胃变得紧张,强烈地收缩,人就会感到胃胀、胃痛。更严重的是,由于过冷的刺激,会使人唾液、胃液、肠液分泌过少,肠胃中食物消化不好。常吃过冷的食物,慢慢地就会损伤人的消化器官,减弱人的消化能力,容易导致各种肠胃病或营养不良。所以爱吃过冷食物对健康也没有好处。

特别是有些年青人总以为自己年轻,低抗力强,肠胃好,对冷热食物毫不在乎,常常吃完了热的食物,马上又去吃凉的食物。这样,消化器官刚接

受热的刺激，紧接着又接受冷的刺激，肠胃不能很快地适应这种急速的变化，功能就会出现紊乱，导致急性肠胃炎。如果治疗不好，还会转成慢性肠胃炎。

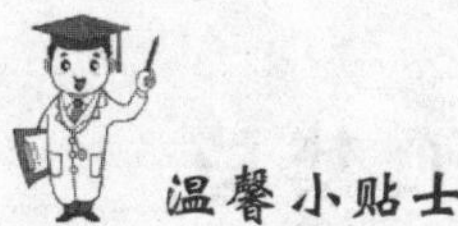

温馨小贴士

每个人都要养成正确的饮食习惯，既不要吃过烫的食物，也不要吃过冷的食物，更不要吃完热的立即又去吃凉的。吃饭的时候，如果是刚做熟的、很烫的饭菜，应当稍晾一下，待食物温度不冷不热时，再去吃才好。

第二篇　日常生活的饮食禁忌

在生活里有不少放弃原则的享乐主义者，上自五星级酒店西餐厅，下自大排档烧烤摊，只要好吃，照单全收。然而，这种不顾日常生活禁忌的饮食却无时无刻都在影响着我们的健康。还有一些人，由于单纯从个人的口味、爱好出发，缺乏必要的指导，已经养成了一些不良的饮食习惯，从而在不知不觉中，长年累月地在损害着自身的健康。因此，学一点饮食方面的有关知识，了解日常生活中的饮食禁忌绝非多余，而是十分必要。

畜禽类饮食禁忌

吃烧烤时的禁忌

很多朋友都喜欢吃烧烤食品，其实，食物烧烤原则上是不太健康的，由于肉类在高温下直接燃烧，被分解的脂肪滴于炭上，再与肉类之蛋白质结合，就会产生一种叫苯并芘的致癌物，在烧烤时有可能黏附在食物上。因此，在吃烧烤时尽量减少将食物直接烧烤，有些食物可用锡纸包裹后再加热。如果不甚将食物烧焦，烧焦部分含致癌物，如不想浪费，可以用剪刀剪去烧焦部分在吃。

另外，烧烤不一定以肉类为主，五谷、蔬菜烧起来同样有滋有味。包米

不但金黄美味，又易饱肚；番薯含丰富的纤维素，有益肠胃；还有新鲜的洋葱、蒜头、辣椒等，健康又味美。选择肉类时，不妨多选吃海鲜类，包括蟹、虾、带子、鱼等，烹调方法可将海鲜放入锡纸，烧熟后加入少量豉油，味道非常美。而可烧的蔬菜，选择也很多。在吃的时候，有的朋友为了添加更多美味，往往爱在烧烤食物上不停地涂抹蜜糖，其实要想增添食物鲜味，又要健康的话，涂一次蜜糖便足够了，其后不妨选用黑椒粉、芥辣等天然调味品，以增加食物的天然原味。

温馨小贴士

在吃烧烤时，烧焦的部分含有致癌物，千万不要吃。

吃烧烤时不要喝啤酒

啤酒，清凉爽口，含有多种人体必需的氨基酸和丰富的维生素，深受人们喜欢。但是，饮用时的一些注意事项往往不能引起人们的注意，比如吃烤肉串时喝啤酒，就不妥当。烟熏食品中含有机胺及因烹调而产生的苯并芘和氨基酸衍生物。当饮酒过量而使血锅含量增高时，上述物质与其结合，可诱发消化道疾病甚至肿瘤。

温馨小贴士

如果你喝的是啤酒就在自己的酒杯前放一杯茶，边喝啤酒边喝茶。

吃烤肉时千万不要喝可乐

据一项最新的科学研究显示，烤肉时如果搭配可乐一同饮食的话，会有导致骨癌的危险!

当然,烤肉是许多人的最爱。不单是年轻人搞集体活动喜欢烧烤,烤肉现在已经被许多家庭当成团聚时的活动形式之一了。

由于烤肉在熏烧的过程里,并非只是单纯的以火加热让肉变熟,而是肉在加热的过程中也受到木炭及燃料所产生的烟熏,这些因为烟熏变熟的肉与经由加热变熟的肉在分子结构上是不同的,这种分子结构上的不同,在进入人体被消化分解之后,将在我们的体内产生截然不同的影响。

如果只是喝可乐或者吃烤肉倒不会有太大的关系,只要不过量都不至于影响我们的健康,但是如果这两样食物搭配在一起同时进食的话,可乐当中所含有的咖啡因会加速熏烧食物分解后的碳离子活动,并且进而使得体内氨基酸的键不按照应有的方式链结,这被称为JAJ现象。

但是JAJ现象究竟如何导致骨癌仍是尚未完全清楚的谜,目前已经获得证实的是JAJ现象将连带导致体内产生反应,体内的钙离子将无法结合而连带使得体内的钙质严重流失。糟糕的是,由于人体有自行修复的机制,因此当钙质严重流失的时候,我们人体会自动产生DNB反应,而极可能是DNB反应遇上JAJ现象的时候,极容易使骨细胞产生病变,导致骨癌。

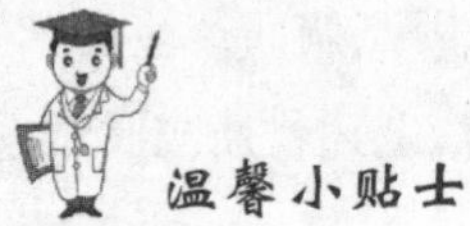

温馨小贴士

有的孕妇怀孕后爱喝饮料,要知道1瓶340毫升的可乐型饮料含咖啡因约50毫克,一次口服咖啡因剂量达1克以上,胎儿对咖啡因尤为敏感。咖啡因之所以能引起遗传性疾病,是由于咖啡因的化学结构与人体遗传基因DNA大分子中的一个酸的原子核非常类似,这样咖啡因就可能与DNA结合,使细胞发生变异。当然偶尔喝一杯也无大碍,只要不长期喝,不一次喝的量太大,应该不会对胎儿造成影响。

熏烤腌制发酵食物少吃为好

烤鸡、烤鸭、咸鱼、咸肉、冬腌菜、霉干菜等虽然吃起来味道好，但专家提醒：长期食用这些熏烤腌制发酵类食物，有导致消化道肿瘤的危险，因此还是少吃为好。

禽畜鱼肉经过熏烤腌制、豆制品蔬菜瓜果经过腌制发酵而制成的食品，是我国的传统食品，长期以来受到人们欢迎。有关专家和研究人员经过两年多的专题研究发现：熏烤类食物中存有致癌物质，长期食用会引起潜在的致癌作用；腌制类食品中有较多量的硝酸盐和亚硝酸盐，一旦与肉中的二级胺合成亚硝酸胺，可直接导致胃癌；发酵类食品中除了含有亚硝基化合物，还有多种有害霉菌，长期食用这类食品会对人体形成潜在危害。

研究人员对市场上出售的烤鸡、烤鸭、熏鱼、叉烧肉、咸鱼、火腿、咸肉、冬腌菜、豆豉、臭豆腐、霉冬瓜、霉干菜、霉千张、霉菜梗、虾鱼卤等10多种食品进行了测试。测试结果表明，这些美味佳肴虽然好吃，但长期食用对人体健康有害无益。

温馨小贴士

研究人员研究发现，大蒜、松针等天然植物中的可提取物质，可明显降低熏烤、腌制和发酵类食品的致癌危险性。松针提取液则具有抗基因突变和DNA损伤作用；大蒜中的提取物则有很强的消除亚硝酸盐的效果。人们在食用以上烟熏食物时，不妨多吃些大蒜。

吃羊肉的六点注意事项

千百年来，羊肉一直是中华民族餐桌上不可或缺的美食。从中医营养学的角度看,羊肉味甘性温,有补肾壮阳的作用,历来被视为补阳佳品,在冬季食之更佳。

羊肉可益气补虚,补血助阳,促进血液循环,增强御寒能力。不过,羊肉属大热之品,因此凡有发热、牙痛、口舌生疮、咳吐黄痰等上火症状的人都不宜食用。患有肝病、高血压、急性肠炎或其他感染性疾病的病人,或者在发热期间也不宜食用。如果在烹制时放个山楂或加一些萝卜、绿豆,炒制时放葱、姜、孜然等作料可以去除膻味。

但吃羊肉时一定要注意以下几个方面:

(1)吃涮羊肉时不可为了贪图肉嫩而不涮透。由于羊肉中往往夹杂着病菌和寄生虫,因此,吃涮羊肉时要选经过质检的羊肉片,并且涮至熟透。

(2)《本草纲目》在提到羊肉时称:"羊肉同醋食伤人心"。羊肉大热,醋性甘温,与酒性相近,两物同煮,易生火动血。因此羊肉汤中不宜加醋,平素心脏功能不良及血液病患者应特别注意。

(3)另据《本草纲目》记载:"羊肉以铜器煮之:男子损阳,女子暴下物;性之异如此,不可不知。"这其中的道理是:铜遇酸或碱并在高热状态下,均可起化学变化而生成铜盐。羊肉为高蛋白食物,两者共煮时,会产生某些有毒物质,危害人体健康。

(4)肝炎病人过多食用羊肉,可加重肝脏负担,导致发病。

(5)吃羊肉后马上喝茶,容易发生便秘。

(6)羊肉温热而助阳,一次不要吃得太多,最好同时吃些白菜、粉丝等。

温馨小贴士

羊肉可益气补虚,补血助阳,促进血液循环,增强御寒能力。不过,羊肉属大热之品,因此凡有发热、牙痛、口舌生疮、咳吐黄痰等上火症状的人都不宜食用。患有肝病、高血压、急性肠炎或其他感染性疾病的病人,或者在发热期间也不宜食用。如果在烹制时放个山楂或加一些萝卜、绿豆,炒制时放

葱、姜、孜然等作料可以去除膻味。

露天烧烤要少吃

许多人提起烤肉就会垂涎欲滴，哪怕在炎热的夏天，也忍不住会光顾烤肉小店。可是，烤肉会产生致癌物质也是尽人皆知，这难免给美食蒙上了一层阴影。

因为烤肉的时候，温度可能超过200℃，蛋白质受到高热可能产生致癌的“杂环胺”类物质。越是烤得熟的部分，致癌物含量越多。如果肉被烤焦，局部温度接近300℃时，肉中的脂肪还会产生大量苯并芘类致癌物。

但美国有文章指出，烤肉时先用烤肉酱汁浸泡或涂抹，可以使致癌物质的含量大幅减少。在烤肉酱中含有一些有益成分，能阻碍致癌物质的产生。美国的报道指出，烤肉腌制调料中均配有柠檬汁、番茄酱和大蒜汁，而酸性的条件和还原性的物质都会阻碍致癌物质的生成。同时，这些食品配料本身均有一定的抗癌防癌作用，也有益于预防高温加热食物对人体的危害。另一方面，烤肉酱中所含的淀粉、糖等成分在受热的时候首先吸收热量，可以保护中间的肉块不会骤然受到高温影响。

但需要注意的是，美国的烤肉设备较好，温度控制比较稳定，产生致癌物质的机会会随之减少。假如再加入烤肉调料预先浸泡和涂抹，便可消除绝大部分致癌物产生的危险。而我们吃的烤肉往往是露天烧烤的，其温度无法控制，局部温度升高到300℃以上的危险很大。即便是用烤盘进行烤制，温度也无法控制，肉与烤盘接触的地方易出现焦煳、发黑，致癌物质的产生难以避免。中国人吃的烤肉调料往往以盐、孜然、糖、香辛料为主，并不添加柠檬汁和番茄酱，这就又增加了产生致癌物质的机会。

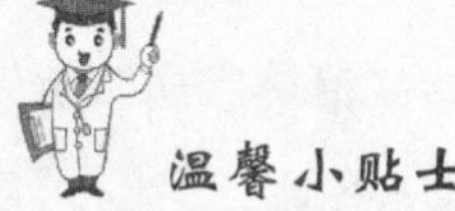

温馨小贴士

对热爱烤肉者提出如下建议：1. 尽量避免吃露天烧烤；2. 烤肉时严格控

制温度,避免焦煳;3.如果自制烤肉,提前用蒜汁、柠檬汁调味,并刷上番茄酱;4.吃烤肉的同时,挤些番茄酱、柠檬汁作为调料;5.搭配烤肉,应多吃新鲜生蔬菜,以获得尽可能多的抗氧化、抗癌成分,以及促进致癌物排出的膳食纤维。

十年鸡头赛砒霜

许多人喜欢吃鸡头、鸭头、鹅头等。确实,这些鱼、禽类的头很好吃,而且营养价值也很高。可是,这些"头"的害处也不少。就拿鸡来说,民谚道:十年的鸡头赛砒霜。意思是说,鸡越老,鸡头毒性就越大。用现代的医学观点来分析,其原因是鸡在啄食中会吃进含有害重金属的物质,这些重金属主要储存于脑组织中,鸡龄越大,储存量就越多,毒性就越强。食用者在享受鸡头美味的同时,也摄入了重金属毒物,如果食用过多,可能会引起中毒反应。所以,鸡头不宜多吃。鸭头、鹅头等也不宜多吃,其道理大同小异。

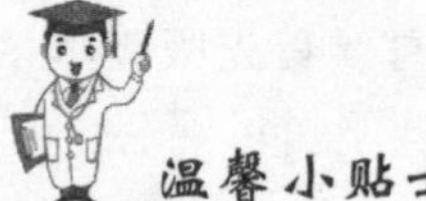

温馨小贴士

中医理论认为,鸡肉具有温中益气、补精填髓、益五脏、补虚损的功效,可以治疗由身体虚弱而引起的乏力、头晕等症状。对于男性来说,由肾精不足所导致的小便频繁、耳聋、精少精冷等症状,也可以通过吃鸡肉得到一定的缓解。

未经检疫的猫肉吃不得

目前,一些地方流传着吃猫肉大补,吃猫肉可以治"治淋巴病"的传言,于是乎,一股吃猫肉的风便在社会上流传开来,使得一些地方"流行"吃猫肉。对此专家郑重告诫:吃猫肉可能有害健康。

首先，吃猫肉治病纯属无稽之谈，医学上没有"淋巴病"的说法，只有淋巴瘤。而淋巴瘤是恶性肿瘤，吃猫肉与治肿瘤毫不相干。

其次，猫肉不含任何特殊营养，世界各国及我国《食物营养成分》表上，也没有猫肉这一项。

第三，动物肉类因可能污染或带有病毒，危害食入者健康。猫肉未经检测，很难保证符合食用标准。

第四，猫患有的很多传染病可通过吃猫肉传染给人，如出血热、猫抓热、狂犬病、弓形虫病和其他寄生虫病。

第五，猫从来无法集中饲养，市售的家猫、野猫或是偷的，也可能是用毒药毒杀的，吃毒死的动物肉，虽不诱发急性中毒，但体内毒素积蓄何时排放，对自己的健康显然不利。

温馨小贴士

瑞士科学家发现猫有一种猫海绵脑病，与疯牛病、羊痒病和人的一种特殊类型的痴呆症类似。这些病有共同的朊病毒，都能传染给人，引发极其严重的中枢神经系统变性疾病，最终导致痴呆和死亡。目前，该病已成为世界各国严密防范的传染病。可见，吃猫肉危险！

进食油腻后不宜立即喝茶

有些人在吃完肉、蛋、海味等油腻的食物之后，习惯于立即饮茶，以便去味，助消化，其实不然，这种习惯并不科学。因为油腻的食物中一般含有大量的蛋白质，而茶叶中含有大量的鞣酸，鞣酸能与蛋白质结合生成具有收敛性的鞣酸蛋白质。这种物质能使肠蠕动减慢，从而延长了粪便在肠道内的滞留时间，不但能造成便秘，而且还增加了有毒物质和致癌物质被人体吸收的可能性。另外，鞣酸还能与食物中的铁、锌等结合成难以溶解的物质，使吃进去的铁质白白浪费掉。因此，喜欢喝茶者应该把喝茶的时间放在就餐后1小时为妥。

温馨小贴士

草酸易与钙结合形成结石，而茶中含有草酸，因此日常饮茶要浓淡适度且不过量，食用含钙食物如豆腐、虾皮后尤其不宜马上喝茶。

水产类饮食禁忌

吃海鲜的禁忌

海鲜味美，营养丰富，深受大家的喜爱，但吃海鲜不当，则会引起一些疾病或中毒反应，因此，大家在吃海鲜时一定要注意：

(1)部分海鲜生吃要先冷冻、浇点淡盐水。如牡蛎及一些水生贝类。

(2)吃海鲜时不宜喝啤酒。否则会引起关节和组织发炎，并有可能引发痛风。

(3)关节炎患者少吃海鲜。因海参、海带、海菜等含有较多的尿酸，可以关节中形成尿酸结晶，加重关节炎症状。

(4)海鲜忌与某些水果同食。鱼虾与柿子、葡萄、石榴、山楂、青果等含较多鞣酸的水果同吃，会降低蛋白质的营养价值而且易形成不易消化的物质。

(5)虾类忌妒与富含维生素 C 的食物同食。因在维生素 C 的作用下，虾类中存在的砷可能转化为有毒的砷。

温馨小贴士

海鲜类食品营养丰富，吃起来鲜嫩可口，因此一直受到人们的青睐，但是吃海鲜是有许多不可忽视的讲究。

螺贝蟹类海产品在烹饪之前一定要洗干净，目的是将它们身体内的多余物质和部分细菌清除掉，而且还要有一段短时间高温加热的过程，利用高温来杀菌。海产品一般都属于寒凉阴性类食品，故在食用时最好与姜、醋等佐料共同食用。因为姜性热，与海产品放在一起可以中和寒热，防止身体不适的作用；而醋本身也有着很好的杀菌作用，对于海产品中的一些残留的有害细菌也起到一定的杀除作用。

秋吃螃蟹要当心

秋季，菊香蟹肥，正是人们品尝螃蟹的最好时光。螃蟹，肉质细嫩，味道鲜美，为上等名贵水产。螃蟹的营养也十分丰富，蛋白质的含量比猪肉、鱼肉都要高出几倍，钙、磷、铁和维生素A的含量也较高。秋蟹味美营养高，但如果吃得不当，可能会损害健康。

(1)吃死蟹会中毒。当螃蟹垂死或已死时，蟹体内的组氧酸会分解产生组胺。组胺为一种有毒的物质，随着死亡时间的延长，蟹体积累的组胺越来越多，毒气越来越大，即使蟹煮熟了，这种毒素也不易被破坏。因此，千万不要吃死蟹。

要买到新鲜的蟹，选蟹时要做到“五看”：一看颜色；二看个体；三看肚脐；四看蟹毛；五看动作。蟹的颜色要青背白肚、金爪黄毛；个体要大而老健；肚脐要向外凸出；蟹脚上要蟹毛丛生；动作要敏捷活跃。符合这五条的才好买。

(2)吃蒸煮的蟹最安全。螃蟹生长在江河湖泊里，又喜食小生物、水草及腐烂动物,蟹的体表、鳃部和胃肠道均沾满了细菌、病毒等致病微生物。如果是生吃、腌吃或醉吃螃蟹,可能会被感染一种名为肺吸虫病的慢性寄生虫病。

所以,吃蒸煮熟的螃蟹是最卫生安全的。蒸煮螃蟹时要注意,在水开后至少还要再煮20分钟,煮熟煮透才可能把蟹肉的病菌杀死。有一点也是很重要的,吃时必须除尽蟹鳃、蟹心、蟹胃、蟹肠四样物质,这四样东西含有细菌、病毒、污泥等。

(3)吃蟹不是人人皆宜。螃蟹性寒,脾胃虚寒者也应尽量少吃,以免引起腹痛、腹泻,吃时可蘸姜末醋汁,以去其寒气。

另外,患有伤风、发热、胃病、腹泻者不宜吃螃蟹,否则会加剧病情,患者有高血压、冠心病、动脉硬化者,尽量少吃蟹黄,以免胆固醇增高。

温馨小贴士

螃蟹不宜与茶水和柿子同食,因为茶水和柿子里的鞣酸跟螃蟹的蛋白质相遇后,会凝固成不易消化的块状物,使人出现腹痛、呕吐等症状,也就是常说的"胃柿团症"。

不要经常吃鱼干

鲜鱼制成鱼干时,要经过一个干制过程。鱼油属于不饱和脂肪酸。当把鲜鱼晒干时,鱼油就会氧化,形成过氧化脂质。这是一种自由基,是促进衰老和发生癌变的危险因素。不仅脂肪会变坏,鱼的蛋白质在日光照射时或用盐腌制时也会产生硝酸盐。硝酸盐本身毒性不强,但到了胃肠道内便会还原为亚硝酸盐,并与人体内的次级胺结合形成亚硝胺。亚硝胺是国内外公认的致癌物质。如果鱼干烤着吃,问题就更严重。因为蛋白质经过火烤,焦糊部分就会产生苯并芘。苯并芘也是诱发癌症的危险因素。

温馨小贴士

如果鱼干与富含维生素C的蔬菜,如甜椒、青花菜、豌豆苗、花菜、落葵(紫角叶)、塌菜、青蒜、芹菜、青菜、苦瓜、豆瓣菜等搭配食用,吃鱼干就要安全多了,因为维生素C能阻断亚硝胺的形成。如能再配合富含维生素E的食物(如豆油、豆腐卷等豆制品)一起吃,就更安全了。因为维生素E是一种抗氧化剂,鱼油即使氧化,也可防止形成过氧化脂质。

炎热夏日慎食咸鱼

许多人喜欢吃咸鱼,认为咸鱼开胃、好下饭,尤其在热天时节,吃肉太腻,转口味时更爱用咸鱼伴食,所以有所谓"咸鱼贵过鸡"之说。

咸鱼通常有"霉香"与"实肉"两味。霉香咸鱼制作时须将鲜鱼发酵一两天,待其变质、发胀后再加盐腌制七八天,晒干后使其产生一种奇特的香味,故其肉质松软,咸中带香;而实肉咸鱼则无须发酵,直接用鲜鱼腌制晒干,其肉质结实、成片,咸而鲜。上述被视为"咸干咸鱼"。

近些年,因于人们的健康意识不断提高太咸食品越来越不受到欢迎,于是用较低盐水腌制的"淡干咸鱼"和"多味鱼"等新品种也陆续登场。时下在各地市场和酒楼供应和食用的咸鱼主要有马马交鱼、红鱼、海底鸡、黄花筒、曹白鱼、红衫鱼以及带鱼、三牙鱼、公鱼、金线、银鱼、黄线和马友鱼等数十种以上。此外,外国咸鱼也纷纷"游"进各地。咸鱼的烹制也多种多样。可蒸、炖、煎、炒、焖、煲仔及咸鱼头煲汤和切粒配料炒饭等,可谓咸香诱人,令人喜食。

但吃鱼应多食鲜鱼少吃咸鱼。因为无论哪种咸鱼都是用盐腌制而成的。而腌鱼所用的盐大多是粗粒盐,粗粒盐含有不少硝酸盐。据研究,硝酸盐在细菌的作用下能转换成"亚硝酸盐",而鱼肉中含有许多胺类物质,在腌鱼过程中,"亚硝酸盐"与胺类相结合,产生一种新的有害物质,即"亚硝胺"。

“亚硝胺”是一种颇具威力的能使人致癌的物质，尤其容易使人导致鼻咽癌、胃癌、肠癌等消化系统的癌症。

另据报道，美国加利福尼亚大学预防医学系的专家曾对我国港台地区进行了一系列的调查后得出结论：当地人常吃的咸鱼，是一种能直接引起人类癌症的食物。还据美国南加州大学预防医学院余志颖博士以历时36个月的实验，亦证明了咸鱼是鼻咽癌的导致因子之一。广东专家研究也发现，如果年纪小就开始吃咸鱼，将来发生鼻咽癌的机率就相对较高。所以咸鱼如食用不当很可能会导致鼻咽癌等癌病。

因此，从科学健康和防病的角度来讲，应尽量少吃咸鱼和不吃咸鱼，并避免婴幼儿时期开始进食咸鱼。对于偏好咸鱼的食者，吃的次数应相对减少，吃咸鱼时亦须多吃青菜、西红柿和富含维生素C的蔬菜，因维生素C能与亚硝胺发生还原反应，可阻止亚硝胺的形成。

温馨小贴士

要尽量多食鲜鱼少吃咸鱼，尤其是少食或不食腐烂的霉咸鱼，这对防病和健康有利。

夏天少吃水煮鱼和香辣虾

辣椒是一种广为应用，也深受大家喜爱的食物。不论是火辣辣的水煮鱼，还是香喷喷的香辣虾，都能引得人垂涎三尺。辣椒不仅味道独特，营养也十分丰富，并具有祛风、行血、散寒、解郁、导滞和开胃的功效，但由于它性味辛热，夏天吃辣就有了不少的讲究。

随着炎炎夏季的来临，很多人的胃口都会变差，消化功能也相应减弱。且容易出现乏力倦怠、肠胃不适等症状。但是，适量进食辣椒也是可以的。辣椒可以促进人体排汗，增添凉爽舒适感。另外，通过吃辣，还可帮助消化，

增加食欲，增加体内散热，从而有助于防止在高温、高湿的时候，人们常有的消化液分泌减少、胃肠蠕动减弱现象。食用后还能改善心脏功能，促进血液循环。此外，常食辣椒可降低血脂，减少血栓形成，对心血管系统疾病有一定预防作用。辣椒还含有丰富的抗坏血酸和胡萝卜素，具有抗癌作用。它还含有钴，是合成维生素 B_{12} 的必需原料，有促进造血的作用。同时还能降低血压，活跃新陈代谢，抑制恶性肿瘤细胞的生长。

但过辣的水煮鱼、香辣虾吃起来虽然痛快，但吃太多辣椒对人们的身体健康不利。有不少人吃过水煮鱼及麻辣火锅后也觉得胃里很不舒服。专家指出，过多的辣椒素会剧烈刺激胃肠黏膜，使其高度充血、蠕动加快，引起胃疼、腹泻等症状，诱发胃肠疾病，导致痔疮出血。

温馨小贴士

对于那些有口腔溃疡、胃溃疡、便秘、高血压、痔疮等内热较大的人就更不适合吃辣的了。服用维生素 K 及止血药时也不宜食用；另外，泌尿系统结石患者和风热病患者等也不宜食用。

清明前后谨防河豚中毒

清明前后是河豚鱼的旺汛期，也是河豚鱼中毒事件高发时期。而目前对河豚鱼中毒还没有特效解毒剂。

每年 3 ~ 4 月份河豚从海洋回游到长江下游地区产卵。此时的河豚皮下脂肪含量最高，肉质鲜美，但体内却含剧毒。河豚所含毒素主要聚集在内脏、血液、皮肤、鳃等处，以生殖器官和肝脏所含毒素最多，2 ~ 5 月卵巢发育期间毒性最强。河豚毒素是目前自然世界发现的最毒的非蛋白毒之一，其毒力相当于氰化钠的 1250 倍，一粒河豚鱼籽的毒性足以让几十人丧命。而且毒性很稳定。加入酸或加热都很难破坏，通常 100℃ 高温加热 4 小时有可能减弱毒性。而且河豚毒素是强效呼吸抑制剂，会使动物呼吸突然停止。它还有阻断神经冲动的传导作用，其效力比古柯碱强16万倍。现在很多市民认为人工养殖的河豚没毒，可以随意吃，其实不然。养殖的河豚鱼毒性比海洋生长的要小，但不排除含毒素可能。

专家指出，如果误食有毒河豚，最快十几分钟就有反应。中毒者出现舌尖麻木、恶心呕吐，随后发展为四肢、骨骼肌肉麻痹，进而出现行走困难，发声、呼吸困难，最后出现呼吸中枢神经中毒症状。如抢救不及时，中毒后10分钟内就可死亡，最迟4~6小时内死亡。

温馨小贴士

专家提醒说，一旦出现中毒的早期症状，应马上送医院。其间最重要的是保持呼吸畅通，家人可为患者人工呼吸。一般中毒8小时后未死亡者，多能恢复。为了生命和健康着想，还是少吃河豚为妙。

吃蛙肉当心中毒

每年的夏秋季节，在有些地方农贸市场上常看到一些小贩拎着一串串青蛙肉在叫卖，叫卖声引来了一个又一个买主。蛙肉好吃，但吃蛙肉会得病，知道的人却不多。

近年来，由于农田大量使用农药，昆虫吞食含有农药的农作物后，体内聚集农药残毒。青蛙吞食了这些昆虫，体内也会有一定量农药残毒的集聚。食青蛙肉者，就把聚集在蛙肉体内的大量毒素吃进肚子里，造成慢性中毒。

在青蛙的肌肉间隙内，还寄居一种叫孟氏裂头蚴的寄生虫，裂头蚴在青蛙的大腿及小腿分部最多。如果吃了带有裂头蚴的蛙肉，裂头蚴可随食物寄生于人体的各个部位，而以皮下、眼部及腹壁较为常见。裂头蚴寄生在腹部、腿部等皮下时，局部呈结节隆起，有压痛；寄生在眼部，能使眼红肿、视力

下降，长期流泪。严重的可致眼角膜溃疡，眼球突出，甚至双目失明。有人吃了青蛙肉虽然不会马上中毒，但经常食用，害处是不小的。

温馨小贴士

国家禁止捕食青蛙，既是为了保护人类的天然朋友，维护生态平衡，也是为了避免因食青蛙肉而给人体带来痛苦。所以最好是不要吃蛙肉。

蔬菜类饮食禁忌

食用蔬菜也有禁忌

我国药物学家在古人研究成果的基础上，概括出病人应对以下 14 种蔬菜忌口。

(1)卷心菜。凡胃酸过多者忌食。

(2)萝卜。性甘寒，凡胃痛患者、虚寒体质者及在服用人参、鹿茸补药的同时，均要忌食。

(3)四季豆。性寒，胃寒者忌食。

(4)黄瓜。性甘凉，凡脾胃虚寒者忌食。

(5)辣椒。性辛温，胃热、痔疮、肛裂患者应忌食。

(6)冬瓜。性甘寒，凡阳虚患者忌食。

(7)生姜。性辛温，热性病、痈疮病患者忌食。

(8)芹菜。性辛香，凡血虚病人忌食。

(9)芋艿。性甘温，胃痛、便稀者忌食。

(10)紫菜。性甘寒滑，凡胃寒、脾虚便稀者忌食。

(11)竹笋。性甘寒涩,发疮毒、痈疮者忌食。

(12)香菜(芫荽)。性辛温香,阴虚病人、皮肤瘙痒者忌食。

(13)韭菜。性辛温,能行气活血补肾阳,阴虚阳亢者与孕妇忌食。

(14)苋菜。性寒滑,凡脾虚便溏者忌食。

温馨小贴士

绿色蔬菜中维生素、纤维素和微量元素含量较高,与人体健康关系密切,如果要充分摄取绿色蔬菜中的营养物质,则应注意以下几点:

①能生吃的蔬菜尽量生吃。蔬菜未经加热烹饪,可使多种维生素不被破坏和丢失。如萝卜、黄瓜、山芋、柿子椒、西芹等都可生食,既可尝到自然美味,维生素C也没被破坏。但生食蔬菜应注意卫生。

②吃饭时应先吃蔬菜。当人饥饿时,食欲特别旺盛,面对满桌的美味佳肴,应首先进食蔬菜。因为蔬菜是保持身体营养均衡的重要菜肴之一,尤其是不太爱吃水果的人更要注意这种进餐方法。

③食用时尽量不加作料。绿色蔬菜最佳吃法,是在开水中快速烫一下,尽量不加作料,力求清淡,品尝自然味。

④不要把蔬菜榨汁饮用。蔬菜榨取汁液饮用,会影响唾液中的消化酶分泌。因为咀嚼的作用不单是嚼烂蔬菜,更重要的是通过嚼的手段,使含在唾液中的消化酶充分地混合于汁液里。

六种最常见蔬菜的饮食禁忌

蔬菜本是含有丰富营养的东西,但食用方法不当的话,不但吸收不了营养,可能反而会有害健康。蔬菜的6种不当吃法,请大家一定要注意!

1. 餐前吃西红柿

餐前吃西红柿,容易使胃酸增高,食用者会产生烧心、腹痛等不适症状。

而餐后吃西红柿，由于胃酸已经与食物混合，胃内酸度会降低，就能避免出现这些症状。

2. 胡萝卜汁、酒同饮

美国食品专家发现，如果将含有丰富胡萝卜素的胡萝卜汁与酒精一同摄入体内，可在肝脏中产生毒素，引起肝病。因此，建议人们不要在饮用胡萝卜汁后又饮酒，或是在饮酒之后饮用胡萝卜汁。

3. 香菇过度浸泡

香菇富含麦角甾醇，这种物质在接受阳光照射后会转变为维生素D。如果用水浸泡或过度清洗，就会损失麦角甾醇等营养成分。

4. 炒豆芽菜欠火

豆芽质嫩鲜美，营养丰富，但吃时一定要炒熟。否则，由于豆芽中含有胰蛋白酶抑制剂等有害物质，食用后可能会引起恶心、呕吐、腹泻、头晕等不良反应。

5. 炒苦瓜不焯

苦瓜所含的草酸可妨碍食物中钙的吸收。因此，在炒苦瓜之前，应先把苦瓜放在沸水中焯一下，待去除草酸后再炒菜。

6. 绿叶菜存放过久

剩菜(尤其是韭菜等绿叶蔬菜)存放过久会产生大量亚硝酸盐，即使表面上看起来不坏、嗅之无味，也能使人发生轻微的食物中毒，尤其是体弱和敏感者。因此，对绿叶蔬菜既不要长时间烹调，也不能做好后存放过久。

温馨小贴士

人们常吃小葱拌豆腐，并且会认为这是一种很好的吃法。其实，豆腐与葱是相克的，只不过这种相克并不会引起人的身体明显不适，而是再次食用相同食物时发生的生化反应会影响钙的吸收。

葱中含有大量的草酸，豆腐中的钙与葱中的草酸结合形成白色沉淀——草酸钙,这就造成了对钙的吸收困难。钙是人体必需的元素,如长期人为地造成对钙的吸收困难,加上进食不足,则会导致人体内钙质的缺乏。

这些食物生吃不安全

近几年来,很多人开始接受西方人“生吃”的饮食习惯。但是,“生吃”从营养学角度来说,有利有弊,不能一概而论;从食品安全的角度来说更需要万分小心。

大多数蔬菜是适合生吃的,但是有些蔬菜生吃反而不利于营养素的吸收——胡萝卜最好熟吃,而且要跟含脂肪比较多的食物一起烹调,这样β-胡萝卜素才能更好地溶入油脂而被人体吸收。菠菜含有大量的草酸,草酸不经过焯水会影响人体对营养物质的吸收,也不适合生吃。豆芽等豆类中含有抗营养成分的物质(如胰蛋白酶抑制素、生物碱及抗凝血素),不利于营养吸收,应该炒熟再吃。

从营养学角度看,生的海鲜和肉类所含的丰富蛋白质并不能很好地被人体吸收,这些蛋白质必须加热到一定程度才有利于消化吸收。生鱼、生蟹、生蚝、生肉很容易携带副溶血性弧菌以及肺吸虫囊蚴等寄生虫,食用后会引起食物中毒和寄生虫感染。

菠菜、苋菜、空心菜、竹笋、洋葱、茭白等都属于含草酸较多的蔬菜,在肠道内会与钙结合成难溶的草酸钙,干扰人体对钙的吸收。因此,这些蔬菜在凉拌前一定要用开水焯一下,除去其中大部分的草酸。

有些蔬果千万不要带皮吃

有许多人认为果蔬皮中有大量的营养物质,因此,在吃任何水果、蔬菜

时都将皮一起吃掉,但是有一些水果蔬菜的皮服用时容易引起疾病或中毒,因此应避免食用这些水果蔬菜皮。

(1)土豆皮。土豆皮中含有“配糖生物碱”,其在体内积累到一定数量后就会引起中毒。由于其引起的中毒属慢性中毒,症状不明显,因而往往被忽视。

(2)柿子皮。柿子未成熟时,鞣酸主要存在于柿肉中,而成熟后鞣酸则集中于柿皮中。鞣酸进入人体后在胃酸的作用下,会与食物中的蛋白质起化合作用生成沉淀物——柿石,引起多种疾病。

(3)红薯皮。红薯皮含碱多,食用过多会引起胃肠不适。呈褐色和黑褐色斑点的红薯皮是受了“黑斑病菌”的感染,能够产生“番薯酮”和“番薯酮醇”,进入人体将损害肝脏,并引起中毒。中毒轻者,出现恶心、呕吐、腹泻,重者可导致高烧、头痛、气喘、抽搐、吐血、昏迷,甚至死亡。

(4)荸荠皮。荸荠常生于水田中,其皮能聚集有害有毒的生物排泄物和化学物质。另外,荸荠皮中还含有寄生虫,如果吃下未洗净的荸荠皮,会导致疾病。

(5)银杏皮。果皮中含有有毒物质“白果酸”、“氢化白果酸”、“氢化白果亚酸”和“白果醇”等,进入人体后会损害中枢神经系统,引起中毒。另外,熟的银杏肉也不宜多食。

温馨小贴士

银杏叶是一种中药,银杏叶片提取了银杏树叶中某些具有活血化淤、通脉舒络功能的成分,但毕竟与未经加工的树叶有所不同。银杏叶中含有毒成分,未经处理就用其泡茶,可能会引起阵发性痉挛、神经麻痹、过敏等副作用。大多数中药都不能当茶长期饮用。剂量过大、服用时间过长,都可能发生不良作用。

食葱蒜有宜忌

葱和蒜，是人们日常生活中不可缺少的香辛调味原料，尤其是山东人食葱蒜之嗜好甚之，许多山东菜肴都与这两种原料有关，如："葱烧海参"、"葱爆肉"、"大葱蘸酱"、"蒜茸炒时蔬"、"蒜爆羊肉"、"蒜泥菠菜"……殊不知，葱蒜也有宜忌。

葱，有大葱、小葱、青葱、四季葱之分，性温、味辛，具有散寒、健胃、发汗、去痰、杀菌之功效。含有丰富的蛋白质、脂肪、糖类、维生素A、B_1、B_2、C，矿物质、钙、磷、铁、镁及食物纤维。适宜伤风感冒，发热无汗，头痛鼻塞，咳嗽痰多之人食用；适宜腹部受寒引起的腹痛、腹泻者食用；适宜胃寒、食欲不振、胃口不开者食用。《用药心得》："通阳气，发散风邪。"《本草图经》："凡葱皆能杀鱼肉毒，食品所不可缺也。"但表虚多汗自汗之人忌食；患有狐臭之人忌食；葱不可与蜂蜜、大枣、杨梅和野鸡一同食；用地黄、常山、首乌之时也忌食葱。《千金食治》："食生葱即吃蜜，变作下痢。"《本草纲目》："服地黄、常山人忌食葱。"

蒜，有独头蒜、胡蒜、紫皮蒜之分，性温、味辛，健胃、杀菌、散寒。适宜肺结核病人和癌症患者食用；适宜胃酸减少和胃酸缺乏的人食用；适宜高血压和动脉硬化者食用；适宜职业病中的铅中毒者食用。大蒜防病治病，宜生用，不宜熟用，因大蒜素是一种挥发性油类，加热可被破坏。大蒜属一种日常的菜类和调料，由于它具有显著的广谱抗菌作用，所以对一些感染性疾病，如春季的呼吸道传染病、夏秋季肠道传染病，有预防作用。凡阴虚火旺之人，如经常出现面红，午后低热，口干便秘，烦热等忌食大蒜；有胃溃疡及十二指肠溃疡或慢性胃炎的人忌食；大蒜忌与蜂蜜同食。

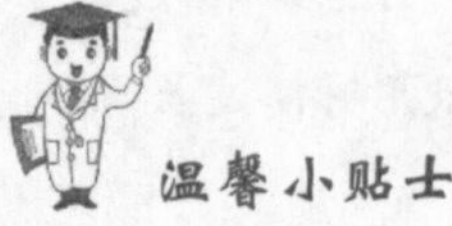

温馨小贴士

人们常吃小葱拌豆腐，并且认为这是一种很好的吃法。其实，豆腐与葱

是相克的，只不过这种相克没有引起人的身体明显不适，而是二者同食时发生的生化反应会影响钙的吸收。

忌空腹吃西红柿

西红柿既是一种蔬菜，也是一种比较受人欢迎的水果。它酸甜适口，营养丰富，含有丰富的维生素 C 及钙、铁、磷等矿物质，深受人们的喜爱。但是，西红柿中含有大量的胶质、果质、棉胶酚等成分，这些物质很容易与胃酸发生化学反应，凝结成不溶性的块状物质，这些块状物质有可能把胃的出口堵住，使胃内的压力升高，引起胃扩张，甚至产生剧烈的疼痛。因此，不宜空腹吃西红柿。而在饭后吃西红柿，胃酸与食物充分混合后，大大降低了胃酸的浓度，就不会结成硬块了。

未成熟的青西红柿也不宜吃。因为未成熟的西红柿中含有大量有毒的番茄碱，人吃后会出现头晕、恶心、呕吐、流涎、乏力等中毒症状。在西红柿成熟呈红色后，番茄碱的含量即大为减少至消失。

未腌透的白菜千万吃不得

白菜作为餐桌主菜，吃法很多，猪肉、粉条、豆腐炖白菜，白菜粉丝炖肉圆，扒白菜，熘白菜，炒白菜，醋熘猪肝白菜片，白菜肉糜饺子，白菜丝沙拉……皆宴席佳肴。北方人喜欢生拌，生拌白菜，不加热，菜中营养含量高。而渍酸菜更是北方人冬季最爱吃的菜，它通过白菜自身发酵形成一种芳香脂，有醇香味。

不过，白菜在食用中有两点需注意：一是隔夜的熟白菜即使加热后也要少吃或不吃;二是未腌透的白菜万万吃不得。新鲜白菜含有大量无毒的硝酸盐类,煮熟后如放置较久,由于细菌的作用,会使硝酸盐还原成毒性很强的亚硝酸盐。

亚硝酸盐对人有害,它进入胃、肠道,迅速入血,血液中的血红蛋白携带大量的氧供机体代谢,而亚硝酸盐能使正常的血红蛋白氧化成高铁血红蛋白而丧失带氧能力,使机体缺氧而引起皮肤、黏膜发绀、青紫等症状,严重危害人体健康。因此,食用白菜最好是现炒现吃,而且要煮熟炒透。

温馨小贴士

切白菜时,宜顺丝切,这样白菜易熟。烹调时不宜用煮焯、浸烫后挤汁等方法,以避免招牌营养素的大量损失。

瓜果类饮食禁忌

水果虽美 食用有禁忌

秋天是一个收获的季节,一到秋天,大量的水果开始源源不断上市,因其营养丰富、味道鲜美、医食兼优,许多人纷纷购买,先尝为快。但是,吃水果并非多多益善,如果过食或暴食亦会致病,希望大家在“大饱口福”时切莫轻视。

(1)苹果:果汁可止泻,空腹吃可治便秘,饭后吃能助消化。但是苹果富含糖类和钾盐,摄入过多不利于心、肾保健,患有冠心病、心肌梗死、肾炎、糖尿病者切忌多食。

(2)梨:具有止咳、化痰和清燥等作用,对治咳喘、风热、咽炎等有良效。

因性寒，脾胃虚寒、口吐清涎、大便溏泄者应慎食；又因含糖量高，过食会使血糖升高，故糖尿病者少食。

(3)柑橘：内含大量胡萝卜素，入血后转化为维生素A，积蓄在体内，使皮肤泛黄，即导致“胡萝卜血症”，俗称“橘黄症”，继而出现恶心、呕吐、食欲不振、全身乏力等综合症状。患“橘黄症”后，应适量多食植物油，并多喝水，以加速其溶解、转化和排泄。

(4)柿子：含有大量的维生素A、C和鞣酸，营养丰富，有降压止血、清热滑肠、润肺生津等功效。但内含大量柿胶酚和果胶，与胃酸相遇会凝集成纤维性团块，即“胃柿石”，导致胃脘疼痛、消化不良；又因果胶有收敛作用，故便秘者忌食；不宜空腹服用，更不宜与螃蟹、山芋等同食，否则更易产生胃柿石。

(5)石榴：含大量果糖和多种维生素、矿物质，味甘性温，为湿热类水果。石榴对痢疾、脱肛和咽炎等有疗效，但体虚阴虚燥热者慎食；泻痢初起、有湿热者也不宜吃鲜果，即使常人也不宜多食，多食伤齿，且使人厌食。

(6)菱角、荸荠：许多人吃生菱角用嘴啃皮，吃生荸荠不削皮，却不晓得不经消毒杀菌，很易感染上姜片虫病。姜片虫虫体肥厚，在显微镜下观察极似切下的姜片，入人体后寄生于小肠内，导致营养不良、消瘦和贫血等，对小儿危害更大。再则两者性寒滑，常人也不宜多食；脾胃虚寒、便溏腹泻、肾阳不足者均不宜服用。

(7)板栗：含淀粉、蛋白质、粗纤维和多种维生素，味甘性温，甜糯爽口，有“千果之王”和“木本粮食”的美誉。板栗有益气补肾、健脾补肝、调理肠胃之功效。中医称其为“肾果”，尤适肾病者食用。但板栗坚实，生食难于消化，熟食易滞气积食，一次不宜多食；有安肠止泻作用，便秘者忌食，否则加重症状。

温馨小贴士

苹果在所有的水果中是“口碑”最好的，而且适合不同年龄、不同体格的

人。最近，美国加利福尼亚大学的研究又发现了苹果的另外一个优点：常喝苹果汁会降低心脏病的患病率。这是因为苹果汁中的抗氧化剂有利于心脏的健康运转。科学家在对25名男女进行的试验中发现：胆固醇也分“好”和“坏”两种，多喝苹果汁可以让“坏”胆固醇阻塞血管的时间比正常情况下晚一些，而“坏”胆固醇阻塞血管的时间越长就说明患心脏病的几率越大。

吃完葡萄后千万不要喝水

墨西哥研究人员经过多年研究发现，每天食用十几颗新鲜葡萄，有益心血管健康。但吃葡萄后不能立刻喝水，否则，不到一刻钟就会腹泻。原来，葡萄本身有通便润肠之功效，吃完葡萄立即喝水，胃还来不及消化吸收，水就将胃酸冲淡了，葡萄与水、胃酸急剧氧化、发酵，加速了肠道的蠕动，就产生了腹泻。

温馨小贴士

一旦由于吃完葡萄而喝水引起腹泻也不必慌张，这种腹泻不是细菌引起的，泻完后会不治而愈。

水果腐烂后不宜吃

由于各种原因保存不当，买回来的水果常常会发生腐烂现象，于是有人就用刀把腐烂部分挖掉，吃剩下的没有腐烂的部分。街上有些商贩也常常便宜出售一些没有完全腐烂的水果。好多人认为，已去除腐烂的部分，吃余下的部分，不会有碍健康。其实，这是一种错误的观念。

因为尽管剩下的是未腐烂的部分，但是其中绝大部分已经被微生物代谢过程中所产生的各种有害物质侵蚀，特别是真菌在水果上的繁殖加快，有

相当一部分真菌在繁殖的过程中会产生有毒物质。这些有毒物质可以从腐烂部分通过果汁向未腐烂部分扩散,使未腐烂部分同腐烂部分同样含有微生物的代谢物,尤其是真菌毒素。

特别严重的是,有些真菌毒素具有致癌作用,所以,水果尽管是已经去除了腐烂部分,剩下的仍然不可以吃。

温馨小贴士

即使将烂水果腐烂的部分削去,剩余的部分也已通过果汁传入了细菌的代谢物,甚至还有微生物开始繁殖,其中的霉菌可导致人体细胞突变而致癌。因此,水果只要是已经烂了一部分,就不宜吃了,还是扔掉为好。

切莫滥食苦杏仁

果仁是我们常吃的一类食品,果仁的种类繁多,其中杏仁也有好多品种。有些果仁里含有一种氰甙的毒素,吃了以后可引起中毒,尤以苦杏仁引起的中毒最为多见,且后果严重。1959 年江苏南通市医药总店饮片加工厂青年职工沈俊臣因吃了专供中药配方使用的炒苦杏仁中毒,经抢救无效死亡,曾在当时医药界作为典型事例告诫大家。还有两位小朋友先一起吃杏子一同玩耍,后各自回家,家长发现,原先欢乐活泼的孩子面色苍灰、全身无力,还不时恶心呕吐。原来孩子吃了杏子后,又砸开杏核吃杏仁,每人食了七八粒,一个多小时后感到不适。医生立即给予洗胃、治疗,3 天后孩子才恢复。

苦杏仁中毒多发生在杏子成熟的初夏季节,多因儿童不知道苦杏仁的毒性比一般甜杏仁高数十倍,把杏核砸开吃杏仁;也有吃了属于中药用于治疗咳嗽的苦杏仁而中毒,还有是吃了太多凉拌杏仁(未消除大部分毒素)造成中毒。

苦杏仁中毒潜伏期一般为1~2小时,进入胃、肠道后,苦杏仁甙遇水,在苦杏仁甙酶的作用下,可产生严重影响人体细胞功能的氢氰酸,从而破坏中枢神经等重要生命功能。小儿误食苦杏仁数粒至20粒即可出现中毒现象,症状初期为口内苦涩、流口水、头晕、头痛、恶心、呕吐、心慌、四肢无力;继而心跳加快、胸闷、呼吸急促、四肢肢端麻痹;严重时出现呼吸困难、四肢冰冷、昏迷惊厥,常发生尖叫,有时会闻到苦杏仁的味道;最终意识丧失、瞳孔散大、牙关紧闭、全身阵发性痉挛,因呼吸麻痹或心跳停止而死亡,尤以儿童病死率高。

预防含氰甙类植物中毒,主要是教育儿童不生吃各种苦味果仁,也不能吃炒过的苦杏仁。若食用凉拌果仁小菜,必须用清水充分浸泡,再敞锅蒸煮,使毒素挥发,同时也不宜吃得太多。

温馨小贴士

猕猴桃性寒,不宜多食,脾胃虚寒者应慎食,腹泻者不宜食用,先兆性流产、月经过多和尿频者忌食。

吃了猕猴桃别马上喝牛奶

猕猴桃是一种营养价值极高的水果,素有"果中之王"的美誉。它含有亮氨酸、苯丙氨酸、异亮氨酸、酪氨酸、丙氨酸等10多种氨基酸以及丰富的矿物质,包括丰富的钙、磷、铁,还含有胡萝卜素和多种维生素,对保持人体健康具有重要的作用。

但是要注意,不要同食猕猴桃与牛奶。因为维生素C易与奶制品中的蛋白质凝结成块,二者同食后不但影响消化吸收,还会使人出现腹胀、腹痛、腹泻,所以食用富含维生素C的猕猴桃后,一定不要马上喝牛奶或吃其他乳制品。

温馨小贴士

猕猴桃性寒，不宜多食，脾胃虚寒者应慎食，腹泻者不宜食用，先兆性流产、月经过多和尿频者忌食。

为何说“李子树下埋死人”

“桃养人，杏伤人，李子树下埋死人。”为何会“杏伤人，李子树下埋死人”呢？专家指出，桃、杏、李既为夏季时令鲜果，又为药食同源的中药。

说“桃养人”，并将其唤作“寿桃”，是因为桃的益处众人皆知：桃具有补中益气、养阴生津、润肠通便的功效，尤其适用于气血两亏、面黄肌瘦、心悸气短、便秘、闭经、淤血肿痛等症状的人多食。

与“桃养人”相反，说“杏伤人，李子树下埋死人”，就一针见血地指出了“过食杏、李有害”的观点。从中医养生观点认为，杏和李子均不可多吃。

中医认为，杏肉味酸、性热，有小毒。过食会伤及筋骨、勾发老病，甚至会落眉脱发、影响视力，若产、孕妇及孩童过食还极易长疮生疖。同时，由于鲜杏酸性较强，过食不仅容易激增胃里的酸液引起胃病，还易腐蚀牙齿诱发龋齿。不仅食杏肉伤人，爱食鲜杏仁的朋友也要提高警惕：因鲜杏仁有苦、甜之分，而苦杏仁中因含有一种有毒物质“氢氰酸”，生食过量便会中毒，甚至死亡。

由于李子性温，过食可引起脑涨虚热，如心烦发热、潮热多汗等症状。尤其食李子切记不可与雀肉、蜂蜜同食，反之则可损人五脏，严重者同样可致人死亡。由此可见，民间这一说法不无道理。

如何避免上述不良症状的发生？专家指出，“李子不沉水者有毒”，若不慎购有发涩、发苦，属于还未成熟的李子，则不可进食。

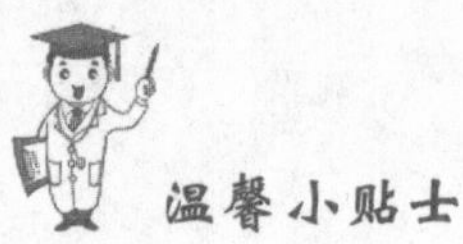

温馨小贴士

过量食杏对于人的伤害也很大,每食3~5枚视为适宜。对于爱吃杏的朋友来说,除了管好贪吃的嘴,多食经加工而成的杏脯、杏干等,则为上策。

慎食畸形的特大草莓

目前在市场上的草莓既畸形又个头特别大,但吃起来却没有草莓味。专家分析认为,这有可能是使用了膨大剂所致。为此,专家提醒市民,对那些畸形或个头特大的草莓必须慎食。

对此专家解释说,草莓个头特别大,有可能是改良过的高产品种,但也不排除一些农民为求上市早、增产量,添加了膨大剂。膨大剂虽然无毒无害,除了可使水果色泽变得鲜艳外,还有催熟功能,但如超剂量使用,超出允许的量值,就会对人体造成危害。

时下新上市的草莓吸引了不少人,草莓的大小非常不平均,大的草莓比核桃还要大,小的则只有蚕豆般大小。可是,令人奇怪的是,好多大草莓都呈不规则形状,有的像“连体”草莓,有的根部硕大,头部却只有麦尖那么大,有的长得“歪七歪八”。

那么,如何辨别草莓是否用了激素呢?

据专家介绍,草莓真正成熟上市的季节在五六月份,现在人们吃到的草莓多是在大棚中反季节栽培出来的。中间有空心,形状不规则又硕大的草莓一般是激素过量所致。草莓用了催熟剂或其他激素类药后生长期变短,颜色新鲜了,但果味却变淡了。此外,为增加水果的保存期和新鲜度,一些果农往往在半熟的时候就将水果采摘下来,在商贩手里再进行人工处理。

据介绍,草莓生长过快,很容易形成皮包水,有的草莓一碰就是一摊水。挑选的时候应该尽量挑选结实,手感较硬的草莓。正常生长的草莓大多有

鸽子蛋大小,或略大一些,太大的草莓不宜买。过于水灵灵的草莓也不能买。这种草莓很有可能是在水中浸泡过的。最好尽量挑选表面光亮、有细小绒毛的草莓。

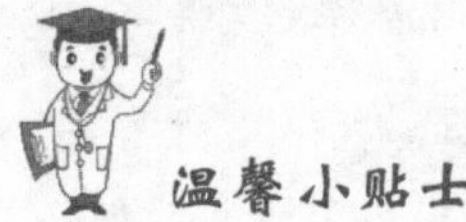

温馨小贴士

草莓添加激素后,能促使草莓迅速长大,但儿童吃了含激素的草莓就会对身体产生不利影响。如果长期食用,可能促使性早熟。

枸杞子虽养生 但别乱吃

很多人喜欢用枸杞子泡水、泡酒或煲汤,中医很早就有"枸杞养生"的说法,认为常吃枸杞子能"坚筋骨、耐寒暑"。所以,它常常被当作滋补调养和抗衰老的良药。

很多人都不知道常吃枸杞子可以美容。这是因为枸杞子可以提高皮肤吸收氧分的能力,另外还能起到美白作用。

枸杞子虽然具有很好的滋补和治疗作用,但也不是所有的人都适合食用的。由于它温热身体的效果相当强,正在感冒发烧、身体有炎症、腹泻的人最好别吃。

最适合吃枸杞子的是体质虚弱、抵抗力差的人,而且一定要长期坚持,每天吃一点,才能见效。

任何滋补品都不要过量食用,枸杞子也不例外。一般来说,健康的成年人每天吃20克左右的枸杞子比较合适;如果想起到治疗的效果,每天最好吃30克左右。现在,很多关于枸杞子毒性的动物实验证明,枸杞子是非常安全的食物,里面不含任何毒素,可以长期食用。

温馨小贴士

不是人人都能享受如此美食的，那些脾胃虚弱有寒湿、泄泻者；外感热邪时等都不能吃枸杞子，否则会雪上加霜。

吃腰果要留心

腰果的主要产地是非洲的莫桑比克，在中国的海南和云南也有种植，不过量较少。生腰果晒2～3天，其含水量降至一定水平后，再经过烘干才是我们吃的腰果仁。

与榛子、核桃、杏仁等其他坚果相比，腰果最主要的特点就是含糖量比较高，能占到总营养成分的25%左右，而榛子的含糖量为15%，杏仁为10%，核桃则只占8%。因此，腰果在没加工之前，吃着稍带一点甘甜的味道。

腰果中的脂肪含量占47%、蛋白质为22%，此外，还含有维生素及锌、钙、铁等微量元素。腰果所含的脂肪大部分也是不饱和脂肪酸，其中的亚油酸和亚麻酸可起到预防动脉硬化、脑中风等疾病的作用。不过，与其他坚果相比，腰果中对人体不利的饱和脂肪酸含量要稍高一些，占到20%左右。四大坚果中，核桃的饱和脂肪酸含量最低，只有6%，而杏仁有10%，榛子有7%。因此，腰果的食用量一定要适当控制，避免吃得太多。

温馨小贴士

腰果含有多种过敏原，对于过敏体质的人来说，可能会造成一定的过敏反应。因此，第一次吃腰果的人，最好不要多吃，可先吃一两粒后停十几分钟，如果不出现过敏反应再吃。

日常饮品饮食禁忌

咖啡+牛奶=有害健康

适量饮用咖啡(每天不超过两杯)对心脏和大脑有好处。富含钙的牛奶则是令骨骼坚固的上佳饮品。然而,把牛奶和咖啡掺在一起长期饮用,则会对肝造成损害,因为这种混合会产生一种不太稳定且难以消化的乳状液。法国人是世界上饮用咖啡加牛奶最多的,不过他们当中患肝炎的人数并不比别的国家多,原来这里面有个小窍门:把咖啡倒在奶里,而不是把奶倒在咖啡里,且最好用脱脂牛奶。这样就可以防止牛奶在你的胃里变质。

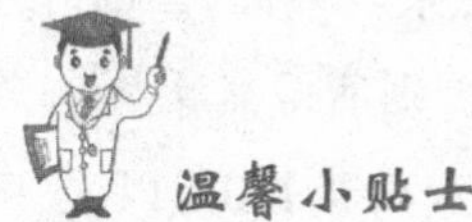

温馨小贴士

牛奶中含有两种过去人们未知的催眠物质,其中一种是能够促进睡眠的,以血清素合成的色氨酸,由于它的作用,往往只需要一杯牛奶,就可以使人入睡;另外一种则是具有类似麻醉镇静作用的,天然吗啡类物质。所以,晚上睡前喝牛奶有利于睡眠。

牛奶不宜与巧克力同食

一些家长为给孩子增加营养而把牛奶与巧克力同时给孩子吃,其实这样适得其反。牛奶含有丰富的蛋白质和钙,巧克力含有充足的热能和草酸。一起食用会使牛奶中的钙和巧克力中的草酸结合成不溶于水的草酸钙,不容易被吸收,还会产生腹泻和生长发育缓慢等。因此,牛奶不宜与巧克力同食。

温馨小贴士

喝牛奶时忌同富含植酸(如菠菜)的食物同食,因为牛奶与此列食物同食会影响人体对牛奶中乳钙的吸收。

喝豆浆的保健与禁忌

“一杯鲜豆浆,天天保健康”,民间的说法一点不错。鲜豆浆营养丰富,味美可口,富含人体所需优质植物蛋白,八种必需的氨基酸,多种维生素及钙、铁、磷、锌、硒等微量元素,不含胆固醇,并且含有大豆皂甙等至少五六种可有效降低人体胆固醇的物质,鲜豆浆的大豆营养易于消化吸收,经常饮用,对高血压、冠心病,动脉粥样硬化及糖尿病、骨质疏松等大有益处,还具平补肝肾、防老抗癌、降脂降糖、增强免疫的功效。豆浆营养高,国内外兴起了饮用豆浆热。营养保健部门认为,喝豆浆有五忌,否则适得其反。

(1)忌不煮透。豆浆含有胰蛋白酶抑制物,不达到高温100℃以上,喝了会发生消化不良、恶心、呕吐、腹泻等症状。

(2)忌喝超量。一般成人喝豆浆一次不宜超过500克,小儿酌减。大量饮用,容易导致蛋白质消化不良、腹胀等不适症状。

(3)忌豆浆冲鸡蛋。鸡蛋中的黏液性蛋白容易和豆浆中的胰蛋白酶结合,产生不被人体吸收的物质而减弱营养价值。

(4)忌豆浆加红糖。红糖里的有机酸和豆浆中的蛋白质结合,产生变性沉淀物,而白糖则没有这种不良反应。

(5)忌保温瓶装豆浆。保温瓶装豆浆易使细菌繁殖。

温馨小贴士

如果空腹饮豆浆，豆浆里的蛋白质大都会在人体内转化为热量而被消耗掉，营养就会大打折扣。因此，饮豆浆时最好吃些面包、馒头等淀粉类食品。另外，喝完豆浆后还应吃些水果，因为豆浆中含铁量高，配以水果可以促进人体对铁的吸收。

饮用酸牛奶的三大禁忌

酸奶是人们生活中常饮用的食品，它的保健作用一直被人们看重。酸奶因其营养保健作用和鲜美口味而受到人们的喜爱，但你知道如何正确饮用吗？

首先，酸奶不宜空腹饮用。

因为空腹饮用酸奶能使胃酸浓度增高，活的乳酸菌易被杀死，致使保健作用降低。因此，早上喝酸奶时，最好先喝一杯白开水。

其次，酸奶不宜过多饮用。饮用过量会使胃酸浓度过高，影响食欲与消化功能，不利于身体健康，因此，每日喝酸奶最好不要超过两杯。

另外，酸奶不宜加热饮用。加热后会使酸奶中存在的活的乳酸菌被杀死，从而失去保健作用。

温馨小贴士

早晚喝一杯牛奶已经成为很多人养成的好习惯，可你知道吗，午饭时或午饭后喝一杯酸奶，对健康也能起到重要的作用。

葡萄酒+雪碧=不合理

很多人在饮用葡萄酒尤其是红葡萄酒时喜欢加入一些雪碧，其实这种饮用方法并不科学。

在葡萄酒中加入雪碧，一方面破坏了葡萄酒原有的纯正果香，另一方面也因大量糖分和气体的加入影响了葡萄酒的营养和功效。

正确饮用葡萄酒的方法是：红葡萄酒在室温下饮用即可，不要冰镇，最好在开启后一小时，酒水充分吸收空气后再饮用；白葡萄酒则冰镇后再饮用口味更佳，但不要在酒内添加冰块。无论什么葡萄酒，都不适宜添加雪碧。

还要指出的是，葡萄酒存放方式不同，也会影响它的口味。一般说来，葡萄酒开启后应立即饮用，如果一次喝不完，可把剩下的酒放在冰箱里，但也不宜超过三天。

即使没有开启的葡萄酒，简单地存放在酒柜里也是不当的。正确的存放方法是卧放或者倒放。这样主要是防止软木塞过度干燥，透气后使酒质氧化，造成口感的变化。

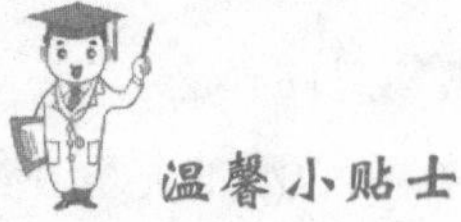

温馨小贴士

葡萄酒保存得好坏与否，不仅直接影响其口感，对收藏者来说，还决定了葡萄酒的升值潜力。一般来说，保存葡萄酒要注意以下几个方面：温度、湿度、光线和振动。

葡萄酒的搭配禁忌

许多家庭聚餐时喜欢品尝葡萄酒，不过，美食专家提醒说，葡萄酒与菜肴的搭配有三种忌讳，掌握技巧后才能使酒与菜的风格互相映衬，达到美味

的极致。

一忌海鲜。红葡萄酒配红肉符合烹调学自身的规则，葡萄酒中的单宁与红肉中的蛋白质相结合，便于消化。但红葡萄酒与某些海鲜（比如多弗尔油鳎鱼片）相搭配时，高含量的单宁会严重破坏海鲜的口味，与蟹同食可令肠胃不适，葡萄酒自身甚至也会带上令人讨厌的金属味。相比之下，味道浓重的牛羊肉类菜肴宜配红葡萄酒。白葡萄酒的味道比涩味较重的红葡萄酒更适合与海鲜搭配，白葡萄酒的口味也许会被牛肉或羊肉所掩盖，但它们为板鱼、虾、龙虾或烤鸡胸脯佐餐都会将美味推到极高的境界。

二忌醋。各种沙拉通常不会对葡萄酒的风格产生影响，但如果其中拌了醋，则会钝化口感，使葡萄酒失去活力，口味变得呆滞平淡。柠檬水是品尝葡萄酒很好的选择，因为柠檬酸与葡萄酒的品格能协调一致。奶酪和葡萄酒是天生的理想组合，但人们需注意，不要将辛辣的奶酪与体量轻盈的葡萄酒相搭配。

三忌浓香辛辣食品。辛辣或浓香的食品配酒可能有一定难度，但搭配辛香型或果香特别浓郁的葡萄酒是非常不错的选择。

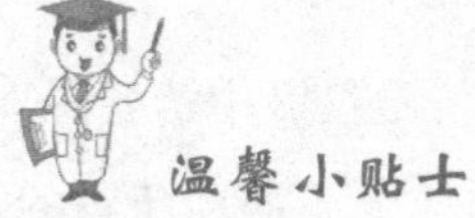

温馨小贴士

葡萄酒是一种滋味美好的饮料，并且具有很高的营养价值和保健作用。饮用葡萄酒于健康有益。据测定，1 升葡萄酒含有 2510——4184 焦的热量；葡萄酒中的酒精在人体内产生的热量 95% 是可用的。葡萄本身就是一种营养价值很高的水果，酿成葡萄酒后仍含有丰富的营养物质。现在已知葡萄酒中大约含有 600 种对人体有益的成分，其营养价值得到充分肯定。

饮酒不宜多吃凉粉

凉粉中含有白矾，这种物质有减慢肠胃蠕动的作用，因而会使刚喝下的酒在肠胃中停留的时间延长，不仅增加了人体对酒精的吸收，而且还会增加对肠胃的刺激。同时，白矾还能减缓血流的速度，延长血液中所溶进的酒精的滞留时间。因此，饮酒时不宜多吃凉粉及其制品。

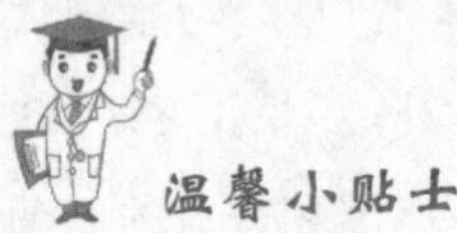

温馨小贴士

在古代医书中也出现这样的"警示"："一年之内，秋不食姜；一日之内，夜不食姜。"看来，秋天不食或少食生姜以及其他辛辣的食物，早已引起古人的重视，这是很有道理的。

医药健康饮食禁忌

服西药后的饮食禁忌

忌口是中国服药时的传统习惯。临床实践表明，不仅服中药要忌口，服用西药期间同样必须注意饮食禁忌，以免影响药物疗效或增加药物的毒副作用。

(1)服黄连素、四环素类、红霉素、复合维生素 B、铁剂、利福平、潘生丁、胰酶、淀粉酶、胃蛋白酶、乳酶生等时忌饮茶，因茶叶中的鞣酸会与上述药物发生反应而降低药效。

(2)服四环素类药、红霉素、灭滴灵、甲氰咪胍时，应忌食牛奶、乳制品、黄豆制品、黄花菜、黑木耳、海带、紫菜等。这些食物中的钙离子可与以上药物发生反应，生成难以溶解的结合物而降低药效。

(3)服磺胺类与碳酸氢钠时，不宜食酸性水果、醋、茶、肉类、禽蛋类等，否则容易因磺胺类药物在泌尿系统形成结晶而损害肾脏，或降低碳酸氢钠

的药效。

(4)服优降宁等降压药时，不宜吃动物肝脏、鱼、奶酪、巧克力、香蕉、脑鱼、豆腐、扁豆、牛肉、香肠、葡萄酒等。因优降宁能抑制单胺氧化酶，若同时吃以上食物可引起血压升高，甚至发生高血压危险和脑出血。

(5)服激素类及抗凝血药物期间，忌食动物肝脏，以免激素失效。

(6)服异烟肼时不宜同时吃鱼类。因鱼类含有大量组氨酸，它在肝脏变成组织氨，异烟肼能抑制组织胺的分解而使其在体内堆积发生中毒，出现头痛、头晕、结膜出血、皮肤潮红、心悸、面部麻胀等症状。

(7)服氨基比林及索密痛、优散痛、安痛定、散利痛等含氨基比林药物时忌食腌肉，以防药中的氨基与腌肉中的亚硝酸钠生成有致癌作用的亚硝胺。

(8)服维生素C时不宜吃猪肝。猪肝中含有丰富的铜，铜的存在会使维生素C氧化为去氢抗坏血酸，使维生素C失效。

(9)服维生素K时不宜同时食富含维生素C的山楂、辣椒、鲜枣、茄子、芹菜、西红柿、苹果等，因维生素C能分解，破坏维生素K，减弱其药效。

(10)服保泰松时忌食高盐食物。因保泰松能抑制钠离子和氯离子从肾脏排出，高盐饮食易导致血钠过高而引起浮肿和血压升高。

(11)服氨茶碱、茶碱类药物时，不宜同时食牛肉、鸡蛋、奶制品等高蛋白食物，否则会降低疗效。

(12)服安体舒通、氨苯蝶啶和补钾时，不宜同时食香蕉、芫荽、香椿芽、红糖、菠菜、紫菜、海带、土豆、葡萄干、橘子等。此类食物含钾量高，易引起高血钾症，出现肠胃痉挛、腹胀、腹泻及心律失常等。

温馨小贴士

大家都知道服用中药时有“忌口”，其实在服用西药时同样有“忌口”。如果在服用一些药物时又吃了“不对付”的食品，不仅会使药效打折，还有可能产生其他不良反应。因此，无论服用中药还是西药，都要注意“忌口”。如

服热性药时应配食热性食物,服凉性药时应配食凉性食物,否则就会影响药效。

肝炎病人的饮食禁忌

(1)忌酒。酒的主要成分酒精,对肝脏有直接的损害作用。酒精可促进肝内脂肪的生成和蓄积,长期过量饮酒的人,常常发生脂肪肝,对于原有肝炎的患者更易发生或加重病情。

(2)忌大蒜。大蒜的某些成分对胃、肠有刺激作用,抑制肠道消化液的分泌,影响食欲和食物的消化,可加重肝炎病人厌食、厌油腻和恶心等诸多症状。研究表明,大蒜的挥发性成分可使血液中的红细胞和血红蛋白等降低,并有可能引起贫血及胃、肠道缺血和消化液分泌减少。这些均不利于肝炎的治疗。

(3)忌羊肉。羊肉甘温大热,过多食用会加重病情。另外,较高的蛋白质和脂肪大量摄入后,因肝脏有病不能全部有效地完成氧化、分解、吸收等代谢功能,会加重肝脏负担,导致发病。

(4)忌甲鱼。肝炎患者由于胃黏膜水肿、小肠绒毛变粗变短、胆汁分泌失常等原因,其消化吸收机能大大减弱。甲鱼含有极丰富的蛋白质,肝炎病人食后难以吸收,使食物在肠道中腐败,造成腹胀、恶心呕吐、消化不良等现象;严重时,因肝细胞大量坏死,血清胆红素剧增,体内有毒的血氨难以排出,会使病情迅速恶化,诱发肝昏迷,甚至死亡。

(5)忌生姜。生姜的主要成分是挥发油、姜辣素、树脂和淀粉。变质的生姜还含有黄樟素。姜辣素和黄樟素能使肝炎病人的肝细胞变性、坏死以及间质组织增生、炎症浸润,从而使肝功能失常。

(6)忌葵花子。葵花子中含有油脂很多,且大都是不饱和脂肪酸,如亚油酸等。若食用过量,可使体内与脂肪代谢密切有关的胆碱大量消耗,致使脂肪代谢障碍而在肝内堆积,影响肝细胞的功能,造成肝内结缔组织增生,

严重的还可形成肝硬变。

(7)忌糖。肝脏是各种营养物质代谢的场所，其中糖的代谢占重要地位。当肝脏受损时，许多酶类活动失常，糖代谢发生紊乱，糖耐量也降低，若吃过多的糖就会使血糖升高，易患糖尿病。

温馨小贴士

对于肝炎患者饮食的调整是非常重要的，尤其是慢性肝病患者更需以食作药用。营养过高过低或偏食都是有害的，要根据自己的具体情况，把家常食品合理搭配，以保持最好的食欲。

有些食物药物同吃可成“毒药”

中医理论讲究配伍禁忌，同食的东西如果搭配不恰当，不但得不到所需要的营养物质或治疗效果，有可能还会引起身体不适，严重的会导致疾病，甚至威胁生命。以下几种药物与食物就不可以同服：

(1)抗血液凝结的华法令与越桔汁、绿色蔬菜、冰淇淋、大豆、鳄梨不可同服。

(2)降低胆固醇或免疫抑制类药物与柚子汁不可同服。

(3)镇静剂类药物(包括扑热息痛)与酒精不可同服。

(4)口服避孕药、抗抑郁、抗艾滋病类药物剂同香草不可服。

(5)抗生素与牛奶、奶制品不可同服。

(6)治疗乳腺癌的药物不可与酱油同服

(7)利尿剂、抗关节炎药和治高血压药物不可与钾盐同服。

温馨小贴士

专家建议人们要把粗茶淡饭“捡”回来，平时饮食多吃一些绿色蔬菜和

含纤维素的食物，可以增加大便次数，把胆酸产生的有害物质很快排除体外，减少有害物质的自我吸收率。特别是绿色蔬菜含有大量的维生素C，可以在胃内分解致癌物亚硝酸胺盐的形成。

吃药时不宜饮茶

在各种场合，人们总是被告诫不要用茶水来吃药，在吃药的那几天里最好是不要喝茶。因为人们都有这样的常识，茶水对药的效用发挥是不利的。有一种说法是茶水可以解毒（所以也就可以解药，“是药三分毒”），药被解了，也就没有效用了。

那么，茶水到底为什么会“解药”呢？专家们给出了科学的解释。茶叶中所含的鞣酸很容易与胃中的生物碱发生作用形成不溶的沉淀物，从而使药不能被人体吸收，发挥不了药效作用。而很多中药的有效成分都是生物碱，如麻黄含有麻黄碱和伪麻黄碱，黄连与黄柏都含有小蘖碱，百部含有百部碱，其他如元胡、大蓟、小蓟、川牛膝、曼陀罗等的有效成分也主要是生物碱。因此，含有这些成分的药和茶水同服，就会发生沉淀而影响药效的发挥。

另外，茶叶中的鞣酸具有收敛作用，会阻止人体对蛋白质营养物质的吸收，因而在服用党参、黄芪、山药等补养药时，饮茶，特别是饮浓茶，也会降低药效。

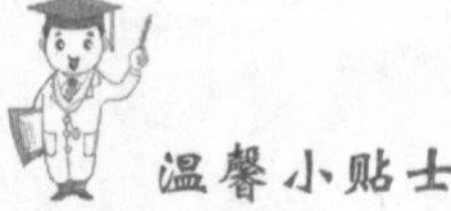

专家认为，茶、药（特别是中草药）的生物成分很多、很复杂，其间的相互关系还远没有全面清楚地了解，所以不论负面作用有没有、有多大，在吃药时最好是不宜用茶水送服。

钙片和牛奶不可同吃

有人在治疗骨质疏松症时，为了达到更好的吸收效果而将牛奶与钙剂同时服用，这种做法并不合理。牛奶是一种富含钙质并且吸收良好的普通食物，每100毫升牛奶中就含有钙质约120毫克，其中的蛋白质和脂肪含量也都较高。

单纯喝牛奶，钙的吸收已经达到或接近饱和状态，如果将钙剂与牛奶同时服用，就可能造成钙质的浪费。因为当钙质摄入量达到一定范围时，再增加钙的摄入就可能导致胃、肠道对钙的吸收下降，而且钙剂与牛奶混合后，可能导致牛奶中的大分子胶质发生变性，形成絮状沉淀，影响牛奶的感官性状。钙剂与食物最好的组合是与米、面等富含淀粉、乳糖、葡萄糖的食品共同服用，这样能够更有利于钙质的吸收。

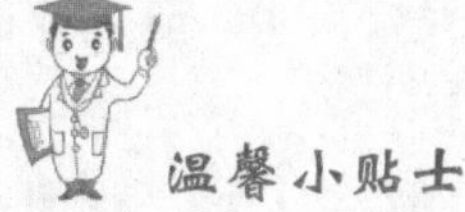

温馨小贴士

牛奶避免与茶水同饮。乳品中含有丰富的钙离子，茶叶中鞣酸会阻碍钙离子在肠胃中的吸收。所以，喝完牛奶两个小时之内最好不要饮茶。

苦药不宜加糖

有些人在服药时喜欢加糖，特别是在服用特苦的中药时，专家指出这种做法有不妥。糖能抑制某些药物的药效，干扰矿物质和维生素在人体肠道的消化吸收，一些药物如健胃药是靠其苦味来达到治疗目的的；对于中药而言，有些中药中的蛋白质、鞣酸等成分能与糖起化学反应，产生有害物质，在服用药物时就更不适宜加糖了。

温馨小贴士

长期以来,大多数中药味苦艰涩,难于进口。下面介绍一个小窍门:在苦味药液之中尽量少用或不用蜂蜜、蔗糖之类调味品,若有必要可酌配甘草、大枣之类调和。服药后饮适量温开水,在一定程度上可缓解药液的苦味。

饮食不当可加重关节炎

科学研究表明:关节炎的发作及病情发展除了同风寒、潮湿、精神因素、过度劳累、创伤和自身免疫等有关以外,饮食因素亦不容忽视。

(1)锌的缺乏可致关节炎病情加重。研究人员发现:类风湿关节炎患者血清中锌的含量比正常人低得多,而关节滑膜内需要锌离子。故关节滑膜内缺锌可能是类风湿性关节炎发病或病情加重的原因之一。研究进一步证实:类风湿关节炎患者血清中组氨酸含量低,而组氨酸代谢与锌的代谢关系密切。锌离子有抗炎作用,在体内有稳定溶酶体膜、抑制前列腺素合成、阻遏慢反应物质释放的功能。所以,类风湿关节炎患者在医生指导下服用锌剂及多食含锌食品,可使炎症得到控制,从而减轻和改善症状。

(2)肥腻食物可加重关节炎病情。肥腻食物在体内氧化过程中能产生酮体,过多地吃肥腻食物,就会增加酮体含量,而过量的酮体会引起代谢失调,强烈地刺激关节。因此,专家建议,关节炎病人平时应少吃肥腻食物,多吃新鲜蔬菜、水果和海藻类食品,烹调菜肴时用植物油,尽量不吃肥肉、奶油及油炸食品。

(3)唾液缺乏可致关节炎。人体唾液主要由腮腺、颌下腺和舌下腺三腺所分泌,每天分泌量为1000~1500毫升,酸碱度近中性。唾液中主要含有淀粉酶、粘蛋白和一些无机盐。唾液有利于食物的咀嚼、水解和消化,还有清

洁口腔的作用。医学研究证实:唾液减少与风湿性关节炎发病和病情加重有关,风湿性关节炎病人唾液分泌明显减少。为防止唾液减少、缺乏,在日常生活中要注意口腔的清洁卫生,预防感染,多吃萝卜及其他新鲜蔬菜、水果,并注意补充水分。

(4)高甜食品可加重关节病情。据观察,关节炎病人常吃甜食可加重病情。专家们通过对42例类风湿性关节炎病人的有关研究(其中20例每天吃奶糖6块,持续1个月,22例不吃甜食),结果发现:不吃甜食的一组,经同样药物治疗,症状缓解,关节疼痛、肿胀、僵硬得以改善,有的甚至明显好转;而吃奶糖的一组,其中9例上述症状没有任何改善,有的病情还有加重趋势。由此可见,关节炎患者不要多食高甜食品。

温馨小贴士

喝绿茶有助于关节炎症状的缓解,这种温和的收敛性茶含有非常丰富的抗氧化剂——茶多酚。研究显示,绿茶可以有效缓解风湿性关节炎。在一项研究中,科学家诱导小鼠罹患关节炎之后再进行治疗,结果显示,绿茶可以使关节疼痛的发生比例减少50%。

有眼病别吃大蒜

大蒜不仅有杀菌消炎的作用,还能防治心脑血管疾病、抗癌,备受人们的青睐。可是,大蒜虽好,却并非人人皆宜,更不能天天食用。我国民间有“大蒜百利,只害一目”的说法,患有青光眼、白内障、结膜炎、麦粒肿、干眼症等眼疾的人平时最好少吃。

《本草纲目》中指出,“大蒜久食伤肝损眼”。中医认为,肝开窍于目,肝血充足可以养目,肝血虚则目无所养,表现为视物不清、双目干涩。大蒜性味辛温,吃多了不仅容易导致肝血亏虚,目无所养,还会助火伤目,加重眼

疾。现代医学也认为,大蒜对眼黏膜有刺激作用,所以,眼病患者在治疗过程中,一定要注意忌口,与葱、蒜、生姜、辣椒等辛辣食物保持距离。对于患有近视或远视的人来说,也不宜多吃葱、蒜,否则会导致肝血亏虚、肝火上升,加重眼睛的不适。

得了眼病,除了要少吃大蒜外,最好多吃点对眼睛有好处的食物。干眼病的发生与维生素 A 缺乏有关,应适当多吃动物肝脏、蛋、奶等维生素 A 含量丰富的食物。此外,胡萝卜、西红柿、菠菜等食物中的胡萝卜素或类胡萝卜素,也可在体内转换为维生素 A。

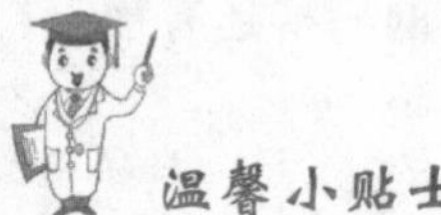

温馨小贴士

有些人的眼睛有怕光、爱流泪、视物模糊、容易疲劳等症状,这与体内核黄素、维生素 B_1、维生素 B_2 缺乏有关,应多吃猪心、瘦肉、绿色蔬菜、蛋、奶、豆类、鱼类、糙米等进行补充。如果得了结膜炎或麦粒肿,要多吃绿豆、黄瓜、香蕉、冬瓜等凉性果蔬。

哪些病人忌喝鸡汤

(1)高胆固醇血症患者。血液中胆固醇升高的病人,多喝鸡汤,会促使血胆固醇的进一步升高。血胆固醇过高,会在血管内膜沉积,引起动脉硬化、冠状动脉粥样硬化等疾病。

(2)高血压。经常喝鸡汤,除引起动脉硬化外,还会使血压持续升高,难以降下。而长期高血压,又可引起心脏的继发性病变,如心肌肥厚、心脏增大等高血压性心脏病。

(3)肾脏功能较差者。鸡汤内含有一些小分子蛋白质,对患有急性肾炎、急慢性肾功能不全或尿毒症的患者,由于肾脏功能较差,肾脏对蛋白质分解产物不能及时处理,如多喝鸡汤就会引起高氮质血症,从而进一步加重

病情。

(4)胃酸过多者。鸡汤有较明显的刺激胃酸分泌的作用,对患有胃溃疡、胃酸多或近阶段有胃出血病史的人,一般也不宜多喝鸡汤。

(5)胆道疾病患者。胆囊炎和胆石症经常发作者,不宜多喝。因为鸡汤内脂肪的消化需要胆汁参与,喝后会刺激胆囊收缩,而加重病情。

温馨小贴士

鸡汤营养丰富,汤浓味鲜是老人、患者、产妇喜爱的滋补品,也是宴席上的佳肴。然而,这种难得的佳品并非人人皆宜。此外,伤风感冒、发热、疟疾、消化不良、胆囊炎、黄疸以及头痛、目赤、烦燥、内热或急性热病等症患者也不宜喝鸡汤,以免火上加油。

服药前半小时别吃水果

很多人在服药时都会很注意次数和用量,但对于服药时应该是空腹还是饭后就没有那么讲究了,其实有些药是适合在饭前吃的,而有些药是适合在饭后吃的,比如对胃刺激较大的一些药就适合饭后吃。至于说服药前是否能吃水果的问题就更没有人去关注了。但是,专家认为,在吃药前30分钟内,最好不要吃水果和蔬菜。这是因为有些蔬菜和水果中含有可以和药物发生化学反应的物质,使药物作用发生改变。

有些水果含有大量草酸或维生素C等,而有些药物属于碱性药物,比如许多治胃溃疡的药物就属碱性,当酸碱度不合适时,就会起反应,降低药物的药效。例如有些药物本来空腹可以吸收60%,饭后服药或者吃了水果后可能只能吸收40%。还有不少蔬菜和水果含有较多的纤维素,这样也会影响药物的代谢。

温馨小贴士

吃药时最好就着白开水吃下，不要和水果一起吃。

热感冒不宜喝姜汤

中医将感冒分为风寒感冒、风热感冒和暑湿感冒三个类型，它们一般是风邪侵入人体所引起的以恶寒、发热、头痛、鼻塞、咳嗽等为主症的外感疾病。感冒除在医疗上应辨证审因、分型施治以外，在饮食配合方面也应有所讲究。

治疗风寒感冒时，可用姜煎红糖水服用，因为生姜、葱白等都是辛温食物，能发汗解表，理肺通气，治疗效果颇佳，往往不服药也能使病情好转。

但治疗风热感冒，则不能用姜、葱、红糖之类的食物，如用即会助长热势，使病情向坏的方向发展。暑湿性感冒也不宜用红糖、姜之类的食品，而应给予清凉解表之类的食品，或以清凉解表的薄茶之类的饮料进行辅助治疗。

温馨小贴士

芦笋含有多种微量元素，可提高免疫力：将鲜芦笋300克洗净，削皮后切丝，加盐、芝麻酱等调料拌匀，即可食用，口味独特。

服药期间千万别吃柚子

柚子虽然甜美可口，却也不是人人都可以吃的，即使平时可以吃柚子的人，也有不能吃柚子的时候，比如普通人生病服药期间是不能吃柚子的。

由于柚子本身含有一种活性物质，对人体肠道的某种酶会产生抑制作用，如果在服药期间食用柚子的话，不仅会影响药物的正常代谢，导致药效失灵，还会使血液浓度增高，近而影响肝脏的解毒功能，并使肝功能受到损害，同时还可能引起其他不良反应，甚至引发中毒，比如正在服用抗过敏药时吃柚子，病人轻则会头昏、心悸及心律失常，重则猝死。

据某报纸报道，一女儿从南方回家看望老父亲，带回了好多柚子。父亲第一天吃了没什么事，可是第二天，当父亲吃完药后又吃了几瓣柚子，半小时后便出现头昏、恶心、心悸、心动过速、倦怠乏力、低血压，被家人送到医院抢救，命虽然保住了，却遗留了肌肉萎缩的毛病。

原来，老人患高血压和高脂血症多年，一直采用口服苯那普利和辛伐他汀等药物的方法治疗。由于柚子含有一种特殊的酶，这种酶能与很多药物结合，使药物迅速进入血液，加强药物的作用。临床观察发现，病人用一杯柚子汁吞服一片辛伐他汀，相当于用一杯水吞服了 12 ~ 15 片辛伐他汀，引发肌肉溶解、肌肉痛，甚至出现肾脏疾病。此外，把柚子汁和一些降胆固醇药一起服用，既能增强药物降胆固醇的作用，又能导致肌肉萎缩；与降血压药物一起服用，则会导致低血压和肌肉萎缩。

温馨小贴士

病人在服用抗过敏药特非那定期间，如果吃了柚子或饮了柚子汁，轻则出现头昏、心悸、心律失常，重则可引起猝死。因此，正在服药的患者，切勿在服药时吃柚子或饮柚子汁。

生活细节饮食禁忌

冬天涮火锅大有讲究

涮火锅时,肉片是不可缺少的一道原料。涮肉时,要注意以下几点:肉片越新鲜越好。肉片如果储存时间过长,其营养成分就会大量损失。新鲜肉片要切薄,若肉片厚,涮肉时间太短,不易杀死寄生虫虫卵,涮的时间过长还会引起营养的损失。一般来讲,薄肉片在沸腾的锅中烫1分钟左右,肉的颜色由鲜红色变为灰白,才可以吃。

另外,吃火锅时还要注意:羊肉不能和醋共食,因为羊肉火热,功能益气补虚;醋中含蛋白质、糖、维生素、醋酸及多种有机酸,其性酸温,消肿活血,应与寒性食物配合,与羊肉不宜。喝白酒时不宜吃牛肉,因为牛肉属于甘温,补气助火;白酒属大温之品,与牛肉相配则如火上浇油,容易引起牙龈发炎。

此外,吃火锅时还应注意肉类与蔬菜类的均衡,餐后最好吃些水果;火锅汤中的钠离子、钾离子较多,有肾病、高血压的朋友不宜吃。

温馨小贴士

吃火锅前可以先吃一些弱酸性食物,比如果汁、酸奶,使其与硝酸盐发生还原反应,不被人体吸收。另外,吃火锅最好缩短时间,不喝汤汁,饭后多吃水果。

何时吃甜食有利健康

提起甜食,多数人认为不吃或少吃为好。特别是一些中老年人对甜食尤其忌讳。营养学家认为,选择最佳的时间吃甜食不但对身体无害,而且能充分发挥有益作用。一般来说,下列时间进食甜食为好。

1. 运动前

人体在运动过程中要付出大量体能,而运动前又不宜饱餐,这时,适量吃些甜食可满足人体运动时所需的一定量的能量供应。

2. 过于疲劳与饥饿时

这时体内热能失去过多,人体虚弱,吃些甜食,其中糖可比一般食物更快地被血液吸收,迅速补充体能。

3. 头晕恶心时

这时饮糖分高的水,可提高血糖增强抗病能力。

4. 糖尿病低血糖时

由于过分控制糖分摄取而出现低血糖导致休克症状时,饮糖水或其他甜性饮料,可使患者度过危机。

5. 呕吐或腹泻时

这时病人肠胃功能紊乱,有脱水症状,如喝一些盐糖水,有利于肠胃功能的恢复。

温馨小贴士

饱餐以后吃甜食最易使体重增加,且过多的糖会刺激胰岛素分泌,易诱发糖尿病。睡前、饭前,将甜食当作每日的常规食品,都可导致牙病、食欲下降和发胖。

木糖醇吃多了也会发胖

市场上出售的木糖醇食品琳琅满目,很受消费者——尤其受糖尿病患者的欢迎。糖果、巧克力、曲奇饼、蛋糕……这些“甜蜜”的食物总能带给人幸福的感觉。可这“甜蜜”背后却有着不少隐忧。过量摄入糖不仅会腐蚀人的牙齿,把人“推向”肥胖,还会使糖尿病的患病几率大大增加。对许多糖尿病患者来说,无论以前如何“热衷”甜食,现在都只能和这些“甜蜜”的食品“绝缘”了。

而现在,木糖醇——一种低热量的营养性甜味剂开始流行起来。它能够使食物具有更加清凉纯正的甜味,但不会完全被人体吸收,热量比葡萄糖、白砂糖小得多,深受广大糖尿病患者和肥胖者的欢迎。

那么,木糖醇是否真的这么神奇呢?木糖醇是从白桦树和橡树等植物中提取出来的一种天然植物甜味剂,由于木糖醇不容易被微生物发酵产生酸性物质,所以能减少龋齿菌和齿垢的产生,对预防龋齿有一定的功效。

和普通的砂糖相比,热量低是木糖醇的一大优势。它进入人体后,吸收得很慢,而且只有部分能被利用,甜度与蔗糖相似,热量却比其他碳水化合物少了40%。因此可以将木糖醇用于家庭蔗糖的代用品,以防止因蔗糖食用过多而导致肥胖。

此外,最近国外医学研究人员还发现:木糖醇不仅是甜味剂,它还有保护肝脏、抗肺部感染等有益作用,因此木糖醇被认为是食糖的最好代用品。

但嗜甜食的朋友切不可高枕无忧,木糖醇虽然可代替糖,但吃多了一样也会发胖,而且从理化性质来讲,木糖醇是偏凉的,它不被胃酶分解,直接进入肠道,吃多了对肠胃会有一定刺激,可能引起腹部不适、胀气、肠鸣。由于木糖醇在肠道内吸收率不到20%,容易在肠壁积累,易造成渗透性腹泻。在欧美国家,含有木糖醇的食品都会在标签上注明“过量摄取可能会导致腹泻”这样的消费提示。但在国内市场销售的食品却鲜见这种标识。某知名

口香糖生产商表示，其生产的木糖醇口香糖中“木糖醇含量较低，并不足以引起腹泻”，因此这类标识“没有必要”。以中国人的体质，一天摄入木糖醇的总量不能超过50克。光嚼嚼口香糖应该没什么问题，但如果吃大量的其他木糖醇食品，就需要注意“量”了。

温馨小贴士

进食木糖醇后，对正常人血糖升高的幅度和速度都低于葡萄糖和蔗糖，但糖尿病患者一旦摄入多了，会产生副作用，造成血中甘油三酯升高，引起冠状动脉粥样硬化，故糖尿病患者也不宜多食木糖醇。尤其对那些患有由胰岛素诱发的低血糖的人，木糖醇更是禁用的。

蛋黄派适合当早餐吗

蛋黄派柔软美味，食用方便，很多人都喜欢用它作为方便早餐，甚至还有不少妈妈认为它营养丰富、容易消化，常把它当作孩子的健康零食。可是，蛋黄派里面到底有什么营养，是不是合适的早餐呢？

蛋黄派与其说是一种营养食品，不如说是一种口感食品。它之所以吸引人，主要在于疏松绵柔的口感和香甜的味道。如果没有大量的饱和脂肪，没有氢化植物油，没有香精和糖，这种食品也就失去了存在的价值。人们迷恋它，正如喜爱可乐和薯条一样，是因为一种感官享受。

既然蛋黄派不是毒药，也没有必要因为它营养价值较低而不敢问津。由于其中含有30%左右的脂肪，可以把它和炸薯片一类食品同样看待，当成偶尔食用的休闲食品。每次食用不超过两块，其中的反式脂肪酸不会超过每日2克的限量。吃了蛋黄派，则最好别再同时吃巧克力威化饼、蛋卷、起酥面包、蛋糕、咖啡伴侣等含有反式脂肪酸的食物；也要少吃煎炸食品和油腻食品，控制住一日摄入的总脂肪。由于这类食物会升高血糖、血脂，同样热量下的饱腹感又比较低，需要控制血糖、血脂和控制体重的人，都应尽量避免食用它。

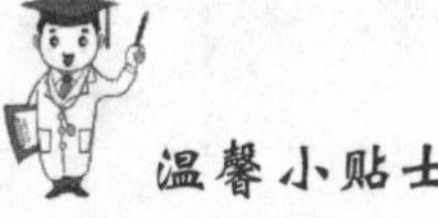

温馨小贴士

国家标准要求夹心蛋黄派的蛋白质含量≥6%；夹心蛋黄派的蛋白质含量≥4.5%；涂饰蛋黄派的蛋白质含量≥4%。此外，蛋黄派的主要成分不仅要在大包装袋上注明，还要在每个蛋黄派的小包装袋上注明，消费者在购买时可以看看成分标注，但是每种成分含量多少没有做要求，有的厂家愿意标注蛋白质含量的，说明该品牌鸡蛋比重多，蛋白质含量高，吃起来口感会好一些；有的奶味较重，肯定奶粉含量多。个人可以根据自己不同的口味来选择。

空腹不宜吃的食物

常言道："饥不择食"。人在饥饿的时候看见吃的东西就想吃，饥肠辘辘，急于填饱肚子对健康是非常有害的，以下例举几种食物，不宜空腹食用，以避免健康受到不必要的伤害。

(1)柿子、西红柿。这两种食物含有较多的果胶、单宁酸，上述物质与胃酸发生化学反应生成难以溶解的凝胶块，易形成胃结石。空腹吃柿子，大量的柿胶酚和红鞣质收敛剂与胃酸凝结成硬块，形成"柿石"，容易引起恶心、呕吐、胃溃疡，甚至胃穿孔等。柿子在饭后吃就不易形成"柿石"。

(2)香蕉。香蕉中有较多的镁元素，镁是影响心脏功能的敏感元素，对心血管产生抑制作用。空腹吃香蕉会使人体中的镁骤然升高而破坏人体血液中的镁钙平衡，对心血管产生抑制作用，不利于身体健康。

(3)山楂、橘子。这两种食物含有大量的有机酸、果酸、山楂酸、枸橼酸等，空腹食用，会使胃酸猛增，对胃黏膜造成不良刺激，使胃发胀、泛酸，若在

空腹时食用会增强饥饿感并加重原有的胃痛。

(4)牛奶、豆浆。这两种食物中含有大量的蛋白质,空腹饮用,蛋白质将“被迫”转化为热能消耗掉,起不到营养滋补作用。最好的饮用方式是与含面粉的食品同食,或餐后两小时再喝,或睡前喝均可,既有滋补保健、促进消化作用,又有排气通便作用。

(5)糖。糖是一种极易消化吸收的食品,空腹吃糖太多会使血液中的血糖突然增高,人体短时间内不能分泌足够的胰岛素来维持血糖的正常值,使血液中的血糖骤然升高容易导致眼疾,而且糖属酸性食品,空腹吃糖还会破坏机体内的酸碱平衡和各种微生物的平衡,对健康不利。

(6)白薯。白薯中含有单宁和胶质,如果空腹吃,会刺激胃壁分泌更多胃酸,引起烧心等不适感。

(7)冷饮。空腹时大量吃各种冷冻食品,会刺激肠胃发生挛缩,久之将导致各种酶化学反应失调,诱发肠胃疾病,也会导致内脏器官功能受到损伤。女性月经期间还会使月经发生紊乱。

(8)酒。空腹饮酒容易刺激胃黏膜,引起胃炎和胃溃疡等多种病变。人体会很容易出现低血糖,进而头晕、出冷汗、心悸,严重者导致低血糖昏迷甚至死亡。

(9)大蒜。大蒜含有辛辣的蒜素,空腹吃蒜,会对胃黏膜、肠壁造成刺激,引起胃痉挛,影响肠胃消化功能。

(10)茶。空腹饮茶会稀释胃液,降低消化功能,还会引起“茶醉”,表现为心慌、头晕、四肢无力、胃肠不适、腹中饥饿等。

(11)黑枣。黑枣含有大量果胶和鞣酸,这些成分与胃酸结合,同样会在胃内结成硬块。

(12)维生素。维生素虽然不是食物,不过,如果在空腹时吃,会在人体还来不及吸收利用之前即从粪便中排出。如维生素A等脂溶性维生素,溶于脂肪中才能被肠胃黏膜吸收,宜饭后服用,才能够较完全地被人体吸收。

(13)菠萝。富含强酵素的菠萝,空腹吃会伤胃,最好在吃完饭后食用,其营养成分才能更好地被吸收。

温馨小贴士

很多人在饿的时候,随便抓起手边的食物就吃,殊不知有的食物是不宜空腹吃的,否则容易影响身体健康。

第一,零食大多是甜的,含有大量碳水化合物,如果经常吃的话,就会使本来营 养供应就充足的孩子体内糖类含量过多,营养失去平衡。糖类除了热量高以外,很容易在体内变成脂肪积存在皮下,使人发胖。

第二,由于每天不断地吃零食,使得血液一直集中在消化器官。而人体的血液量是恒定的,它分在人体各个器官,供给器官以营养,大脑所需要的氧气是身体其他内脏的10倍左右。如果血液经常集中在消化器官,势必就会影响大脑的供氧,从而影响它机能的发挥,影响学习。此外,常吃零食打乱了三餐的规律,有时还可以引起肠胃病。

第三,常吃零食,还会使人失去忍耐空腹的习惯。只要稍微有一点感觉"肚子饿了",就会感到全身不自在,注意力分散,使记忆力、理解力下降,影响学习。因此,要想让自己孩子智力超群,成绩优异,家长务必不要让零食过多地陪伴着孩子。

鸡蛋生吃非但无益反而有害

有些人认为生吃鸡蛋可以获得最佳营养。其实,吃生鸡蛋坏处多多,对人的健康是十分有害的。

生鸡蛋中含有抗酶蛋白和抗生物蛋白。前者阻碍人体肠胃中的蛋白酶与蛋白质接触,影响蛋白质的消化、吸收。后者能与食物中的生物素结合,形成人体无法吸收的物质。但是上述两种存在于生鸡蛋中的有害物质一经蒸煮就被破坏,不再影响人体对营养素的吸收。

生鸡蛋的蛋白质结构致密，肠胃里的消化酶难以接触，因而不容易被消化吸收。而煮熟了的鸡蛋蛋白质的结构变得松软，容易被人体消化吸收。

大约10%的鲜蛋带有致病菌、霉菌或寄生虫卵。有的家长用开水冲鸡蛋加糖给孩子喝，由于鸡蛋中的病菌和寄生虫卵不能完全杀死，容易引腹泻和寄生虫病。如蛋中有沙门氏菌，还会引起食物中毒。新近发现，鸡蛋壳上可能带有0—157肠出血性大肠杆菌，即使菌量极少，如果生吃鸡蛋，也足以引起食物中毒。民间有人用吃生鸡蛋的方法来治疗小儿便秘，结果是既治不了便秘，还会传染人畜共患的弓形虫病。这种病发病较急，全身各器官几乎均受到弓形虫的侵犯引起病变，严重者还会导致死亡。

因此，鸡蛋一定要煮熟吃，以吃蒸蛋最好，不宜用开水冲鸡蛋，更不能吃生鸡蛋。

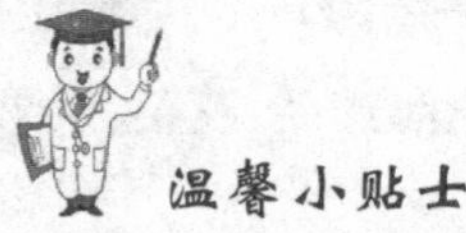

温馨小贴士

鸡蛋吃法多种多样，就营养的吸收和消化率来讲，煮蛋为100%，炒蛋为97%，嫩炸为98%，老炸为81.1%，开水、牛奶冲蛋为92.5%，生吃为30%～50%。由此来说，煮鸡蛋是最佳的吃法，但要注意细嚼慢咽，否则会影响吸收和消化。不过，对儿童来说，还是蒸蛋羹、蛋花汤最适合，因为这两种做法能使蛋白质松解，极易被儿童消化吸收。

婴幼儿饮食禁忌

当心孩子吃出性早熟

近年来，儿童性早熟现象已经引起了社会各界的高度关注，而多数性早

熟患儿为假设性性早熟，主要是儿童在生长过程中盲目进补、误服避孕药、过量摄入激素类物质造成的。

性早熟是小儿常见的一种内分泌疾病，是指女孩在8岁以前、男孩在9岁以前出现第二性征，即女孩以乳房发育或出现月经初潮，男孩以睾丸发育增大、变音、长胡须为最早特征。性早熟常分为真性和假性性早熟。

专家指出，导致儿童性早熟的原因分为：先天性脑发育异常、滥用保健品、误服避孕药、长期食用含有激素的食物等。其中，由于长期食用含激素的禽类肉制品、淡水鱼虾、蔬菜、水果而导致的性早熟占了很大的比例，这与目前儿童喜欢吃含高热量、高脂肪、高蛋白质的食品有关。很多家长对孩子的营养过度关注，给孩子盲目进补，不少儿童食品里激素类物质过多，人为造成孩子的过早发育。

要有效预防性早熟现象的发生，应该从改善食品结构开始，尽量让孩子吃不含激素污染的绿色食品，应注意营养均衡，多吃海产品、蔬菜、水果，适当吃些粗粮，改变偏食的坏习惯，少吃洋快餐。

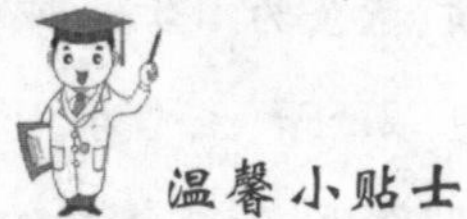

温馨小贴士

当孩子有性早熟早期表现时，应及时到医院检查，并对孩子进行教育，告诉他们遇到身体发生变化时要及时告知家长，并采取正确的治疗方法。另外，要通过适宜的心理引导，使孩子顺利摆脱性早熟带来的各种心理压力。

变声期儿童少吃蜜饯

处于生长发育时期的儿童，由于体内激素变化，嗓音会随之改变。为了使孩子顺利度过整个变声期，不宜过多“亲近”蜜饯。

蜜饯中的许多产品，如：酸梅、橄榄，为刺激性食品，吃得过多不利于声

带充血水肿的消除，而且它们都是高糖食品，食入后在局部会造成酸性环境，削弱人体白细胞的吞噬功能，使得咽喉部罹患各种感染的机会增加，而慢性炎症的结果是导致喉和声带发育异常。此外，蜜饯制作过程中，有时还会用甘草调制或混有甘草。

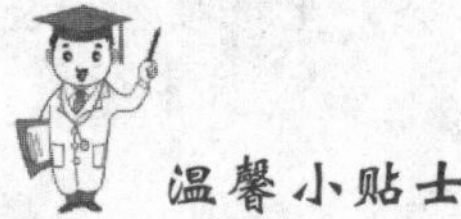

温馨小贴士

医学研究表明，长期过量摄入甘草，会使喉和声带的弹力蛋白合成不足，喉部对声带支撑作用减弱，声带自身韧性也会下降。

儿童慎吃猕猴桃

猕猴桃是一种营养丰富的高档果品，被誉为水果之王，每 100 克果肉含 VC200～420 毫克，又有“维生素 C 之王”的美称，并含有多种维生素、蛋白质、氨基酸及钙、镁、铁、钾等人体所需的矿物质，还有很高的医疗价值。近代临床试验表明，猕猴桃对消化道癌症、肝炎、尿路结石等都有良好的治疗作用。

但是，有科学调查研究显示，儿童食用猕猴桃过多会引起严重的过敏反应，甚至导致虚脱。这项研究显示，5 岁以下的儿童最容易产生猕猴桃过敏反应。儿童对猕猴桃的不良反应包括口喉瘙痒、舌头膨胀，并且食用猕猴桃后还会产生呼吸困难和虚脱等严重症状。

专家建议父母把猕猴桃压榨成新鲜果汁给儿童食用，这样要比切成片喂给孩子要安全一些。专家还指出，猕猴桃过敏还有一种可能，是因为这种水果中的某种蛋白质引起了人体机体免疫系统的强烈反应而导致的。在 20 世纪 80 年代，曾经有成年人因食用猕猴桃过多致病的医疗报告。

温馨小贴士

中医指出，猕猴桃性寒，易伤脾胃而引起腹泻，故不宜多食。但卢卡斯医生还指出，猕猴桃是一种健康水果，大部分儿童不会产生很强烈的反应。而花生这样的食品是比猕猴桃还要引起父母注意的食品。

儿童不宜多吃山楂

医学研究表明，山楂能促进胃液分泌帮助消化，是临床上常用的一味消食药。其特殊的色、香、味能刺激人们的食欲，深受人们特别是孩子们的喜爱。

然而，营养专家发现，小儿进食过多的山楂不利于健康。尤其目前市场上出售的山楂片含有大量的糖分，小儿进食过多，就等于摄入较多的糖和淀粉，这些糖和淀粉经消化吸收后使小儿的血糖保持在较高的水平，如果这种较高的血糖维持到吃饭时间，则使孩子没有饥饿感，影响进食。由于山楂提供的能量有限，营养单一，长时期大量食用会导致小儿营养不良、贫血等。

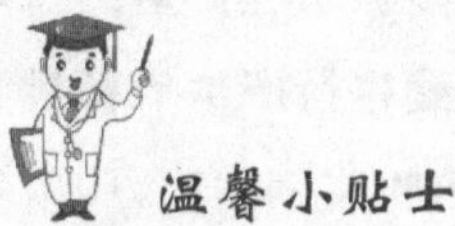

温馨小贴士

中医认为，山楂只消不补，脾胃虚弱者更不宜多食。因此，切不可让孩子吃过多的山楂。

儿童应少吃无铅皮蛋

传统的皮蛋为促使蛋白质凝固，在腌制过程中要加些氧化铅或铜等重金属，若长期食用，其中的铅或铜会慢慢积累而不利健康。如今，皮蛋的腌

制已改进工艺，用硫酸铜、锌等代替氧化铅，“无铅皮蛋”也由此得名。

其实，“无铅皮蛋”并不是一点都不含铅，只是铅的含量比传统腌制的皮蛋含量要低得多。微量的铅对成年人的健康影响不大，但对儿童来说，无铅皮蛋也以少吃或不吃为好，因为儿童对铅非常敏感，肠道内的吸收率高达50%。

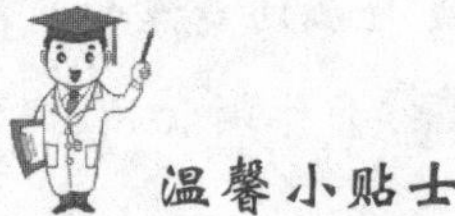

温馨小贴士

食用皮蛋时最好要加醋、生姜、大蒜等调味品，可以除去皮蛋的碱味，同时有杀菌消毒的作用。皮蛋不宜久存，储存过久的皮蛋，水分会过多蒸发，水分蒸发的皮蛋会硬如橡皮，食后不易消化。

多吃休闲食品对孩子心肾不利

一些家长总喜欢买些花花绿绿的休闲食品作为孩子们的零食，对此家长、孩子并不清楚经常食用这种休闲食品会影响孩子的正常食欲，造成人体所必需的多种元素缺乏而营养不良。

据了解，所谓的休闲小食品，其实是些营养价值并不高的膨化类虾条、薯片、雪饼等。由于这些食品甜甜咸咸较重的口味，迎合了孩子们讲究味觉的需求。但营养与保健问题专家解释说，高糖高盐是这些休闲小食品制作的一个共同点，人吃了以后往往会口干舌燥。而对孩子来说，高糖会引起肥胖、多动，且容易产生龋齿。

同样，高盐会增加儿童的肾脏负担，对心血管系统存在着潜在的不良影响。另外，某些休闲食品中还放入了食品添加剂、过量的防腐剂、香精、味精等，这些都是经化学方法合成的，将制约着少年的肝脏解毒能力和肾脏排泄功能。在此专家提醒家长，在为孩子购食品时，或青少年自己在购买食品时，应尽量选择那些低糖、低盐、不含添加剂的高蛋白营养食品。

温馨小贴士

在购买膨化食品时，若发现包装漏气，则不宜选购，而且要避免购买促销玩具或卡片与食品直接混装的产品。这种作法有隐患，一方面幼儿和低龄儿童容易把玩具当作食品吃下去；另一方面无论是金属还是塑料玩具和食品混装都是不卫生的。需要注意的是，小食品只宜作为休闲食品，偶尔食用。如果摄入过多，会造成多余脂肪在体内蓄积。

儿童不宜吃花粉制剂

花粉系蜜蜂从植物花朵雄蕊上采集的花粉粒，其成分相当复杂，除含有蛋白质、氨基酸、碳水化合物、脂肪、维生素、无机盐等营养成分外，还含有许多药效成分及性激素。

研究发现，芝麻花粉中含有孕酮、雌二醇、睾酮、促黄体素、催乳素等人体激素；油菜花粉中总黄酮类、谷甾醇、总胆固醇含量较高。玉米花粉、高粱花粉、蚕豆花粉中黄酮甙的含量每100克花粉均在800毫克以上，总甾醇类化合物每100克花粉含量均在2000毫克以上。用油菜花粉喂养小鼠15天，幼雌鼠的卵巢、子宫重量会显著增重，说明花粉所含的为量不多的性激素类物质能呈现出显著药理作用。

有些人向儿童、青少年推销花粉制品，但儿童服用后可能会出现性早熟及其他生理功能方面的失调，给身心发育带来不良影响。因此，儿童不宜吃花粉制剂。

温馨小贴士

儿童食品对儿童的伤害，主要是甜蜜素和二氧化硫残留量超标造成的。

甜蜜素全称为“环己基氨基磺酸钠”，不少生产厂商为降低生产成本，往往以甜蜜素代替蔗糖，而且用量十分大，儿童食用甜蜜素超过安全摄入量的食品，会对咽喉造成刺激作用，甚至会导致咽喉水肿或肿痛而引起疾病，损害人体健康。

菜汤泡饭容易使孩子营养不良

有些家长习惯于用菜汤、肉汤或鸡汤泡饭喂孩子，他们认为精华都在汤里，汤比肉营养好，而且喂起来又方便。这样的习惯其实是不好的。

青菜、荠菜、花菜等蔬菜汤中含有一定量的维生素 C、B_2 和尼克酸，但是蔬菜的茎叶含有疏通大便、调理肠胃功能的粗纤维。若是光喝汤不吃茎叶，就会使肠蠕动减慢，大便不通畅，影响消化功能，进而影响食欲。何况菜的茎叶里还含有其他未溶于汤中的无机盐和维生素。肉类中的一些含氮化合物，如肌酸、肌酐、嘌呤碱等，都能溶在汤里，这是鸡、肉汤鲜美的原因。它们有刺激消化液分泌的作用，并含有少许维生素 B_1、B_2 和尼克酸、铁等。至于生长发育所需的主要营养物质——蛋白质，汤内含量很少。因为在煮汤时，蛋白质遇热凝固，只有很少一部分水解为氨基酸溶在汤里，绝大部分的蛋白质还留在肉块中。如果只喝汤不吃肉，那就得不到足够的蛋白质。

温馨小贴士

为了让孩子们得到更多的蛋白质和增进食欲，鲜美可口的汤要吃，厚实的肉质更要吃。只有丰富合理的饮食习惯，才能让孩子成长得更加健康。

特殊人群饮食禁忌

四种人冬季不宜多吃辣椒

在天气寒冷的冬季,不少人喜欢吃辣椒抗寒。传统医学认为,辣椒虽能驱寒、止痢、杀虫、增强食欲、促进消化,但膳食上应当讲究五味(酸、苦、甘、辛、咸)调和,过于偏爱辣味,易造成脏腑阴阳失调,产生疾病。

因此,属以下情况者尤其要注意在冬季适当减辣:

(1)体型偏瘦的人。中医认为,瘦人多属阴虚和热性体质,常表现为咽干、口苦、眼部充血、头重脚轻、烦躁易怒。如果过食辛辣,就会使上述症状加重,导致出血、过敏和炎症。

(2)甲亢患者。甲亢患者常常处在高度兴奋状态,过量吃辣椒等刺激性食物,会加重症状。

(3)肾炎患者不宜食用辣椒。研究证明,在人体代谢过程中,辛辣成分常常要通过肾脏排泄,能对肾脏实质细胞产生不同程度的刺激作用。

(4)慢性胃肠病、痔疮、皮炎、结核病、慢性气管炎及高血压患者不宜多吃辣椒。

温馨小贴士

辣味有发散、行气、活血等功能,吃多了容易使肺气过盛,耗伤气阴,导致免疫力降低而罹患感冒,出现咽喉干痛、两眼红赤、鼻腔烘热、口干舌痛以及烂嘴角、流鼻血、牙痛等"上火"症状。

九种人不宜喝咖啡

(1)高血压患者。咖啡中含有咖啡因,它能使部分敏感患者血压升高。

(2)肾衰竭者。肾衰竭患者若有高血钾现象,需配合限量钾饮食,咖啡含钾量高。

(3)消化性溃疡患者。咖啡因刺激胃酸分泌,并使消化系统平滑肌血管松弛,加速食物的代谢而降低食物的营养价值。

(4)糖尿病患者。咖啡因能降低胰脏中胰岛素的分泌,降低葡萄糖的耐受量,增加胰岛素的排泄而使血糖上升。

(5)癫痫患者。咖啡因能刺激脑动力中枢,黄口呤会使血管收缩,减少脑部血流量。对癫痫病患者十分不利。

(6)心脏病患者。咖啡会增加脂肪及甘油三酯的含量,增加心脏负担及氧气的消耗量。特别是当身体疲倦及吸烟过度时更易引起。

(7)缺铁性贫血者。咖啡会加速食物的代谢而降低铁的吸收率。

(8)肾结石患者。预防草酸钙结石复发,须禁食富含草酸的食物,而咖啡即为含草酸丰富的食物。

(9)失眠者。长期饮用咖啡会影响镇静作用,增加清醒次数,使睡眠深度变浅。

除以上病患者不能饮用咖啡外,健康的人不一定都适合饮用咖啡,比如孕妇、哺乳期的妇女、运动员等饮用咖啡会产生不良感觉或病理现象。

温馨小贴士

咖啡是公认的健康饮品,但喝咖啡一定要合理、科学饮用,才能有益于健康,要做到适时适量。清晨起床后喝一杯为的是醒脑,白天工作时轻呷一口可提神,此时咖啡可稍浓。而餐后或晚间饮咖啡以略轻淡为宜。咖啡有

提神醒脑的作用，但不适宜餐中伴饮，应在餐后饮用。

元宵味美　并非人人能吃

一到元宵佳节，吃元宵成了大家最津津乐道的事。专家在此提醒，元宵含大量油脂及糖分，热量很高，无论北方元宵或南方汤圆，其外皮均以糯米粉为食材。糯米含较多淀粉，黏性高，不易消化。另外，元宵馅种类繁多，甜的、咸的应有尽有。无论哪种馅，其中油脂含量均很高，为求美味常会使用猪油。因此，为了你的健康，吃元宵也得量力而行。以下这些人不宜食元宵：

(1)糖尿病患者。元宵含糖量较高，患者若贪图口福，可使血糖急剧升高，不仅会加重病情，还能诱发酮症酸中毒。

(2)溃疡病患者。吃元宵可促使胃酸分泌增多，加重对溃疡面的刺激，严重者可诱发胃出血、胃穿孔等。

(3)肠胃消化功能不良者。元宵是由糯米面做成的，黏性较大，不易消化，食后可导致胃痛、胃胀、嗳气、反酸甚至腹泻。

(4)急性胃肠炎患者。患者的胃、肠道正处于充血、水肿状态，病人应吃些米汤、藕粉等易消化食物，吃元宵会加重胃、肠道负担。

(5)高烧患者。发热时患者的胃、肠道处于相对抑制状态，应吃些流食等容易消化的食物，否则会加重病情。

(6)高血压、高血脂及痛风患者。这些病人食用元宵有加重病情的危险，因此少吃为宜。

(7)久病初愈者。此时患者食欲虽有好转，但消化功能仍然较弱，过量食用元宵不利于康复。

(8)年老体弱者。这些人消化功能减退，牙齿脱落，特别是老人吞咽反射比较迟钝，可能会因急速吞咽而引起元宵卡喉，导致呼吸困难，甚至窒息死亡。

(9)婴幼儿。小儿消化功能较弱,吞咽反射尚未发育完善,因此吃元宵时不能整个地吃,要分成1/4吃,吃完一口再吃第二口。一定要细嚼慢咽,以防不测。

温馨小贴士

元宵本身已有甜味,汤里不需要再加糖,以减少热量摄取。若是无馅小汤圆,甜汤可以桂圆红枣汤或桂圆姜汤取代,除了可减少糖分外,还有补身驱寒的功效。咸汤圆则可放小虾米及蔬菜,多一些钙质及纤维质的补充。需要注意的是,汤中不要再放太多的油脂或调味料。

甜品中谁最不健康

可口的甜品一般是情侣们烛光晚餐的首选,然而这份美味的"甜蜜礼物"却是导致脂肪增加的罪魁祸首。

营养师从50款热门中西甜品中选出了"好坏情人"。发现椰汁芒果糯米饭最易导致肥胖,吃半份已等于吃下了15匙糖及6匙油,除了会提高体内胆固醇,更会增加患冠心病的机会。营养师建议,为情人选择一杯不含脂肪及胆固醇的雪葩,才是浪漫晚餐后最FIT的聪明选择。

甜味令大脑内血清素上升,使人有满足感及快感。香港电台第一台《精灵一点》专门委托香港肥胖医学会和香港中文大学,从50款最受欢迎的中西甜品中选出"十款最不健康甜品"。

经专家分析,10款最不健康的甜品统统热量超标。排在前3位的是椰汁芒果糯米饭、花生汤圆核桃露、芒果酥皮拿破仑。位列榜首的椰汁芒果糯米饭,椰汁含饱和脂肪达九成,比牛油、猪油的热量还高,这款甜品含有相当于15匙糖及6匙油,热量和脂肪分别超过建议标准的2倍及4倍,容易提高体内胆固醇,大大增加患冠心病的几率,要跑步1.4小时才能消耗掉。

西式糕点多选用高脂肪材料，如牛油、芝士及鸡蛋，中式甜品常选用的高脂肪材料，有椰汁、猪油、花生、果仁及芝麻等，煎炸烹调的甜品已属于高脂肪，有时又会加入大量砂糖、蔗糖或冰糖等。

温馨小贴士

不少甜品含高脂肪，会引发高血脂、肥胖、糖尿病及心脏病等。大家平时最好少吃甜品或把食量减半甚至更少。

生猛海鲜前　老人别动心

生吃鱼、虾和半生不熟的各种肉类、蛋类现已成为时尚。对此，老年人应“敬”而远之。

人体每天摄入的蛋白在肠道中经消化分解可产生一定量的氨类。氨系有毒物质，但经肝脏尿素合成酶作用后合成尿素而解除毒性。此过程所需尿素合成酶中含有生物素成分，如体内生物素不足，酶活性下降，氨便不能顺利代谢，则可引起高氨血症。

但这种解毒的生物素一旦与抗生物素蛋白结合即可失去作用。这种抗生物素蛋白主要存在于动物蛋白之中，经加热后即可被破坏，如生食或摄取半生不熟的肉蛋类，则抗生物素蛋白直接进入人体内与肠道中生物素结合而导致生物素不足。生物素明显短缺，可出现四肢皮炎、皮肤和黏膜苍白、精神抑郁、肌肉酸痛、感觉过敏和食欲不振等症状。

温馨小贴士

老年人肝脏功能和酶的活性都有不同程度下降，因此要尽可能减少有毒物质对肝脏的损害，并使有毒物质迅速解毒。

老人不宜多食银耳

银耳营养丰富，还有补肾、润肺、生津等功效，颇受老年人喜爱，但在临床上，因食用银耳不当而发生肠梗阻的老年人也比较常见。

这是因为老年人消化功能较差，银耳又不太好消化，如果一次食用过多或连续多餐食用，则会引起肠梗阻，表现为腹部阵发性绞痛、恶心、呕吐、腹胀、便秘、肛门停止排气等，有些病情严重的甚至需要手术治疗。

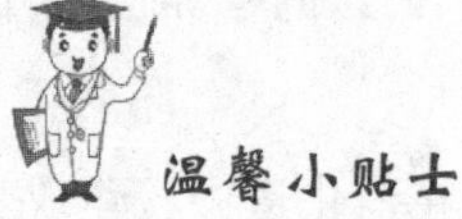

温馨小贴士

为了避免老人在食用银耳时引起消化不良，专家提醒，老人在食用银耳时一定要将银耳煮熟后再吃。

老年人应少喝鸡汤

许多老年人尤其是体弱多病者都习惯喝鸡汤来滋补身体。然而，河北医科大学营养与卫生教研室韩长城副教授提醒，老年人特别是患病的老年人不要盲目进补鸡汤。

专家称，鸡汤中含有一定的脂肪，患有高血脂症的病人多喝鸡汤会促使血胆固醇进一步升高，可引起动脉硬化、冠状动脉粥样硬化等疾病。高血压患者如经常喝鸡汤，除会引起动脉硬化外，还会使血压持续升高，很难降下来。

消化道溃疡的老人也不宜多喝鸡汤，鸡汤有较明显的刺激胃酸分泌的作用，对患有胃溃疡的人会加重病情。肾脏功能较差的病人也不宜多喝鸡汤，因为鸡汤会增加肾脏负担。

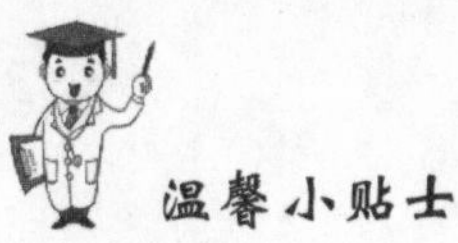

温馨小贴士

专家提醒老人,喝鸡汤时一次最好不要超过200毫升,一周不要超过2次。

哪些疾病患者不宜喝牛奶

都说一杯牛奶强壮一个民族。的确,牛奶是人们公认的营养佳品,但患有某些疾病时不宜饮用牛奶。

一是缺铁性贫血患者忌喝牛奶。食物中的铁需在消化道中转化成亚铁才能被吸收利用,若喝牛奶,这一转化受其中高磷高钙的影响,体内的铁就会与其中的钙盐磷盐结合形成不溶性的含铁化合物,使体内的铁更为不足。

二是腹部手术病人忌喝牛奶。病人手术后,多有肠胀气发生,牛奶含有脂肪和酪蛋白,在肠胃内难以消化,并含有乳酸杆菌,发酵后可产生气体,使肠胀气加重,不利于肠胃蠕动恢复。

三是溃疡病人忌喝牛奶。牛奶可刺激胃酸的大量分泌,刚进胃可缓和胃酸对溃疡的刺激,但过片刻,牛奶便成了胃粘膜的刺激因素,产生更多的胃酸,使病情进一步恶化。

四是肾结石病人不宜在睡前喝牛奶。

人在入睡之后,尿量减少,尿中各种有形的物质增加,可使尿液变浓。由于牛奶中含钙,肾结石中大部分都含有钙盐,结石形成的最危险因素便是钙在尿中浓度短时间突然增高。饮牛奶2~3小时,正是钙通过肾脏排除的高峰时期,而此时人正处于睡眠状态,尿液浓缩,钙通过肾较多,故易形成结石。

温馨小贴士

患有高血压、冠心病而服用复方丹参片者不宜喝牛奶，因丹参的分子结构上有羟基氧、酮基氧，它们易与牛奶中富有的钙离子形成结合物，从而降低丹参的药用价值。

西瓜并非人人皆宜

西瓜有夏季水果之王的雅称，许多人都很爱吃，但是西瓜不是人人都能吃，有些人吃西瓜会给健康带来麻烦。

(1)糖尿病患者。糖尿病患者吃西瓜过量，会导致血糖升高等后果，严重的还会出现酮症酸中毒昏迷反应。

(2)感冒初期患者。西瓜是清热解暑的佳果，但感冒初期的患者应慎食。如果在感冒初期吃西瓜，不但不能发散病，反而会使病情加重或延长治愈时间。因此，在感冒痊愈或感冒病情加重且有高热、咽痛时吃西瓜最好。

(3)体虚胃寒、大便稀溏、消化不良者。多吃西瓜会出现腹胀、腹泻、食欲下降等症状。肠胃消化不佳、夜尿多者不宜多吃西瓜。

(4)肾功能不全者。因为短时间内大量食西瓜，会使体内水分增多，超过人体的生理容量。而肾功能不全者其肾脏对水的调节能力降低，对进入体内过多的水分不能及时调节及排出体外，致使血容量急剧增多，容易导致急性心力衰竭而死。

(5)口腔溃疡者。口腔溃疡者若多吃西瓜，会使体内所需正常水分通过西瓜的利尿作用排出一些，从而导致口腔溃疡的加重。

温馨小贴士

祖国医学认为，西瓜不仅生津止渴，营养丰富，而且有很高的药用价值。

西瓜其性甘寒，入心，具有清热解署，止渴除烦的功效。主治中署、温热病、心烦口渴、小便不利等症。还可以治疗高血压、肾炎、肝炎、胆囊炎、黄疸等病。西瓜的汁液几乎含有人体所需要的各种营养成分，如维生素A、B、C和蛋白质、葡萄糖、果糖、蔗糖酶、谷氨酸、瓜氨酸、精氨酸、苹果酸、蕃茄色素、磷酸及钙、铁、粗纤维等。

哪些人不宜吃鱼

鱼肉味道鲜美，营养丰富，是人们餐桌上的美食。然而，并不是人人都适宜吃鱼的，以下四种人在吃鱼时要特别谨慎：

（1）出血性疾病患者忌多吃。这些人本来体内血小板就少，血液凝集功能差，而鱼的体内有一种叫EPA的蛋白，能够抑制血小板的凝集作用，如果再吃鱼，就会加重毛细血管出血。

（2）肝硬化病人忌吃某些鱼。鱼类脂肪中含有二十碳五烯酸，它是一种不饱和脂肪酸，其代谢产物具有降低血脂、血液粘稠度，抑制血小板凝集作用，对防治心血管疾病有利。因为肝硬化时机体难以产生凝血因子，加以血小板偏低，很容易引起出血。如果再吃富含二十碳五烯酸的沙丁鱼、金枪鱼、青鱼等，容易使病情加重。

（3）结核病人在抗痨治疗过程中慎吃鱼。结核病人服用异烟肼时，如果同时吃某些鱼类，容易发生过敏反应。

（4）痛风患者不宜吃鱼。因鱼类含有丰富的嘌呤类物质，而痛风则是由于人体的嘌呤代谢发生紊乱而引起的。

温馨小贴士

购买活鱼回家后，最好用清水养上一两天；如果是已经杀死的鱼，也要尽量用清水浸泡1个小时左右，也可以使用洗涤液来去除毒素。千万不要长

时间存放，洗鱼的时候鱼鳃部分一定要洗净或去掉；烹调时尽量煮透、蒸透，不要生吃。

两种人不宜多吃枣

大枣中含有大量维生素、多种微量元素和糖分，其维生素C的含量远远超过苹果、橘子等水果。虽然大枣是药食同源的典范，但并非人人适宜，有的人不宜多食大枣。

(1)痰湿壅盛的人。其表现是：喜咳痰，胸中常常感到满胀，并且容易感到疲乏，胃中常胀满，食欲不振。多食大枣以后，原先的症状容易加重，出现寒热口渴、胃胀等不良反应。因为大枣气味甘、辛、热，性偏湿热，容易生痰生湿。

(2)儿童。儿童脾胃功能较弱，大枣黏腻，不易消化，多食伤胃，易影响儿童食欲和消化功能，并且大枣糖分过多，容易引发龋齿。

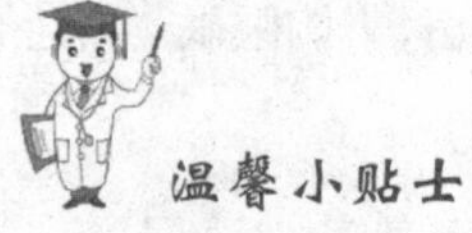

温馨小贴士

有些过早上市的枣，表面上看着鲜红水灵，吃起来却味道发苦，而且不耐存放，这可能是用糖精泡过，或喷了催熟剂，应注意鉴别。另外，挑枣时如发现红枣的蒂端穿孔或黏有深褐色的粉末，这说明枣已被虫蛀了，最好别买。

调料类食品饮食禁忌

晚餐的禁忌

一忌晚餐过迟。如果晚餐后不久就上床睡觉,不但会因肠胃的紧张蠕动而难以入睡,还会影响大脑休息。

二忌进食过多。晚餐暴食,会使胃机械性扩大,导致消化不良及胃疼等现象。

三忌厚味。晚餐进食大量蛋、肉、鱼等,在饭后活动量减少及血液循环放慢的情况下,胰岛素会将血脂转化为脂肪,积存在皮下、心膜和血管壁上,会使人逐渐胖起来,容易导致心血管系统疾病。

四忌大量饮酒。酒后会加速血液循环,使人兴奋,影响睡眠。晚上经常饮酒,还会使血糖水平下降,引发"神经性血糖症"。

酱油最好别生吃

大部分人炒菜时都离不开酱油。它不仅能给菜肴加色,还能添味。

酱油有烹调用和佐餐用之分,但很多人在购买时都不太注意选择,家里往往只备有一种,不管炒菜还是凉拌菜都用它,很容易对健康造成危害。

烹调酱油一般分为风味型和保健型两种。前者如麦香酱油、老酱油、北京生抽王酱油等;后者则有无盐酱油(不含钠,但有一定咸味,适合肾病患者食用)、铁强化酱油、加碘酱油等。这几种酱油在生产、贮存、运输和销售等过程中,因卫生条件不良而造成污染在所难免,甚至会混入肠道传染病致病菌。而它们在检测时,对微生物指标的要求又比较低,所以,一瓶合格的酱

油中带有少量细菌，也不是什么新鲜事。

有实验表明，痢疾杆菌可在酱油中生存2天，副伤寒杆菌、沙门氏菌、致病性大肠杆菌能生存23天，伤寒杆菌可生存29天。还有研究发现，酱油中有一种嗜盐菌，一般能存活47天。人一旦吃了含有嗜盐菌的酱油，可能出现恶心、呕吐、腹痛、腹泻等症状，严重者还会脱水、休克，甚至危及生命。虽然这种情况比较少见，但为了安全着想，酱油最好还是熟吃，加热后一般都能将这些细菌杀死。

如果想做凉拌菜，最好选择佐餐酱油。这种酱油微生物指标比烹调酱油要求严格。国家标准规定，用于佐餐凉拌的酱油每毫升检出的菌落总数不能大于3万个，即使生吃，也不会危害健康。

尽管酱油的营养价值很高，含有多达17种氨基酸，还有各种B族维生素和一定量的钙、磷、铁等，但它的含盐量较高，平时最好不要多吃。酱油的含盐量高达18%～20%，即5毫升酱油里大约有1克盐，除了调味以外，主要是为了防止酱油腐败变质而添加的。患有高血压、肾病、妊娠水肿、肝硬化腹水、心功能衰竭等疾病的人，平时更应该小心食用，否则会导致病情恶化。

温馨小贴士

经常有人担心，说皮肤受伤后吃酱油会不会让伤口变黑，留下疤痕？其实，这种担心完全没必要。皮肤是否会留下疤痕，主要取决于损伤的深浅度、细菌感染程度、个体差异等因素。酱油的主要成分是谷氨酸，与组织修复没有直接关系。其中的色素是食用色素，摄入体内后也不会被输送到皮肤。因此，受伤或做过整容手术的人，不必忌食酱油。

醋与海参相克

俗话说："陆有人参，海有海参。"中医认为，海参可以补肾、养血，营养和食疗价值都非常高。可是，做海参时如果放了醋，在营养上就会大打折扣。

现代营养学认为，海参除了具有高蛋白、低脂肪、低糖、低胆固醇的特点外，还有很多特殊的营养成分，如胶原蛋白。海参中的胶原蛋白含量可以与传统中药阿胶、龟板胶、鹿角胶相媲美，不仅可以生血养血、延缓机体衰老，还可使肌肤充盈、皱纹减少，让肌肤看起来细腻而富有光泽。

海参吃法有很多种，最常见的是凉拌，还可与糯米或大米一起煮粥，或与其他食物、药物一起煲粥。未经彻底加工清洗的海参，吃起来常有涩口的感觉。为了除去涩味，许多人喜欢在烹调时加点醋。但是，酸性环境会让胶原蛋白的空间结构发生变化，蛋白质分子出现不同程度的凝集和紧缩。因此，加了醋的海参不但吃起来口感、味道都有所下降，而且由于胶原蛋白受到了破坏，营养价值自然也就大打折扣。

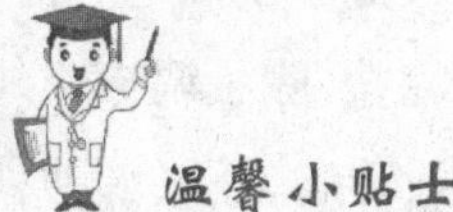

温馨小贴士

中医中有以醋腌渍花生作为调节血压的食疗法——将花生仁浸泡在醋里7天以上，然后每天吃10~15颗，连吃一星期以上。

别给孕妇喝红糖水太久

有些人觉得，产妇在分娩后元气大损，多喝一些红糖可以补养身体。红糖固然具有益气养血、健脾暖胃、驱散风寒、活血化淤的功效，可以帮助产妇补充碳水化合物和补血，促进恶露排出，有利于子宫复位，但不可因红糖有如此多的益处，就认为吃得越多越好。

过多饮用红糖水，不仅会损坏产妇的牙齿，如果在夏天里坐月子的产妇喝得过多，还会导致出汗过多，使身体更加虚弱，甚至引起中暑。另外，红糖水喝得过多会增加恶露中的血量，造成产妇继续失血，反而引起贫血。

产妇在产后喝红糖水的时间以7~10天为宜。

烹制菜肴不宜白酒代替料酒

料酒,因调味用之,故名。因其原产地在绍兴,故名绍酒;因口味甘甜,故又称甜酒;因其色泽澄黄或呈玻璃色,又叫黄酒。此酒加热后食用香气浓郁,甘甜味美,风味醇厚,别具一格。它还含有氨基酸、糖、有机酸和多种维生素,营养丰富,是烹调中不可缺少的调味品之一。

有些家庭在烹制菜肴时,一旦家中没有料酒了,就用白酒代替,这是不可取的。原因主要是:第一,料酒含有一定量的乙醇(酒精),乙醇有很高的渗透性,挥发性强。故用料酒腌渍鱼类等腥气味较重的原料时,能迅速渗透到原料内部,对其他调味品的渗透有引导作用,从而可使菜肴的滋味融合,并起到去腥臭、除异味的作用。第二,烹制肉类及炖鱼时,放入适量的料酒,加热后能与溶解的脂肪产生酯化作用,生成酯类等香味物质,使菜肴溢出馥郁的香气,可增鲜提味。第三,烹制绿叶蔬菜时,加上少许料酒,能保护叶绿素,使成菜翠绿悦目,鲜艳美观。

温馨小贴士

烹制菜肴白酒不宜代替料酒。这是因为白酒的乙醇含量高于料酒,一般在57%左右,且糖分、氨基酸的含量又很低,大大少于料酒。若用白酒烹调,乙醇不易挥发,容易破坏菜肴的本味。其他作用也不如料酒,所以,烹调时不宜用白酒代替料酒。

"吃醋"一定要适量

质量好的食醋,酸而微甜,带有香味,不仅是调味佳品,而且是良好的酸性健胃剂,有的还含某些维生素,如维生素 B_1、B_2 和烟酸等。烧菜时加些醋，可以促进菜中钙、磷、铁等成分的溶解，并被充分吸收利用。醋酸还有一定的杀菌作用。醋拌凉菜，既调味，助消化，又预防肠道传染病发生。蛔虫遇酸而退，在发生胆道蛔虫引起腹痛时，通常用醋50毫升加温开水50毫升缓缓口服，能使胆道括约肌缓解，达到止痛目的，为进一步治疗创造条件。

醋煮沸蒸发，每日两次，消毒空气，对预防流感或流行性腮腺炎等有一定效果。用酸辣汤发汗治伤风，更为大家所习用。醋有一定的保健作用，但用它治病，尤其是治疗病毒性肝炎、高血压、降低胆固醇的科学根据不足，国内外也没有做过这方面的实验，用来减肥也无任何科学依据。

虽然醋有许多好处，但长期喝醋会腐蚀牙齿，使之脱钙，应用水稀释后，用吸管吸食，喝后立刻用水漱口。胃酸过多的人，不宜喝醋。醋是酸性物质，不宜长期食用，食用过量会影响人体的酸碱平衡，对患有慢性肾脏疾病者，甚至会引起酸中毒。专家们提醒，对萎缩性胃炎、胃癌等胃酸缺乏者，喝醋有一定益处，但必须把酸度降低，少量、间隔食用。因此，喝醋这种时髦未必一定适合你。

温馨小贴士

喝醋的好处在于帮助消化。喜欢吃肉的人可在每餐之后饮用一杯水果醋，吃素或平时消化功能就很好的人，则没有太大必要。从量上说，每天最好不要超过20毫升浓缩汁。

味精吃多了对身体有害

很多人炒菜时习惯放味精，但据最近台湾一项调查发现，约有30%的人由于摄取味精过量而出现了嗜睡、焦躁等现象。

味精的主要成分为谷氨酸钠，在消化过程中能分解出谷氨酸，后者在脑组织中经酶催化，可转变成一种抑制性神经递质。当味精摄入过多时，这种

抑制性神经递质就会使人体中各种神经功能处于抑制状态，从而出现眩晕、头痛、嗜睡、肌肉痉挛等一系列症状；有人还会出现焦躁、心慌意乱；部分体质较敏感的人甚至会觉得骨头酸痛、肌肉无力。另外，过多的抑制性神经递质还会抑制人体的下丘脑分泌促甲状腺释放激素，妨碍骨骼发育，对儿童的影响尤为显著。

味精吃多了，常常会感到口渴，这是因为味精中含有钠，过多摄入可导致高血压。60 岁以上的人对钠的摄入尤为敏感，所以，老年人和患有高血压、肾病、水肿等疾病的人尤其应该少吃味精。

当食用味精过多，超过机体的代谢能力时，还会导致血液中谷氨酸含量增高，限制人体对钙、镁、铜等必需矿物质的利用。尤其是谷氨酸可以与血液中的锌结合，生成不能被利用的谷氨酸锌被排出体外，导致人体缺锌。锌是婴幼儿身体和智力发育的重要营养素。因此，婴幼儿和正在哺乳期的母亲应禁食或少食味精。另外，日本研究人员认为，长期过量食用味精可能导致视网膜变薄、视力下降，甚至失明。

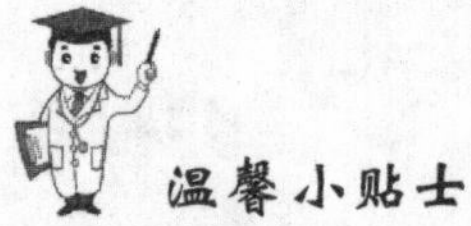

温馨小贴士

每顿饭摄取多少味精才合适呢？研究人员建议，每道菜不应超过0.5毫克。味精的副作用产生的严重程度会因为个人体质不同而有差异。所以，大家在享受美味时，也应注意健康。

第三篇　食物的搭配禁忌

我国的饮食文化博大精深，在长期的实践中，人们发现许多普通的食物搭配在一起食用，能够起到神奇的作用。但是，进补也要讲究科学，如果搭配不恰当，不但得不到我们所需要的营养物质，还会引起身体不适，严重的会导致疾病甚至威胁生命。

畜禽类

与猪肉相克的食物

猪肉和牛肉不共食的说法由来已久，《饮膳正要》指出："猪肉不可与牛肉同食。"这主要是从中医角度来考虑，一是从中医食物药性来看，猪肉酸冷、微寒，有滋腻阴寒之性，而牛肉则气味甘温，能补脾胃、壮腰脚，有安中益气之功。二者一温一寒，一补中脾胃，一冷腻虚人。性味有所抵触，故不宜同食。

中医云："猪肉共羊肝和食之，令人心闷。"这主要是因为羊肝气味苦寒，补肝、明目，治肝风虚热。"猪肉滋腻，入胃便作湿热"，从食物药性讲，配伍不宜。羊肝有膻气，与猪肉共同烹炒，则易生怪味，从烹饪角度讲看，亦不相宜。

从现代营养学观点来看，豆类与猪肉不宜搭配，是因为豆中植酸含量很高，60% ~80% 的磷是以植酸形式存在的。它常与蛋白质和矿物质元素形成复合物，而影响二者的可利用性，降低利用效率；还有就是因为豆类与瘦肉、鱼类等荤食中的矿物质如钙、铁、锌等结合，从而干扰和降低人体对这些元素的吸收。故猪肉与黄豆不宜搭配，猪蹄炖黄豆是不合适的搭配。

芫荽又名香菜，可去腥味，与羊肉同吃相宜。芫荽辛温，耗气伤神。猪肉滋腻，助湿热而生痰。古书有记载："凡肉有补，唯猪肉无补"。一耗气，一无补，故二者配食，对身体有损害。

猪肉与菱角同食肚子痛。

温馨小贴士

猪肉与豆苗同食有益健康。猪肉对保健和预防糖尿病有较好的作用。豆苗含钙质、B 族维生素、维生素 C 和胡萝卜素，是豌豆的嫩芽，有利尿、止泻、消肿、止痛和助消化等作用。豆苗能治疗晒黑的肌肤，使肌肤清爽不油腻。

与猪肝相克的食物

猪肝与富含维生素 C 的食物相克：引起不良生理效应，面部产生色素沉着。

猪肝与番茄、辣椒相克：猪肝中含有的铜、铁能使维生素 C 氧化为脱氢抗坏血酸而失去原来的功能。

猪肝与菜花相克：降低人体对两物中营养元素的吸收。

猪肝与荞麦相克：同食会影响消化。

猪肝与雀肉相克：同食会消化不良，还会引起中毒。

猪肝与豆芽相克：猪肝中的铜会加速豆芽中的维生素 C 氧化，失去其营

养价值。

温馨小贴士

猪肝与莲子同食相宜。猪肚营养丰富,具有补虚损,健脾胃的功效;莲子也有补脾益肾的作用。二者同食,对气血弱者很有好处。

与鸡肉相克的食物

鸡肉与芹菜同食伤元气。

鸡肉与芥末两者共食,恐助火热,无益于健康。

鸡肉与菊花同食会中毒。

鸡肉与糯米同食会引起身体不适。

鸡肉与糯米会引起痢疾。

鸡肉与芝麻同食严重的会导致死亡,用甘草水煎服可解。

温馨小贴士

鸡肉宜于与栗子同食。鸡肉为造血疗虚之品,栗子重在健脾。栗子烧鸡不仅味道鲜美,造血功能更强,尤以老母鸡烧栗子效果更佳。

与牛肉相克的食物

当炒牛肉加入碱时,氨基酸就会与碱发生反应,使蛋白质因沉淀变性而失去营养价值。

牛肉有很好的补益作用,酒也是大热之物,同时食用易导致便秘、口角发炎、目赤、耳鸣等症状。

田螺与牛肉气味相悖，同时食用对胃肠道的刺激较大，极易导致腹痛、腹泻和消化不良。

牛肉甘性，安中补气，补脾胃，壮腰脚与甘咸而温，益气厚肠胃，补肾气的栗子同食容易引起呕吐等消化不良。

温馨小贴士

西红柿与牛肉同食相宜。西红柿中含有大量叶酸，牛肉中含有维生素 B_{12}，二者搭配食用，可以促进人体对维生素 B_{12} 的吸收和利用。

与牛肝相克的食物

牛肝与富含维生素 C 的食物相克，猪肝中含有的铜、铁能使维生素 C 氧化为脱氢抗坏血酸而失去原来的功能。

牛肝与鲇鱼相克，可产生不良的生化反应，有害于人体。

牛肝与鳗鱼相克，可产生不良的生化反应。

温馨小贴士

牛肝宜于与枸杞子同食。牛肝能补肝明目，养血；枸杞子滋阴明目，益精填髓。此菜有滋补肝肾，明目益精的功效，对贫血等症有辅助治疗作用。

与羊肉相克的食物

羊肉性味甘热与性寒属生冷的西瓜同食容易“伤元气”，对阳虚或脾虚的患者，引起脾胃功能失调。

羊肉与豆酱相克，不宜同食。

羊肉与乳酪相克，二者功能相反，不宜同食。

羊肉与醋相克，醋宜与寒性食物相配，而羊肉大热，不宜配醋。

羊肉与竹笋相克，同食会引起中毒。

羊肉与半夏相克，同食影响营养成份吸收。

温馨小贴士

羊肉宜于同生姜一起食用，是冬令时节补虚佳品，可治腰背冷痛、四肢风湿疼痛等。羊肉可补气血和温肾阳，生姜有止痛祛风湿等作用。同食，生姜既能去腥膻等滋味，又能有助羊肉温阳祛寒。

与羊肝相克的食物

羊肝与红豆相克，同食会引起中毒。

羊肝与竹笋相克，同食会引起中毒。

温馨小贴士

羊肝有养肝明目之功，为肝病目疾之良药。能治雀盲眼(夜盲症)、眼干燥症。羊肝治夜症古已有记载。《隋巢氏病源》载："人有昼而睛明，至冥则不见物，世谓之雀目，言如鸟雀，冥便无所见也。"

与狗肉相克的食物

狗肉与鲤鱼相克，二者生化反应极为复杂，可能产生不利于人体的物质。

狗肉与茶相克，产生便秘，代谢产生的有毒物质和致癌物积滞肠内被动

吸收，不利于健康。

狗肉与大蒜相克，同食助火，容易损人。

狗肉与姜相克，同食会腹痛。

狗肉与朱砂与鲤鱼相克，同食会上火。

狗肉与狗肾相克，会引起痢疾。

狗肉与绿豆相克，同食会胀破肚皮。

温馨小贴士

狗肉不仅味道鲜美、营养丰富，而且具有入药疗疾的效用。狗肉味甘、咸、酸、性温，具有补中益气、温肾助阳之功。《普济方》说狗肉“久病大虚者，服之轻身，益气力”。《本草纲目》中载，狗肉能滋补血气，专走脾肾二经而瞬时暖胃祛寒‘补肾壮阳’，服之能使气血溢沛，百脉沸腾。故此，中医历来认为狗肉是一味良好的中药，有补肾、益精、温补、壮阳等功用。

与鸭肉相克的食物

鸭肉与栗子同食会造成中毒。

鸭肉与鳖相克，久食会令人阳虚。

温馨小贴士

鸭肉与山药相宜，同食具有补阴养肺的作用，特别适于体质虚弱者。鸭肉补阴，并可消热止咳，而山药的补阴作用更强，与鸭肉伴食，可消除油腻，同时可以很好地补肺。

与鹅肉相克的食物

鹅肉与鸡蛋同食伤元气。

鹅肉与鸭梨同食伤肾脏。

鹅肉与柿子同食严重的会死亡，可以用绿豆水煎服解毒。

温馨小贴士

鹅肉是理想的高蛋白、低脂肪、低胆固醇的营养健康食品。每100克鹅肉含蛋白质10.8克，钙13毫克，磷37毫克，热量144千卡，还含有钾、钠等十多种微量元素。鹅肉含有人体生长发育所必需的各种氨基酸，其组成接近人体所需氨基酸的比例，从生物学价值上来看，鹅肉是优质蛋白质。鹅肉中的脂肪含量较低，仅比鸡肉高一点，比其他肉要低得多。鹅肉不仅脂肪含量低，而且品质好，不饱和脂肪酸的含量高达66.3%，特别是亚麻酸含量高达4%，均超过其他肉类，对人体健康有利。鹅肉脂肪的熔点亦很低，质地柔软，容易被人体消化吸收。

与鸡蛋相克的食物

鸡蛋与豆浆相克，降低人体对蛋白质的吸收率。

鸡蛋与地瓜相克，同食会腹痛。

鸡蛋与消炎片相克，同食会中毒。

温馨小贴士

鸡蛋是一种营养非常丰富、价格相对低廉的常用食品。它的食用对象

相当广泛，从4～5个月的婴儿一直到老人，都适宜食用鸡蛋。鸡蛋含丰富的优质蛋白，每百克鸡蛋含12.7克蛋白质，两只鸡蛋所含的蛋白质大致相当于3两鱼或瘦肉的蛋白质。鸡蛋蛋白质的消化率也是最高的。豆浆中含有胰蛋白酶抑制物，它能抑制人体蛋白酶的活性，影响蛋白质在人体内的消化和吸收，鸡蛋的蛋清里含有黏性蛋白，可以同豆浆中的胰蛋酶结合，使蛋白质的分解受到阻碍，从而降低人体对蛋白质的吸收率。

瓜果蔬菜类

与菠菜相克的食物

豆腐与菠菜相克。豆腐里含有氯化镁、硫酸钙这两种物质，而菠菜中则含有草酸，两种食物遇到一起可生成草酸镁和草酸钙。这两种白色的沉淀物不能被人体吸收，它不仅影响人体吸收钙质，而且还容易患结石症。医生建议，如果两者能分开吃，营养吸收会比较好。

菠菜与鳝鱼相克。鳝鱼的食物药性味甘大温，可补中益气，除腹中冷气。而菠菜性甘冷而滑，下气润燥，据《本草纲目》记载，可以“通肠胃热”，由此可见，二者食物药性的性味功能皆不相协调。而且鳝鱼油煎多脂，菠菜冷滑，同食也容易导致腹泻，所以二者不宜同食。

黄瓜与菠菜相克：菠菜中的维生素C会被黄瓜中的分解酶破坏。

温馨小贴士

菠菜的种类很多，按其叶子的形状可分为大叶、圆叶、尖叶三种；按栽种的季节又可分为春、夏、秋、冬四季菠菜，其中以绿色叶肥、鲜嫩、无虫病的秋

种者为佳。菠菜具有肥嫩的绿叶、粉红色的根。故有“红嘴绿鹦哥”之美称。菠菜食用的方法有多种多样,可炒菜、凉拌、烧汤、制馅等。

菠菜营养丰富,是一种有利于健康的蔬菜,还是一种较好的保健食品。中医学认为,菠菜性甘凉,入胃、大肠经,具有养血、止血、滋阴润燥、解酒、防感冒、抑癌症等功用。糖尿病、高血压、痔疮、便秘患者适于食用,还可治疗维生素缺乏症(如夜盲症等)、跌打损伤、鼻衄、神经衰弱等。

与萝卜相克的食物

白萝卜中的维生素C含量极高,但红萝卜中却含有一种叫抗坏血酸的分解酵素,它会破坏白萝卜中的维生素C。因此,红萝卜不应与含维生素C的蔬菜配合烹调,胡瓜、南瓜等也含有类似红萝卜的分解酵素。

萝卜不宜与水果同吃。日常饮食中,若将萝卜同食,会诱发甲状腺肿。萝卜在身体中会产生一种抗甲状腺的物质——硫氰酸,如果摄入含大量植物色素的水果如:梨、苹果、葡萄等,它们中的类黄酮物质可降低硫氰酸抑制甲状腺的作用,从而诱发或导致甲状腺肿。

萝卜与桔子相克。人们大都知道,甲状腺肿——大脖子病是由于缺碘造成的,而对萝卜与桔子同时食用,也会诱发甲状腺肿却知之甚少。科学家通过大量的临床实验发现,萝卜等十字花科蔬菜摄入到人体后,可迅速产生一种叫硫氰酸盐的物质,并很快代谢产生另一种抗甲状腺的物质——硫氰酸。该物质产生的多少与这类蔬菜的摄入量成正比。此时,如果同时摄入含有大量植物色素的桔子,桔子中的类黄酮物质在肠道被细菌分解,转化成羟苯甲酸。这两种酸可加强硫氰酸抑制甲状腺功能,从而诱发或导致甲状腺肿。因此,专家提醒人们,在食用萝卜等十字花科蔬菜后,不宜马上吃桔子。尤其在甲状腺肿流行的地区,或正在患甲状腺肿的人,更应注意。

胡萝卜与醋相克。胡萝卜含有大量胡萝卜素,人体消化后,可以变成维生素A,维生素A有助眼睛和皮肤的健康。炒胡萝卜放醋会将胡萝卜素破

坏殆尽。

温馨小贴士

萝卜会产生一种抗甲状腺的物质硫氰酸，如果同时食用大量的橘子、苹果、葡萄等水果，水果中的类黄酮物质在肠道经细菌分解后就会转化为抑制甲状腺作用的硫氰酸，进而诱发甲状腺肿大。

与西红柿相克的食物

西红柿中含大量维生素 C，每 100 克西红柿中含有 20～30 毫克维生素 C。维生素 C 有增强机体抵抗力、防治坏血病、抵抗感染等作用。而黄瓜中含有多量维生素 C 分解酶，将它们同时吃可使西红柿中的维生素 C 遭到破坏。

西红柿性寒、味干能清热生津、润肺，它含有蛋白质、糖类、脂肪、果胶、等营养物质。土豆味甘、性平，补虚益气，强肾健脾，内含大量糖类等营养物质。二者同食既难以消化又不易排出，容易得胃柿石，严重者要及时送医院救治。

冰棒与西红柿同食会中毒。

温馨小贴士

西红柿与鸡蛋同食相宜。西红柿中的维生素 C 含量相当丰富，但维生素 C 易被氧化；鸡蛋中含有较多的维生素 E，有较强的抗氧化作用。二者搭配，有利于人体吸收它们的营养。

与土豆相克的食物

由于土豆和牛肉在被消化时所需的胃酸的浓度不同,会引起胃肠消化吸收时间的延长,久而久之,必然导致肠胃功能的紊乱。

土豆忌与香蕉同食,同食有可能会造成脸上生雀斑,土豆与兔肉同食,会使面部产生色素沉着,也会造成雀斑。

温馨小贴士

食用土豆时,最好加入适量的醋。土豆营养丰富且养分平衡,但它含有微量的有毒物质龙葵素。若在土豆中加入醋,则可以有效地分解有毒物质。

与芹菜相克的食物

芹菜与黄瓜相克:芹菜中的维生素C将会被分解破坏,降低营养价值。

芹菜与蚬、蛤、毛蚶、蟹相克:芹菜会将蚬、蛤、毛蚶、蟹中所含的维生素 B_1 全部破坏。

芹菜与甲鱼相克,同食会中毒。

芹菜与菊花相克,同食会引起呕吐。

芹菜与鸡肉相克,同食会伤元气。

温馨小贴士

芹菜宜与西红柿同食。芹菜和西红柿同时食用有降低血压之功效,特别适合心血管疾病患者食用。

与黄瓜相克的食物

黄瓜与柑橘相克:柑橘中的维生素C会被黄瓜中的分解酶破坏。

黄瓜与辣椒相克:辣椒中的维生素C会被黄瓜中的分解酶破坏。

黄瓜与花菜相克:花菜中的维生素C会被黄瓜中的分解酶破坏。

黄瓜与菠菜相克:菠菜中的维生素C会被黄瓜中的分解酶破坏。

温馨小贴士

黄瓜适合与豆腐同吃。黄瓜有清热解毒,消肿利尿,止泻,镇痛的作用。豆腐含有较高的蛋白质和钙,适宜于高血压,肥胖症,癌症,水肿,清热烦渴,咽喉肿痛等患者食用。

与葱相克的食物

葱中含有大量的草酸,豆腐中的钙与葱中的草酸结合会形成白色沉淀——草酸钙,造成人体对钙的吸收困难。钙是人体必需的元素,如果长期人为地造成对钙的吸收困难,则会导致人体内钙质的缺乏。

葱与狗肉相克,同吃会引起上火。葱与枣相克,同吃会导致虚火上升。

温馨小贴士

牛肉与葱适宜同食。牛肉补脾胃,滋补健身,营养价值高葱含多种维生素及各种糖类,有去毒消肿,降低胆固醇,杀菌防癌等功效,对风寒感冒,头痛鼻塞,面目浮肿,疮痛跌打有疗效。

与大蒜相克的食物

大蒜与大葱,同食会伤胃。

大蒜与蜂蜜性质相反,不宜同吃。

狗肉与大蒜,同食助火,容易损人。

鸡肉与大蒜不宜同食。大蒜原称"葫",其性辛温有毒,主下气消谷,除风、杀毒。古人说:"大蒜属火、性热喜散。"而鸡肉甘酸温补,二者功用相佐,且蒜气熏臭,从调味角度讲,也与鸡不合。古典《金匮要略》中就有"鸡不可合葫蒜食之,滞气"的记载。

温馨小贴士

在做肉类食物时,可以适当的加些大蒜做佐料。瘦肉中含有维生素 B_1,如果吃肉时伴有大蒜,可延长维生素 B_1 在人体内的停留时间,这对增强体质,有着重要的营养价值。

与辣椒相克的食物

辣椒与胡萝卜相克:辣椒中的维生素 C 会被胡萝卜中的分解酶破坏。

辣椒与南瓜相克:辣椒中的维生素 C 会被南瓜中的分解酶破坏。

黄瓜与辣椒相克:辣椒中的维生素 C 会被黄瓜中的分解酶破坏。

猪肝与辣椒相克:猪肝中含有的铜、铁能使维生素 C 氧化为脱氢抗坏血酸而失去原来的功能。

温馨小贴士

鸡肉与辣椒适宜同时食用。此菜含有丰富的蛋白质,维生素和矿物质,

对儿童的生长发育很有帮助。

与韭菜相克的食物

韭菜与牛肉相克,同食容易中毒。解救方法:吃人奶或豉汁。

韭菜与白酒相克,相当于火上加油,伤害身体。

牛奶与韭菜相克,会影响钙的吸收。

蜂蜜与韭菜相克,同食会导致腹泻。

温馨小贴士

豆腐非常适合与韭菜同食。韭菜有促进血液循环,健胃提神等功效。豆腐润燥生津适宜于阳痿、阳衰、早泄、遗精、遗尿、妇女阳气不足、大便干燥、癌症患者食用。

水产品类

吃海鲜不要喝啤酒

海鲜是一种含有嘌呤和苷酸两种成分的食物,而啤酒中则富含分解这两种成分的重要催化剂——维生素 B_1。如果吃海鲜时饮啤酒,会促使有害物质在体内的结合,增加人体血液中的尿酸含量,从而形成难排的尿路结石。如果自身代谢有问题,吃海鲜的时候喝啤酒容易导致血尿酸水平急剧升高,诱发痛风,以致出现痛风性肾病、痛风性关节炎等。

温馨小贴士

吃海鲜最好喝白葡萄酒。白葡萄酒具有更强大的杀菌作用。鱼、虾、贝等海产品容易腐败,是因为它们体内带有大量细菌。西方人很早就发现,如果吃海鲜时喝白葡萄酒,便不易发生食物中毒,久而久之形成了吃海鲜配葡萄酒的习惯。

白葡萄酒比红葡萄酒更适合与海鲜搭配。一般来说,味道清单的海鲜类菜肴宜配白葡萄酒或粉红葡萄酒,而味道浓重的牛羊肉类菜肴宜配红葡萄酒。

与螃蟹相克的食物

螃蟹与金瓜相克,同食会损伤肠胃。

螃蟹与冰水相克,同食会中毒。解救方法:吃藕节(煮水)。

螃蟹与柿子相克,同食则中毒。解救方法:吃藕节(煮水)。

螃蟹与生花生相克,同食则中毒。解救方法:吃黄泥水。

螃蟹与柑桔相克,同食则中毒。解救方法:吃大蒜汁。

螃蟹与芹菜不宜同吃,同食会引起蛋白质的吸收。

螃蟹与南瓜相克,同食会引起中毒。

螃蟹与地瓜不宜同吃,同食容易在体内凝成柿石。

螃蟹与香瓜同食易导致腹泻。

螃蟹与石榴同食,会刺激胃肠,出现腹痛、恶心、呕吐等症状。

螃蟹与泥鳅功能正好相反,不宜同吃。

螃蟹与冷食不宜同吃,会导致腹泻。

螃蟹与茄子、生梨同食,会伤人肠胃。

温馨小贴士

螃蟹生长在江河湖泊里，又喜食小生物、水草及腐烂动物，蟹的体表、鳃部和胃肠道均沾满了细菌、病毒等致病微生物。生吃、腌吃或醉吃螃蟹，都有可能会感染肺吸虫。

研究发现，活蟹体内的肺吸虫幼虫囊蚴感染率和感染度是很高的，肺吸虫寄生在肺里，刺激或破坏肺组织，能引起咳嗽，甚至咯血，如果侵入脑部，则会引起瘫痪。生吃螃蟹，还可能会被副溶血性弧菌感染，副溶血性弧菌大量侵入人体会发生感染性中毒，表现出肠道发炎、水肿及充血等症状。

所以，吃蒸煮熟的螃蟹是最卫生安全的。蒸煮螃蟹时要注意，在水开后至少还要再蒸煮20分钟，蒸煮熟煮透才可能把蟹肉上的病菌杀死。

与鲤鱼相克的食物

鲤鱼与咸菜相克，同食可引起消化道癌肿。

鲤鱼与南瓜相克，同食会中毒。

鲤鱼与甘草相克，同食会中毒。

鲤鱼与猪肝不宜同时食用，同食会影响消化。

鲤鱼与赤小豆相克：赤小豆甘酸咸冷，功能下水肿利小便，解热毒散恶血，而鲤鱼亦能利水消肿，两者同煮，利水作用更强。食疗中虽然有鲤鱼赤小豆汤能治肾炎水肿，但这是针对病人而言，正常人不可服用。

鲤鱼与狗肉相克：鲤鱼气味甘平，利水下气，除含有蛋白质、脂肪、钙、磷铁外，还有十几种游离氨基酸及组织蛋白酶与狗肉同食可产生不利于人体的物质。狗肉和鲤鱼不可共食，更不能同烹。

温馨小贴士

鲤鱼适宜搭配米醋共同食用。鲤鱼本身有涤水之功,人体水肿除肾炎外大都是湿肿,米醋有利湿的功能,若与鲤鱼共食,利湿的功能倍增。

与鲫鱼相克的食物

鲫鱼与蜂糖相克,同食则中毒。解救:吃黑豆甘草汤。

鲫鱼与蜂蜜相克,同食会中毒。

鲫鱼与猪肝相克,同食具有刺激作用。

鲫鱼与冬瓜相克,同食会使身体脱水。

鲫鱼与猪肉相克,二者起生化反应,不利于健康。

温馨小贴士

鲫鱼宜于与黑木耳搭配食用。此菜配合含有温中补虚利尿作用,且脂肪含量低,蛋白质含量高,适合减肥和老年人食用,常吃有润夫养颜和抗衰老的作用。

与虾相克的食物

河虾与番茄相克,同食易食物中毒。

虾与大枣相克,同时食用可转化为砒霜,有大毒。

虾与果汁相克,同食会腹泻。

虾与南瓜相克,同食会引起痢疾。

虾皮与黄豆不宜一块吃,同食会影响消化。

虾皮与红枣相克,同食会中毒。

虾与富含维生素C的食物相克,同时会生成砒霜,有剧毒。

温馨小贴士

炒虾仁不宜放青椒,虾仁所含五价砷是无毒的,青椒中含有丰富的维生素C,与虾仁中的五价砷结合,会还原成三价砷,从而产生毒性。

与鳖肉相克的食物

鳖肉与猪肉相克:《本草纲目》曾引述医圣孙思邈的话说:"鳖肉不可和猪、兔、鸭肉食,损人。"因为猪、兔、鸭肉食,损人。"因为猪、兔、鸭之肉都属寒性,而鳖也属寒性,故不宜配食。

鳖肉与芥子相克:孙思邈说:"鳖肉不可和芥子食,生恶疮。"芥子气味辛热,能温中利气,白芥子辛烈更甚。与鳖肉同食,冷热相反,于人不利。故食与鳖肉不宜加芥末作为调味品。

鳖肉与苋菜同食难以消化。《本草纲目》记载:"苋菜味甘,性冷利,令人冷中损腹。"而鳖肉亦性冷,二者同食难以消化,可能会形成肠胃积滞。又:鳖瘕,近简乎现代医学中所说的肝脾肿大和中医所说的"痞块"。可能由苋菜与鳖肉中的生化成分所产生的不良作用引起。

鳖肉与鸭蛋相克。《金匮要略》中说:"鸭卵不可合鳖肉食之。"鸭蛋甘咸微寒,而鳖肉也是寒性食物,所以从食物药性学角度来说,二物皆属凉性,不宜同食。特别是对体质虚寒的人来说,更应忌同食。

温馨小贴士

鳖的肉、甲、头、血都有很好的医疗作用,因而,它历来被视为滋补佳品。

鳖肉味甘性平,有滋阴、清热、益肾健胃、养血壮阳、凉血散结等多种功效。夏季气候炎热,最易伤及人体阴津与气分,此时吃些甲鱼,可起到补益气阴,健脾开胃,增进体质的作用。此外,还适用于阴虚发热、久疟、脱肛、子宫下垂、崩漏、带下、慢性痢疾等症。癌症病人在手术后及放射治疗或化学药物治疗中出现口干内热的阴虚血弱表现时,食用鳖肉,可起到辅助治疗作用,有益于恢复健康。

与田螺相克的食物

田螺与香瓜同食有损肠胃,容易闹肚子。

田螺与牛肉同食不易消化,会引起腹胀。

田螺与蚕豆同食会肠绞痛。

田螺不宜与大多性味咸寒或咸冷的蛤同食。

田螺与玉米同食容易中毒。

田螺与木耳相克,木耳性味甘平,含有蛋白质、脂肪、维生素、矿物质,还含有磷脂、植物胶质等营养成分,寒性的田螺与其同食不利于消化。

温馨小贴士

田螺属贝壳类水产品,产于湖泊、池塘、沼泽、河流和水田中,营养丰富,素有"盘中珍珠"之誉。祖国医学用田螺防病治病历史悠久。明代唐寅开过一剂处方:"尖尖宝塔五六层,和尚出门慢步行。一把圆扇半遮面,听见人来就关门。"这张奇妙处方的谜底就是田螺。中医认为,田螺味甘、性寒,具有清热、明目、利水、通淋等功效,主治目热赤痛、尿闭、痔疮、黄疸、小儿惊风等症。

鳝鱼与狗肉相克

鳝鱼与狗肉二者同食,温热助火作用更强,不利于常人。

鳗鱼与牛肝相克

鳗鱼与牛肝二者起生化反应,不利于健康。

墨鱼与茄子相克

墨鱼与茄子同食容易引起霍乱。

鲶鱼与牛肉相克

鲶鱼与牛肉同食会引起中毒。

海带与猪血相克

海带与猪血同食会便秘。

蛤与芹菜相克

蛤与芹菜同食会引起腹泻。

温馨小贴士

咸鱼不宜与乳酸饮料搭配食用。由于咸鱼制品中的硝酸盐在乳酸菌作用下，还原成亚硝酸盐，在唾液中的硫氰酸根催化下，产生致癌物，可能引起胃肠、肝等消化器官癌变。

饮料类

与酒相克的饮料

酒与咖啡相克：酒中所含有的酒精，具有兴奋作用。而咖啡中所含有的咖啡因，同样具有兴奋作用。如果将两者同时饮用，会加重紧张和烦燥情绪。若是患有神经性头痛的人将两者同时饮用，会立即引发病痛，如果是有经常性失眠症状的人，会导致病情进一步恶化。如果是患有心脏疾病，其后果则更为不妙。当在不知情的时候将两者同时饮用，可服用大量的清水或是在水中加入少许葡萄糖和食盐喝下，可以缓解一下不适症状。

白酒与牛奶相克：酒与牛奶导致脂肪肝，增加有毒物质的形成，降低奶类的营养价值，有害健康。同时酒与牛奶同食会引起痢疾。

白酒与啤酒相克：啤酒中含有大量的二氧化碳，很容易挥发，如果与白酒同饮，就会带动酒精渗透。有些人常常是先喝啤酒再喝白酒，这样做极不妥当。要想减少酒精在体内的驻留，最好是多饮一些水，以此加快排泄。

白酒与汽水相克：白酒、汽水同饮后会很快使酒精在全身挥发，并生产大量的二氧化碳，对胃、肠、肝、肾等器官有严重危害，对心脑血管也有损害。

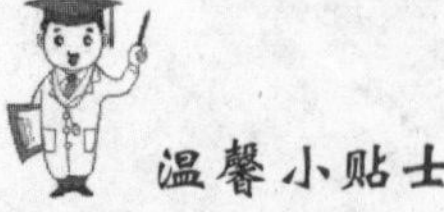

温馨小贴士

简易解酒法：吃梨、橙、柑、橘、苹果、香蕉、荸荠等，均可冲淡血液中酒精浓度，加速酒精的排泄而解酒。

与酒相克的食物

白酒与胡萝卜相克：人们在用餐喝酒时一定要适量，不要喝高度白酒，更不要将酒与胡萝卜同食。因为胡萝卜中含有丰富的β胡萝卜素，与酒精一同进入人体后，会在肝脏中产生毒素，导致肝病的发生。

白酒与韭菜相克：白酒甘辛微苦，性大热，含乙醇约60%左右，1克乙醇在体内燃烧，产热7100卡，乙醇在肝内代谢，嗜酒者可引起酒精中毒性肝炎、脂肪肝及肝硬化。酒性辛热，有刺激性，能扩张血管，使血流加快，又可引起胃炎和胃肠道溃疡复发。韭菜性亦属辛温，能壮阳活血，食生韭菜饮白酒，就像火上加油，久食动血，有出血性疾病的患者更要加倍注意。

白酒与牛肉相克：白酒与牛肉同食犹如火上浇油，容易引起牙齿发炎。

白酒与核桃相克：白酒与核桃同食易致血热，轻者燥咳，严重时会出鼻血。

白酒与鲜鱼相克：富含维生素D的食物有鱼、鱼肝、鱼肝油等，吃此类食物饮酒，会减少人对维生毒D吸收量的60%～70%。人们常常是鲜鱼佐美酒，岂不知这样白白丢掉了许多上好的营养。

温馨小贴士

饮酒小窍门：1. 饮酒前先喝一杯牛奶。2. 饮酒前吃两片肥肉。3. 喝酒中不时含点盐。

忌用豆浆冲鸡蛋

生豆浆中含有胰蛋白酶抑制物，它能抑制人体蛋白酶的活性，影响蛋白质在人体内的消化和吸收，鸡蛋的蛋清里含有黏性蛋白，可以同豆浆中的胰

蛋白酶结合，使蛋白质的分解受到阻碍，从而降低人体对蛋白质的吸收率。鸡蛋中的黏液性蛋白会与豆浆中的胰蛋白酶结合，从而失去二者应有的营养价值。

温馨小贴士

豆浆是用大豆浸泡后磨成的饮料，既可以直接饮用，又能够做成豆制品。豆浆的营养来源于大豆。大豆的蛋白质含量是很高的，大约有35%～40%左右，它比各种肉类的蛋白质含量要高两三倍。除蛋白质、钙、铁等各种微量元素和矿物质外，大豆中还含有豆固醇、不饱和脂肪酸和卵磷脂，这些物质可以帮助人们降低血液中胆固醇的浓度，预防多种心脑血管疾病和其他慢性病。

与牛奶相克的食物

牛奶与果糖相克：牛奶在加热的情况下与果糖同食，会产生有毒的果糖氨基酸，有害人体。

牛奶与韭菜相克：牛奶与含草酸多的韭菜混合食用，就会影响钙的吸收。

牛奶与米汤相克：牛奶与米汤同食易导致维生素A大量损失。

牛奶与菜花相克：牛奶与菜花同食，菜花中含的化学成分影响钙的消化吸收。

牛奶与钙粉相克：牛奶中含有丰富的钙质、蛋白质和脂肪，如果与钙粉同食会导致肠胃对钙质吸收下降，此做法不可取。

牛奶与巧克力相克：牛奶含丰富的蛋白质和钙，巧克力则含草酸，若二者混在一起吃，牛奶中的钙会与巧克力中的草酸结合成一种不溶于水的草酸钙，食用后不但不吸收，还会发生腹泻、头发干枯等症状，影响生长发育。

温馨小贴士

刚喝完牛奶就吃橘子，牛奶中的蛋白质就会先与橘子中的果酸和维生素C相遇而凝固成块，影响消化吸收，而且还会使人发生腹胀、腹痛、腹泻等症状。

五谷杂粮类

红豆与羊肚相克

红豆与羊肚同食会引起中毒。

红豆与鲤鱼相克

红豆性寒，有利水消肿的作用，鲤鱼有利水消肿功能，二者同食，利水作用更强，不合适正常人食用。

黄豆与酸奶相克

酸奶中含有丰富的钙质，而黄豆所含的化学成分会影响人体对钙的消化吸收。

黄豆与猪血相克

黄豆与猪血同食会消化不良。

小米与杏仁相克

小米能健脾、和胃,使人安眠,杏仁主治风寒肺病,是生津止渴、润肺化痰、清热解毒的良药,但二者不能同食,否则会导致人呕吐,恶心。

温馨小贴士

红豆忌加盐吃。红豆能促进心脏活化,并有利尿消肿的功能,但是,红豆制品只能做甜食,如为了口欲加上盐,利尿的功能就会减半。而且甜咸参半的食物,吃后使人神经不安。

调料类

与红糖相克的食物

红糖与生鸡蛋相克:红糖与生鸡蛋同食会引起中毒。

红糖与皮蛋相克,同食会引起中毒。

红糖与竹笋相克,同食形成赖氨酸糖基,对人体不利。

豆浆不要与红糖搭配:红糖里的有机酸能够与豆浆中的蛋白质结合产生沉淀,对身体不利。白糖可与豆浆同食。

牛奶不要和红糖搭配:红糖中的非糖物质及有机酸(如草酸、苹果酸)较多,奶中的蛋白质遇到酸碱易发生凝聚或沉淀,营养价值大大降低。

温馨小贴士

从营养角度来比较，白糖远不如红糖营养价值高。红糖的含钙量是白糖的10倍，含葡萄糖量是白糖的22倍，含铁量是白糖的3.6倍。红糖还含有人体生长发育必不可少的核黄素、胡萝卜素、尼克酸和微量元素锰、锌、铬等各种元素。

红糖是生产白糖剩下的产品，保留的营养素虽然较多，可是内含有一些杂质。因此，食用红糖要得法，不要直接食用，最好是烧成红糖水饮用。食红糖每次要适量，以免量过多而影响食欲和胃肠道的消化吸收。

与蜂蜜相克的食物

蜂蜜与韭菜同科同属性皆辛温而热，均含蒜辣素和硫化物不宜同食。

蜂蜜与豆腐同食易导致腹泻。

蜂蜜与毛蟹同食会引起中毒。

蜂蜜与大米同食会胃痛。

蜂蜜中含有机酸、酶类与含硫氨基酸的洋葱同食会产生有毒物质刺激肠胃，从而导致腹胀、腹泻。

温馨小贴士

由于蜂蜜有很高的营养价值，经现代医学临床应用，服用蜂蜜可促进消化吸收，增进食欲，镇静安眠，提高机体的免疫力，对促进婴幼儿的生长发育有着积极的作用。因为婴幼儿的生长发育所需各种营养成分，蜂蜜中几乎都含有。特别是对虚弱无力，神经衰弱，病后恢复期，老年体虚营养不良等辅助疗效更佳。对心脏病、肝炎、贫血、高血压、咳嗽、便秘、烫伤、冻伤、胃及十二指肠等疾病都有相当的疗效。

第四篇　警惕食源性毒物

近年来,隐藏在食品卫生中的不安全问题触目惊心,令人发怵。产生食品安全问题的原因是多方面的,既包括不法商贩的非法加工,也包括化学、农药污染引起的中毒,还包括某些食物本身的毒性或细菌性感染引起的中毒。食品生产与加工中任何环节的操作失误,均能导致食物中毒的发生。

易导致中毒的生活习惯

诱发食物中毒的常见原因

引起食物中毒的原因有很多,但最主要的有以下几种:

(1)化学性食物中毒。主要指一些有毒的金属、非金属及其化合物,农药和亚硝酸盐化学物质污染食物而引起的食物中毒。

(2)蔬菜水果表面的农药残留。在水果、蔬菜的洗涤中,使用果蔬洗涤剂充分洗净,再用流动的清水洗净洗涤剂残留。另外,削皮也能增强安全保险系数。

(3)微生物食物中毒。包括细菌、病毒、真菌等引发的食物中毒。

(4)细菌性食物中毒。是吃了含有大量活的细菌或细菌毒素的食物而引起的食物中毒,是食物最常见的一类。

(5)病毒性食物中毒。是摄入带有病毒的食品而发生的食物中毒,危害巨大,食用前应充分加热。

(6)真菌性食物中毒。最典型的例子是黄曲霉毒素引发的食物中毒,由霉变的谷物、花生等产生,黄曲霉毒素的直接危害是引发肝癌。真菌较易在含糖高的食物中繁殖。如腐烂的水果、常温存放的果酱、番茄酱等。

(7)有毒有害原料引发的食物中毒。常见的有毒动植物品种有河豚鱼中毒、含高组胺鱼类中毒、毒蕈中毒,含氰甙植物中毒(如苦杏仁)、发芽马铃薯中毒、生豆浆中毒等。

(8)不良烹饪过程引发的食物中毒。因加热不彻底引发的四季豆食物中毒事件和豆浆中毒事件屡见不鲜。其实解决这类事件并不难,只要在烹饪制作过程上延长加热时间,使其天然毒素破坏即可。

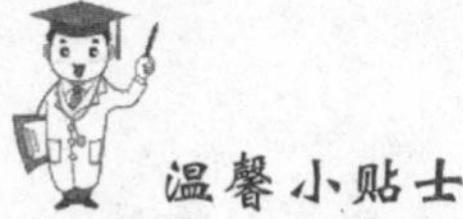

温馨小贴士

我国对蔬菜的最大用药量、最后一次施药距离收获日期的天数、农药的最多使用次数、农药的最高残留量都有严格的规定。目前一般的执行方法为:夏季气温高,农药毒性消失较快,故施用农药后安全间隔期为5~7天;春、秋季则最少需要7~10天;冬季在15天以上。绝不允许喷施农药后的蔬菜立即采收。在这种情况下,被蔬菜吸收的农药即使经过清洗、煮、炒也不能被清除。

熟食放冰箱　别裹保鲜膜

超市中的熟食大多包裹一层保鲜膜,很多消费者认为这就是层“保护膜”,买回家直接放到冰箱里就行了。事实上,应该把保鲜膜撕掉后再储存。

目前,生产食品保鲜膜的原料主要有三种,分别是聚乙烯(简称PE)、聚氯乙烯(PVC)和聚二氯乙烯(PVDC)。市面上所售的大多数保鲜膜使用的

原料是聚乙烯，由于其在生产过程中不添加任何增塑剂，被公认为是最安全的。

然而，超市中用来包裹食品的保鲜膜也有可能使用聚氯乙烯材质。实验证明，这种保鲜膜为增加其附着力，含有一种增塑剂，这种化学物质极易渗入食物，尤其是高脂肪食物，食用后会影响人体健康。韩国等政府都已开始禁止使用这种保鲜膜。

对此，消费者可以采取以下办法：回家后就把保鲜膜撕掉，将食物用食品保鲜袋包装起来，再放进冰箱；也可以将食物装在有盖的陶瓷容器中；如果是没有盖的容器，覆盖保鲜膜时，尽量别把食物装太满，以防接触到保鲜膜。

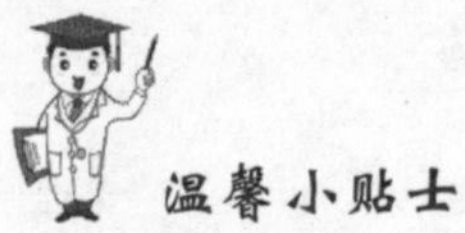

温馨小贴士

在菜还热着时，也不要盖保鲜膜，因为那样会增加菜中维生素的损失。最好等菜完全冷却后，再盖保鲜膜。

微波炉加热爆米花可能致癌

有消息称，最近美国一名爆米花加工厂的工人被查出得了肺癌，需要移植双侧的肺才有可能维持生命，而导致这个悲剧的罪魁祸首正是爆米花的香味儿。

为此，美国环保总署特意对微波炉加热爆米花时，对所散发出的香味中的化学物质进行了检验，结果发现包装袋中的一种被称为二乙酰的物质严重超标。美国多家微波爆米花调味车间的工人罹患罕见肺病，也被认为与他们接触奶油口味爆米花冒出的气体有关。

崩爆米花及其产生的气体是否危害健康？国内专家指出。目前还没有关于袋装爆米花加热产生的气体可致癌的定论，但过度的二乙酰极可能诱

发癌症等多种疾病，如果经常接触含有过量二乙酰的气体，人体必然会受到损害。在目前情况下，消费者在家庭中使用微波炉加热爆米花时，最好远离加热区至少两米以上，加热完成后最好打开包装袋放在通风处吹一会在食用。

专家指出，含有二乙酰结构的物质有很多，比如二乙酰胺，少量的物质对人体没有危害，但如果经常接触过量的此类物质必定会给人体健康带来危害。

温馨小贴士

街头爆米机崩出的爆米花含铅量极高。由于爆米机的铁罐内涂有一层含铅的合金，当给爆米机加热时，其中的一部分铅会变成铅蒸气进入爆米花中，铅就会随着爆米花进入人体，进而损害人的神经系统和消化系统。尤其是儿童对铅的解毒功能弱，常吃爆米花极易发生慢性铅中毒，造成食欲下降、腹泻、烦躁、牙龈发紫以及生长发育缓慢等现象。因此，家长不要让儿童常食爆米花。

慎用一次性纸杯

在外做客时您是否经常使用一次性纸杯？您也许觉得这样比较“卫生”，殊不知一些劣质纸杯违规使用荧光漂白剂、再生聚乙烯，或由于工艺材料不过关，在盛倒热水时会释放大量有害化合物。

纸杯在生产中为了达到隔水效果，会在内壁涂一层聚乙烯隔水膜。聚乙烯是食物加工中最安全的化学物质，它在水中是很难溶解的，无毒、无味。但如果所选用的材料不好，或加工工艺不过关，在聚乙烯热熔或涂抹到纸杯过程中，可能会氧化为羰基化合物。羰基化合物在常温下不易挥发，但在纸杯倒入热水时，就可能挥发出来，所以人们会闻到有怪味。虽然目前还没有研究证实,纸杯上释放出的羰基化合物究竟会给人体带来怎样的危害,会导致什么恶性疾病,但从一般理论上分析,长期摄入这种有机化合物,对人体一定是有害的。

更令人担心的是,有的劣质纸杯采用再生聚乙烯,在再加工过程中会产生裂解变化,产生许多有害化合物,在使用中更易向水中迁移。国家明令禁止再生聚乙烯用于食品包装,但因为再生聚乙烯价格便宜,有些小厂为节省成本,仍违规使用。

温馨小贴士

喝水或饮料时,最好使用玻璃或陶瓷的杯子,以防一次性纸杯中毒。

警惕洗涤剂残留

20 世纪 80 年代后期,许多国家都报告了人类使用合成洗涤剂对健康的不良影响。长期使用表面活性剂不仅对皮肤有刺激,用其洗涤水果、蔬菜及家用餐具时,残留的烷基苯磺酸盐也对人体有害。日本报道长期用肥皂粉洗涤饭盒的女工癌症发病率上升,此外发现在合成烷基苯车间工作的工人结肠癌发病率较高。用洗涤剂清洗餐具后,必须用大量水冲洗,彻底除去有毒物质,这就造成水环境污染和水资源的浪费。

目前用的大部分餐洗剂主要去污成分是化学合成的烷基苯类活性剂。因此,用餐洗剂洗餐具后一定要反复冲洗,彻底去除残留物。

温馨小贴士

目前,许多国家都成功开发了来自天然植物的油脂型餐洗剂,用无毒的葡萄糖苷取代烷基苯磺酸盐,使餐洗剂走向了健康、温和、无污染的轨道,人

们称之为"绿色餐洗剂"。因此,大家今后在用洗涤剂的时候可以买那些"绿色餐洗剂"了。

还是"祖母的面包"好

随着食品工业的发展,制成品越来越多,化学合成添加剂的应用日益广泛,由于食品添加剂的安全性不是百分之百,因此使用不合理就会危害健康。传统中餐主食的制作基本不用添加剂,馒头就是一例。而工业化生产的面包,其中不仅有2.5%~3%的食盐,还要加入面团改良剂、膨松剂、保湿剂等添加剂。据统计,每年每个德国人仅消费市售面包就要摄入约3千克不同的化学添加剂。所以现在德国人纷纷提出,要吃传统工艺生产的、没有化学添加剂的"祖母的面包"。

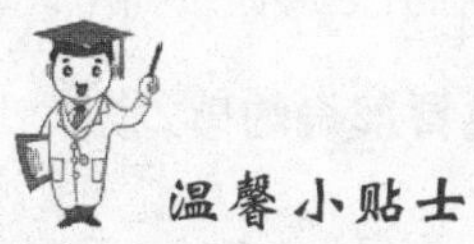

温馨小贴士

面包中热量最高的是松质面包,也叫做"丹麦面包"。它的特点是要加入20%~30%的黄油或"起酥油",能形成特殊的层状结构,常常做成牛角面包、葡萄干扁包、巧克力酥包等。它口感酥香柔软,非常美味,但因为饱和脂肪和热量实在太多,而且可能含有对心血管健康非常不利的"反式脂肪酸"。要尽量少买这样的面包,最好一周不超过一个。所以在日常饮食中,应尽量少吃丹麦面包。

木薯食用不当易中毒

木薯在食用之前如果处理不当,会使人接触到有毒物质氰化氢,危害健康。专家建议,首先应该把木薯剥皮并切成片,然后再通过烘烤或煮等方法烹制,经过这样加工后的木薯是可以放心食用的。而经过加工的其他木薯制品,如木薯淀粉、木薯条或木薯粉都几乎不会对人体造成危害,因为加工过程中有毒物质已被去掉。

温馨小贴士

新鲜竹笋中毒和木薯基本相似,在食用竹笋时应将竹笋纵向切成两半,剥掉所有的外层,去掉根部有粗糙纤维的部分,然后把竹笋切成薄片,在淡盐水中煮8~10分钟。

五种蔬菜烹调不当易中毒

1. 梅豆角

中毒表现:一般在吃了没有炒熟、煮透的梅豆角30分钟~3小时,最长可达十几个小时内发生中毒。表现为上腹部不适或胃部烧灼感,腹胀、恶心呕吐。

正确烹调处理方法:豆角中所含的皂素在加热100℃,经30分钟以上加热可破坏毒性,所以烹调加工豆角必须煮熟、炒透。建议采取炖煮的方法,如果炒食必须先用开水充分加热。炒时不能急火快炒,千万不能贪图脆嫩和节省时间。

2. 黄花菜(也称金针菜)

中毒表现:食用鲜黄花菜后12~30分钟,长者4~8小时可发病,主要症状为恶心、呕吐、腹痛,中毒严重会导致死亡。

正确的烹调加工方法:鲜黄花菜的烹调去毒过程比较复杂,所以卫生部门建议食用干黄花菜,不要食用鲜黄花菜。如果在加工鲜黄花菜时要注意不能直接炒,必须在开水中煮透,煮软后挤出水分,然后再用清水漂洗几次炒食。

3. 发芽的马铃薯和青色番茄

中毒表现:食后会发生头晕、呕吐、流涎、腹痛腹泻等中毒症状。

正确处理方法:发芽的马铃薯、青色番茄坚决不能食用。

4. 野蘑菇

中毒表现:有毒蘑菇毒素会破坏人的神经系统,让中毒者产生幻觉,有的毒素危害人的肝脏、肾脏,致人发烧、腹泻等症状。

正确处理方法:野蘑菇坚决不能食用,如果喜欢吃蘑菇可在市场上购买种植的菌菇,这样更安全可靠。

温馨小贴士

一旦发现有人进食野菜后出现中毒症状,应立即去附近医院就诊,并尽可能保护好食物的原状,以便让医生查清中毒原因,及时救治患者。

夏季巧购蔬菜 远离残留农药

夏季是蔬菜需求的旺季,要如何避免选购到残留农药超标的蔬菜,且看专家为您支招。

夏季正是虫害高发期,蔬菜的用药量自然也相应增大。此时如想吃得放心,购买那些经过认证的无公害蔬菜当然是最安全的,但这类蔬菜的价格会比一般蔬菜高出不少。记者从南京市农林局了解到:短期速生的叶菜类蔬菜(小白菜、青菜、鸡毛菜、芥菜、茼蒿等)农药超标问题多。因此,如果选择一般蔬菜。从品种上讲,选择茄果类蔬菜如青椒、番茄等;瓜类蔬菜如冬瓜、南瓜等,嫩荚类蔬菜如豆角等;以及鳞茎类蔬菜如葱、蒜、洋葱等;块茎类蔬菜如土豆、山药等相对安全。

很多人都认为有虫眼的蔬菜肯定没有用过药,但农林局有关人士告诉记者,很多蔬菜是在遭到虫咬后才打的药,农药残留量反而更高。

但要对付蔬菜上的残留农药,也不是完全无计可施。专家们提示:因为

农药残留有安全间隔期，所以人的使用时间距离最后一次施用农药时间越长，农药残留的毒性越小。也就是说，蔬菜越新鲜可能残留的农药量越多，而一些不那么新鲜甚至发焉的蔬菜农药残留的反而较少。另外，去掉表皮也是很有效的做法。

温馨小贴士

很多人都认为有虫眼的蔬菜肯定没有用过药，但有关人士指出，很多蔬菜是在遭到虫咬后才打的药，农药残留量反而更高。

科学烹制扁豆防中毒

扁豆是大家非常喜爱的蔬菜，但食用扁豆应确保里外熟透，颜色全变，且吃着没有豆腥味，方可避免发生中毒。

扁豆中毒是由于扁豆中含有红细胞凝集素、皂素等天然的毒素，只有持续长时间的高温才可以将其破坏。因此，当采用沸水焯扁豆、急火炒扁豆等方法加工扁豆时，由于加工时间短，加工时炒（煮）温度不够，往往不能完全破坏其中的天然毒素，因此食用后致人中毒。专家指出，防止发生扁豆中毒，通常的做法是先将扁豆在沸水中煮30分钟左右。

卫生部门同时提醒：中毒会出现恶心、呕吐、腹痛、头痛、头晕等症状。若及时治疗大多数病人可在24小时内恢复健康，一般不会致人死亡。

温馨小贴士

一旦发现有人进食扁豆后出现疑似中毒症状，应立即去附近医院就诊，并马上向所在辖区的卫生监督所报告，同时应尽可能保护好厨房的原状，以便卫生行政部门调查处理。

食用猪肉防“三毒”

猪的全身几乎都可供食用,但有三样东西人吃了就会生病,它们是猪的肾上腺、甲状腺和淋巴结。

猪的肾上腺位于猪腰子(猪的肾脏)前上方、是两个形状不规则的腺体,人误食数分钟后会突然出现血压急剧升高、头痛、头晕、出汗、面色苍白、心跳过速、恶心呕吐、口舌及四肢麻木等情况。原先患有动脉硬化等心血管病的人可因此诱发心绞痛、心肌梗塞、脑血管等意外发生。

猪的甲状腺位于猪气管两侧,呈现小叶状,一般成人吃进 3 克以上就会出现心跳加快、血压升高、心律失常、烦躁不安、大量出汗、腹泻呕吐等症状,若同时喝酒则会更加严重,对病患或体质虚弱者来说十分危险。

猪的淋巴结是灰白色或淡黄色如豆子至枣子大小的“疙瘩”,遍布猪的全身。进入猪体内的各种细菌、病毒及其他有害物质常常被阻挡在这里,猪发生疾病时,这里也常常是病变转移最明显的地方。

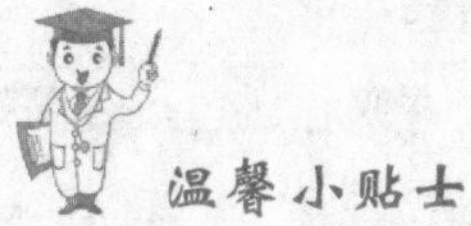

温馨小贴士

我们平时购买猪肉时一定要认真挑选,以免发生中毒或传染病。

食白果应先去毒

白果也称银杏,待其成熟后去掉外皮、硬壳后取其果仁食用。过去,人们一直把白果当做上等干果。宋朝曾把它列为贡品、圣品,深得皇帝喜爱,当时多为豪门权贵享用。元代吴瑞著的《日用本草》中记载:“白果味甘平、苦涩有毒”;明代李时珍撰写的《本草纲目》称“白果熟食能温肺益气、定喘咳、缩小便、止百浊”。

白果果仁含有丰富的淀粉、粗蛋白、核蛋白、脂肪、蔗糖、矿物元素、粗纤维。但因白果中含有银杏酚和银杏酸，生食可使人中毒。在烹饪前需先经温水浸泡数小时，然后入开水锅中汆熟后再行烹调，使有毒物质溶于水中并受热挥发。

温馨小贴士

为确保安全，即便熟食也应适量，成人每次不超过20粒，小儿以控制在10粒以下为佳。

吃有黑斑的红薯易中毒

红薯受到黑斑病菌（一种霉菌）的污染，就会使表面出现黑褐色斑块。黑斑病菌排出的毒素中含有番薯酮和番薯酮醇，会使番薯变硬、发苦，所产生的剧毒对人体肝脏影响很大。这种毒素用水煮、蒸和火烤，其生物活性均不能被破坏。故生吃或熟吃有黑斑病的蕃薯，均能引起中毒。

黑斑病蕃薯中毒，多在24小时内发病，主要症状有恶心、呕吐、腹泻等胃肠道症状。严重的会出现高热、头痛、气喘、神志不清、抽搐、呕血、昏迷，甚至死亡。对此病，目前尚无特效疗法，病死率可达16%。所以，凡有黑斑病的蕃薯均不宜食用。

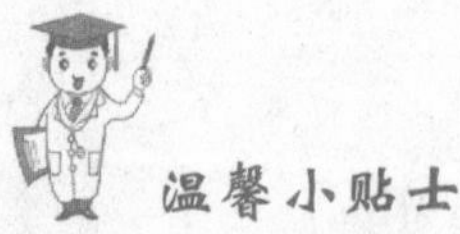

温馨小贴士

预防黑斑病番薯中毒的方法主要有以下两点：第一，不要吃变质、发硬、味苦的番薯和霉变的番薯干。第二，储存番薯前，要将番薯表皮晒干。地窖应选择地势高、干燥、不漏水处，垫草要洁净。种在低洼处的甘薯或被水淹过的番薯应尽早食用，且不宜作种子。

夏季吃青菜也“伤人”

在夏季应注意青菜中的亚硝酸盐对人体可能带来的危害。

那么，青菜在什么条件下可以引起亚硝酸盐中毒，又如何预防中毒的发生呢？

当土壤中缺钼或大量施用含有硝酸盐的化肥时，可增加蔬菜中硝酸盐的蓄积。而且，有许多蔬菜能从土壤中汲取浓集更多的硝酸盐，如芹菜、白菜、萝卜、菠菜、韭菜、甘蓝、菜花等，而硝酸盐可在某些细菌的作用下还原成亚硝酸盐。

另外，煮熟的蔬菜放在不清洁的容器里，如果又在炎热的季节于室温下长时间存放，菜中的亚硝酸盐含量也可增加。

再有，蔬菜在腌制过程中，食盐用量、腌制时间及温度对腌菜中的亚硝酸盐含量也有很大影响。如食盐浓度为5%时，温度越高，产生的亚硝酸盐就越多；腌菜的最初2～4天，亚硝酸盐含量有所增加，7～8天时含量最高，这时食用易发生中毒。

还有就是人体状况。当胃肠功能紊乱、贫血或患有肠寄生虫病及胃酸浓度降低时，胃肠道内的硝酸盐还原菌会大量繁殖，若再大量食用硝酸盐含量较高的蔬菜，机体不能及时将其毒素分解，会引起亚硝酸盐中毒，症状多表现为头晕、乏力、面色苍白、口唇青紫、呕吐、抽搐等。

温馨小贴士

预防硝酸盐中毒的办法是：

①对硝酸盐含量高的蔬菜在烹制前要先用沸水煮3～5分钟，以除去部分硝酸盐。

②做熟的菜不要在较高的室温下长时间存放，做好后应当尽快食用，平

日应注意饮食及其餐具的卫生。

③腌菜时一定要腌透，食盐浓度保证在15%以上，腌制时间最短在半个月以上再食用。

④胃肠功能紊乱等患者要积极进行治疗，以提高自身的解毒能力。

采食野菜莫大意

如今，吃野菜成了人们的新时尚，但采食野菜要有选择。专家提醒：野菜并非绝对的“绿色食品”，采摘食用要慎重。

(1)莫把毒草当野菜。容易误食的毒草主要有乌头，它的幼茎与山芹菜叶极为相似；藜芦，它的嫩叶像山菠菜叶；天南星，它的幼株像山捞豆。以上三种毒草极易被误认为是野菜，不论误食了哪一种，即会出现口吐白沫，呼吸困难等症状。遇到这种情况，需马上给中毒者喝绿豆水解毒，然后迅速送医院救治。所以，为了防止误食毒草，一定要请明白人分辨哪是野菜哪是毒草。

(2)不宜随意采食。对于城市密集地区、工厂和居民区附近以及受污染的河流，沟渠附近的野菜不能食用。因为工业废水中的有毒物质含量相当高，生长在河边的野菜也就“染”有毒素，不能随意采食。有些地方空气污染严重，土壤中汞、铅等重金属含量明显提高。在自然环境中生长的野菜很容易把汞、铅等重金属吸收贮存，人体服食不慎或服食过多，很容易造成重金属蓄积中毒。

(3)过敏体质者不宜食用。平常服止痛药、磷胺药或吃某些食物、接触某些物质易发生过敏者，采食野菜应慎重。首先应少量食用，食后如出现周身发痒、浮肿、皮疹或皮下出血等过敏或中毒症状，应停食，并到医院诊治，以免引起肝、肾机能的损害。

(4)久放的野菜不宜吃。野菜最好是现采现吃。久放的野菜不但不新鲜、清香味散发殆尽，而且营养成分减少。

温馨小贴士

许多人都喜欢生吃青菜，尤其野菜更是受到大家的青睐。但为了自身的健康和安全，应防误食对人体有害的野菜。山药菜、山蒜等一些野菜有微毒，在煮食前，务必在水里浸泡两小时以上，进行解毒。树上的野菜如刺嫩芽、榆树钱等不宜炒吃，应蒸吃或做酱吃，若炒着吃，既黏又涩。

胡乱饮用鲜花茶会中毒

现在许多人对纯自然的东西有兴趣，但自然界的物种各有其属性，不了解结构、成分，容易误吃中毒。春暖花开，不少爱美女性用鲜花泡茶喝。每种鲜花都有自己的"个性"，应针对情况饮用。菊花有降压、扩张冠状动脉、抑菌等作用；金银花主要用于治疗肿毒、热毒血痢等，夏天饮用可防治痢疾，但不适合长期饮用，虚寒体质、经期内也不宜喝；茉莉花可泡茶，但不要太多；黄杜鹃和夹竹桃等花含有毒物质，不宜泡水喝；玫瑰花气味芳香，理气活血，对面部黄褐斑有一定作用，适合中青年女性饮用。

温馨小贴士

不是所有鲜花都可酿酒或泡茶的。像夹竹桃的花果含有多种糖甙毒素，万年青的花和叶中含有草酸、天门冬等毒素，食后都会出现不同程度的中毒反应。如果误食了这些"绿色食品"，量多会导致经常性头痛，需要接受药物治疗。

畸形蔬菜水果不要吃

在市场上，畸形果蔬并不少见，如连体西红柿、比拳头还大的青椒、又长又宽的扁豆、又红又大的连体草莓、奇形怪状的西瓜等。果蔬长相奇怪是有原因的，专家指出，这些外形异常的果蔬最好不要食用。

果蔬变形的原因主要有营养不均衡、微量元素缺乏和使用激素不当等。现在很多农民在温室和塑料大棚中栽培果蔬，这些果蔬会因低温、干燥、氮磷肥喷施过多而缺钙，造成畸形。在种植果蔬过程中使用的肥料以化肥为主，容易使果蔬缺乏微量元素硫，导致水果表面不光滑。

此外，为使果蔬早上市，有的农民用激素对果蔬进行处理，催熟后的果实颜色多不正常，而果实切开后，可发现中间有空腔、颜色不一致。其主要原因是生长激素使用过多，造成果实过于肥大而养分供应不足。于是，果中的空腔便形成了。

有关专家认为，帕金森病、癌症、心血管疾病、糖尿病等的发生，与长期接触上述物质或摄入高农药残留食物有关。

温馨小贴士

农药、化肥、激素等广泛应用于果蔬种植中，可对人体造成伤害。食用农药残留量高的食物后，短期内会使人出现乏力、呕吐、腹泻、肌颤、心慌等情况，严重者可能会出现全身抽搐、昏迷、心力衰竭，甚至死亡。如果农药长期在人体中蓄积，可产生致畸形、致基因突变、致癌等作用。

太白的猪蹄中看不中吃

目前，有的消费者在市场上购买猪蹄时专捡那些又大又白的买，专家提醒，太白的猪蹄不要购买。这样的猪蹄一般是经过有毒的化工原料火碱和松香加工而成的。

一些小贩利欲熏心，利用有毒的化工原料，即被他们称为“万能胶”的松香，来煺掉猪蹄上的毛，用松香又快又干净。只要让猪蹄在锅里打个滚，然

后泡进冷水里，再用手撕掉猪蹄外包裹的黑皮，猪毛就都被燎下来了。然后，把猪蹄泡在火碱水里，猪蹄就变的又白又大了。

温馨小贴士

松香经高温后，会产生铅等重金属和有毒化合物，其产生的过氧化物会严重损害人体的肝脏和肾脏。而且人们如果长期食用或者过量食用加入工业碱的食品会造成食物中毒。

警惕毒从口入

不宜长期食用“天绿香”

“天绿香”，学名守宫木，又叫树仔菜、五指山野菜、减肥菜、泰国枸杞，为大戟科守宫木属植物。主要产于南洋群岛和东南亚，在我国海南、广东、江苏、浙江、云南、福建、四川等地有零散栽培，亦有野生。野菜“天绿香”含有超出国家标准4倍的金属镉，会导致人体肝、肾以及生殖系统产生病变，并建议市民不要再食用“天绿香”。

温馨小贴士

“天绿香”的毒性是肯定的，所以“天绿香”不宜作为蔬菜种植推广；另外“天绿香”不宜长期、规律食用；偶尔食用未发现其对人体的毒性作用。

小心残留农药的危害

如今，连这最平常、最不可缺、最令人放心的食物——蔬菜，却也不能让人随心所欲地吃了。据国家农业部、卫生部披露，近年全国因食用蔬菜而发生农药中毒的人数，年均已超过15万人之多。这么多的人发生农药中毒，仅仅是因为食蔬菜引起的，难道不让人触目惊心吗？

农药本是杀害虫的，但是用量过大、次数过频，农作物中的残留量过多，就变成“杀”人的了。这些残留在蔬菜中的农药，随着蔬菜进入人体并滞留于体内，给人体带来的危害是严重的。

一种危害是直接伤害，造成急性中毒死亡，曾有报道居民吃了带农药的韭菜而死亡的事例；一种危害是慢性间接性伤害，农药滞留体内诱发多种疾病。

目前，在有关部门采取有效措施，逐步解决生产者滥用农药现象的同时，消费者自己力所能及地采取一些保护措施，以减少农药对自身健康的危害是很有必要的。在购买蔬菜时，尽量选用农药污染少的食用蔬菜。1.野菜营养丰富，一般没有污染。市场上常见的野菜有蕨菜、荠菜、马兰头、马齿苋、扫帚苗、龙须菜等，它们生长在野外，不需要人工施肥，更不需要洒药除虫。野菜的蛋白质含量比一般蔬菜高出约20%；2.有些蔬菜，如圆白菜、生菜、苋菜、芹菜、菜花、番茄、菠菜、辣椒等，这些菜抗虫害能力较强，一般不需施用农药；3.生长在泥土中的蔬菜，如芋头、萝卜等，一般不需施用农药，即使用了农药，由于生长在泥土中，残留农药也被泥土吸收分解；4.野外生长或人工培育的食用菌和人工培育的没加催化剂的各种豆芽菜，在生产和培育过程中，无须杀虫，因而无农药污染，也是蔬菜中安全系数较高的种类。

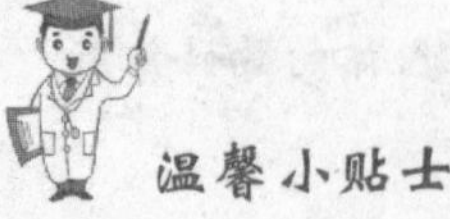

温馨小贴士

食用蔬菜之前最好能作到“一浸、二洗、三烫”这三步，这样能去掉

70% ~80%的残留农药，即使内吸剂的农药，也可减少40% ~50%。对于瓜类蔬菜，最好削皮后吃。

谨慎食用海产品

雪卡毒素由海洋微生物产生，粘附在海藻或珊瑚表面，小鱼小虾吃下带毒海藻，通过食物链存留在大鱼体内。可能引起雪卡中毒的鱼类超过400种。餐馆常见的东星斑、红斑、老虎斑、鲈鱼等都可带毒。专家表示，预防雪卡中毒就要少食这类鱼，尤其是超过1公斤的大鱼，避免进食鱼头、鱼皮、内脏和卵，更不要在吃鱼时喝酒或进食果仁。

雪卡毒素是一种神经毒素，进食含雪卡毒素的鱼肉或汤后，就会出现头晕、恶心、呕吐、腹痛、腹泻和温度感觉倒错等症状，中毒严重者可导致脱水休克。目前，对雪卡毒素中毒尚无特效药可解。

贝类毒素加热不易破坏，所以危害性很大。海洋中某些藻类，如双鞭毛藻、硅藻和蓝藻能分泌毒素，特别是水域遭受氮、磷污染，出现富营养化，藻类大量繁殖，形成“赤潮”时，多种毒素会污染水生贝类。

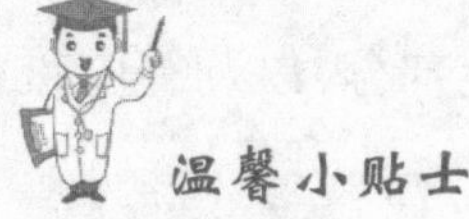

温馨小贴士

河豚鱼毒素有剧毒，主要存在于其内脏中，死后可浸润鱼肉，河豚鱼毒素性质稳定，煮沸、盐腌、日晒等均不能被破坏；此外含有较高组胺的某些鱼类会引起过敏性食物中毒，主要是海鱼中的青皮红肉鱼类。

本身就含毒的六类蔬菜

第一类：豆类，如四季豆、红腰豆、白腰豆等等，它们含有植物血球凝集素，人吃后会出现恶心、呕吐、腹泻等症状，并会刺激消化道黏膜，如毒素进

入血液，则会破坏红血球及其凝血作用，造成过敏反应。

研究发现，煮至80℃、未全熟的红腰豆，豆内毒素反而会更高，因此必须煮得熟透才吃。

第二类：木薯类植物的可食用根部，它含有生氰葡萄糖苷（Cyanogenicg-lycoside），误食后可在数分钟内出现喉道收窄、恶心、呕吐、头痛等，严重者甚至死亡。

第三类：竹笋，其毒素为生氰葡萄糖苷，数分钟内就会发作，症状类似木薯，食用时应将竹笋切成薄片，彻底煮熟。

第四类：种子与果核，如杏仁、樱桃、桃、梅等种子，以及其大而坚硬的果核，其毒素与木薯相同，症状也相似，但其毒性则是透过咀嚼，而非烹调转化。此类水果的果肉都没有毒性，果核或种子却含此毒素，食用时须去核或避免咀嚼这些种子与果核。

第五类：鲜金针，中毒后会感肠胃不适、腹痛、呕吐、腹泻等。此毒素属水溶性，可在烹煮和处理的过程中被破坏，如经过食品厂加工处理的金针或干金针，都属于无毒。如以新鲜金针入作为菜肴，则须彻底煮熟。

第六类：青色、发芽、腐烂的马铃薯，误食后会出现口腔灼热、严重胃痛、恶心、呕吐症状，其毒素茄碱会干扰神经细胞之间的传递，并刺激肠胃道黏膜和引发肠胃出血，大部分毒素正存在土豆的青色部分，以及薯皮和薯皮下。

此外，未成熟的青西红柿，久存的已腐烂南瓜都有可能使人中毒。

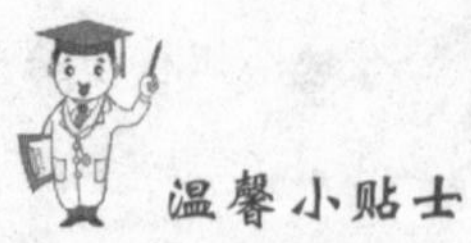

天然毒素的中毒与细菌性食物中毒发病时间较长不同，天然毒素的中毒是由化学反应而起，通常会在一两个小时内出现状况，发病状况与个人体质、年纪、健康状况等有关系。

无根豆芽有致癌性

现在市场上的豆芽没有须根、茎粗短、顶芽小，这种豆芽菜又嫩又脆，浪费也少，不但样子比以前好看了许多，而且烹调起来也快。但却远不如以前清香。这种现象最典型的就是豆芽菜。当您到农贸市场上走走便会发现，如今的豆芽怎么比过去白了许多，长了许多，而且再长也没有根。而在吃的时候，却怎么也吃不出以前那种清香味的感觉，反而有一股股淡淡的骚味。专家提醒，这种豆芽菜毒性很强，有一定的致癌性，对身体健康有较大的危害。

专家介绍，豆芽的正常生产周期多为11～15天左右，可一些商贩为了提高豆芽产量，缩短生产周期，往豆芽上喷洒尿素、硝铵和无根剂等化肥和激素催生，8～10天便可出售。用化肥和激素催生的豆芽，在化肥和农药的作用下，自然会变得特别的长、特别的白，有时长出绿叶也不生根，看上去鲜嫩水灵确实诱人，容易卖上价；而豆子发芽时可以吸收更多的水分，从而提高豆芽产量，谋取暴利。目前黄豆在农贸市场的批发价约为每公斤2元多，而豆芽价格为每公斤1元左右，按1斤黄豆发12斤豆芽计算，除去化肥钱，可获利近4.8元。如果不用化肥，每斤至少要少赚2元钱。正是暴利驱动，使一些不法商贩不顾消费者健康而所为。

豆芽不同于其他蔬菜，发豆芽时大量使用化肥，将导致豆芽内硝酸盐含量大幅度升高，而硝酸盐进入人体内，经细菌分解后，将会变成致癌的亚硝酸盐。而用激素类药催生的豆芽同样对人体有很大危害。根据有关部门的抽查，当前豆芽生产户使用的“激素”有“植物生长剂”、“无根黄豆芽素(也称无根剂)”等。无根剂是一种能使豆芽细胞快速分裂的激素类农药，同氮肥一样对人体都有致癌、致畸形的作用。而即使是人用的激素类药品摄入超量后，也会对人体产生一定的危害，如使儿童发育早熟、女性生理发生改变、老年人骨质疏松等等。

温馨小贴士

在购买豆芽时一定要仔细选择，最好选叶子肥厚、饱满、豆芽茎粗壮、有弹性、闻着没有异味的。这样的豆芽才是正常长出来的。其实对化肥豆芽凭视觉就可直接判断出来，化肥催生的豆芽一般有以下特点：根须不发达或无根须；芽体粗壮，较正常豆芽长；芽体脆，掰开后会有水冒出；个别施用化肥多的豆芽，还会出现子叶发绿发青、口感苦涩的现象。

炸薯片的四宗罪

很多青少年都喜欢吃炸炸薯片，它香脆味美。但很少有人知道它是多种疾病的罪魁祸首，长期过量食用会会影响生长发育期的青少年对必需脂肪酸的吸收，对青少年的中枢神经系统的生长发育造成不良影响。

炸薯片等香脆食品在加工中使用了氢化油或是部分氢化的起酥油，即反式脂肪酸。人体很难消化吸收反式脂肪酸，因而会使血液中的甘油三酯和坏胆固醇升高，好胆固醇降低，从而增加得心血管疾病的危险。商家却青睐氢化油，因为它可以延长产品保质期，还可以让食物更加酥脆美味。含反式脂肪酸的氢化油成本低廉。

而且炸薯片中还含有被称作“丙毒”的致癌物，油煎或经烘烤的香脆食品中，普遍含有丙毒。在英国，随着丙毒与致癌关系的发现，很多家庭都对香脆食品下了禁令。瑞典斯德哥尔摩大学科学家报告，1 千克炸薯条含有 400 微克丙毒。长期低剂量接触丙毒的人会出现嗜睡、情绪和记忆改变、幻觉和震颤等症状，并伴有出汗、肌无力等末梢神经病症。高含量的丙毒能使动物罹患生殖系统癌。

薯片中的油脂含量高达 35%。经常食用香脆食品，会使血脂升高，导致肥胖、增加心脑血管疾病及糖尿病等疾病的发生。尤其处在成长期的孩子，

过多地食用除了导致肥胖,还会增加成年后发生上述病症的风险。

温馨小贴士

炸薯片所含的精糖和精致淀粉是碳水化合物,也就是糖,只有热量,没有营养,吃多了会增加肥胖和“三高”的机会。炸薯片的问题还体现在制作工艺,和用于调味的添加成分如鲜味物质、甜味剂及色素上。

粉丝不宜多食

目前,市场上出售的粉丝品种繁多,如绿豆粉丝、蚕豆粉丝,更多的是淀粉制的粉丝,如红薯粉丝、土豆粉丝等。由于粉丝有良好的附味性,它能吸收各种鲜美汤料的美味而使其鲜味更浓,再加上其本身的柔润嫩滑,爽口宜人,尤其是夏季拌作凉菜更是惹人喜爱。

喜食粉丝(包括凉粉)的人,有时一次能吃上一大碗,有的甚至以粉丝为主食充饥。这种吃法实际上是不科学的。因为很多人不知道粉丝在加工制作过程中添加了0.5%左右的明矾,加入的明矾与粉浆凝聚在一起,随着粉丝的成形和干燥,明矾的含量有增无减,众所周知,明矾即硫酸铝,因含有较多的铝,所以大量食粉丝,也就是大量摄入铝。

世界卫生组织于1989年正式把铝确定为食品污染物并要求加以控制。根据科学测试,每人每日允许摄入的铝量为每千克体重1毫克。这一标准为世界各国制定食品标准提供了科学依据,也为我们加强自身保护提供了方便。又据测定,我们从日常使用的铝制餐具中每天摄入约4毫克铝,从天然食品中每天摄入12毫克铝,从这些资料中,你可以粗略地计算出允许食用粉丝的数量。还要注意,食用粉丝后,不要再食油炸的松脆食品,如油条之类。因为那些油炸食品中含有的铝也是非常多的,它们和粉丝合在一起会使人的食铝量大大超过每日允许的摄入量。因此,为了您的健康,请你控制好这

些富铝食品的食用量。

温馨小贴士

铝对人体的毒害是多方面的，过量的铝可影响脑细胞的功能，从而影响和干扰人的的意识和记忆功能，造成老年痴呆症，可引起胆汁郁积性肝病，可导致骨骼软化，还可引起小细胞低色素性贫血，卵巢萎缩等病症。因此，对铝的摄入量不可等闲视之。

秋蟹味美防中毒

深秋时节，正是人们品尝螃蟹的最好时光。但由于螃蟹生长在江河湖泊里，又喜食小生物、水草及腐烂动物，蟹的体表、鳃部和胃肠道均沾满了细菌、病毒等致病微生物。据分析，在蟹体表面100%染有嗜盐菌，蟹鳃和胃肠道中，分别沾有31.5%和21.2%的嗜盐菌。有些螃蟹生活在被污染的水体中，常染有痢疾杆菌、伤寒杆菌和甲型肝炎病毒，如果吃蟹不注意卫生，就会使人致病甚至中毒。

吃蟹中毒主要是因为吃了死蟹。当螃蟹垂死或已死时，蟹体内的组氧酸又会分解产生组胺。组胺为一种有毒的物质，随着死亡时间的延长，蟹体积累的组胺越来越多，毒气越来越大，即使蟹煮熟了，这种毒素也不易被破坏。因此，千万不要吃死蟹。

吃蟹容易感染的病是肺吸虫病，活蟹体内的肺吸虫幼虫囊蚴感染率和感染度是很高的。囊蚴的抵抗力很强，一般要在55℃的水中泡30分钟或20%盐水中腌48小时才能杀死。如果烹调或吃法不当，就易发生肺吸虫病。

为了防止吃蟹中毒或患肺吸虫病等，选蟹时首先要做到“五看”：一看颜色，二看个体，三看肚脐，四看蟹毛，五看动作。蟹的颜色要青背白肚、金爪黄毛，个体要大而老健，肚脐要向外凸出，蟹脚上要蟹毛丛生，动作要敏捷活

跃。

其次，蒸煮前要用清水把蟹冲洗干净，蒸煮时要注意，在水开后至少还要再煮20分钟，煮熟煮透才可能把蟹肉的病菌杀死。吃时必须除尽蟹鳃、蟹心、蟹胃、蟹肠四样物质，这四样东西含有细菌、病毒、污泥等。螃蟹性寒，吃时可蘸姜末醋汁，去其寒气。

螃蟹好吃，但不是人人都宜吃。患有伤风、发热、胃病、腹泻者不宜吃螃蟹，否则会加剧病情，患者有高血压、冠心病、动脉硬化者，尽量少吃蟹黄，以免胆固醇增高，脾胃虚寒者也应尽量少吃，以免引起腹痛、腹泻。

温馨小贴士

蟹肉不宜与含鞣酸多的食物同食，而柿子中含鞣酸很多，两者相遇后会凝固成不易消化的块状物，使人出现腹痛、呕吐等症状，这就是常说的“胃柿团症”。因此，在吃蟹的同时千万不要在吃柿子了。

蚕蛹不可乱吃

蚕蛹和蚕卵营养丰富，可以食用。但是专家认为，蚕蛹虽然好吃，千万不可胡乱吃。如果处理不当，就可能造成食后中毒，有时甚至会危及生命。健康的蚕蛹放置时间久了，其体内会被病菌污染，使蚕蛹发酵、霉变，成了“毒蛹”。某些蚕蛹本身即有一种由蚕卵、蚕粪传播的变形虫体病，食用这种“先天不足”的蚕蛹后极易发生中毒反应。有的蚕蛹中的霉菌、细菌、寄生虫等生长繁殖已成气候，经处理而“大难不死”，这些毒素将使蛹体蛋白变性，并分解产生毒素。一些人对毒素敏感，若餐前空腹吃蚕蛹，对毒素吸收得多，就会造成中毒。如果边吃蚕蛹边喝酒，中毒情形将更严重。

食用蚕蛹中毒者有恶心、呕吐、眩晕等症状，重者会出现狂躁、说胡话、产生幻觉、眼睛斜视，同时伴有面部、颈部、躯干部、四肢肌肉阵发性抽搐。

病人站立不稳、眩晕，或视物旋转，或自身感觉旋转，呕吐频繁，甚至会神志不清。还有人食用蚕蛹后全身皮肤出现荨麻疹，甚至发生过敏性休克。如发现食用蚕蛹中毒，应迅速就医。

温馨小贴士

蚕蛹未经处理加工不可食用，更不可凉拌、盐渍即食。蚕蛹变色发黑或呈粉红色，有麻味或麻辣感的不可食用。蚕蛹发生异味、恶臭不可食用。蚕蛹放置时间：冬天超过一周、夏天超过20～30小时的不可食用。有鱼、虾等食物过敏史的人不可食用蚕蛹。

夏季吃鱼　小心组胺中毒

鱼是一种高蛋白、低脂肪的食物，经常吃鱼的人，一般很少发生肥胖和高脂血症，从而减少了发生冠心病、高血压、脑卒中的危险。但如不注意吃鱼的卫生，也会发生中毒，严重者甚至危及生命。

有些鱼含有较多的组氨酸，常见于海产鱼中的青皮红鱼类，如竹夹鱼、金枪鱼、秋刀鱼、沙丁鱼、朝鲜方鱼、鱼时鱼、扁鱼、鲐鱼等；河产鱼主要见于鲤鱼。当鱼不新鲜或发生腐败时，细菌在其中大量生长繁殖，可使组氨酸脱去羧基变成组胺。夏季天气炎热，鲜鱼如果存放不当极易腐败变质。人吃了不新鲜或变质的鱼发生组胺中毒后，会出现面部、胸部或全身潮红，头晕、头痛、心慌、胸闷、呼吸急促，可伴有恶心、呕吐、腹泻、腹痛及口、舌、四肢麻木、乏力、烦躁等症状。个别严重者可出现荨麻疹、口渴、口唇水肿以及气喘、吞咽和呼吸困难、视物模糊、瞳孔散大等。对于组胺中毒的患者可作催吐、导泻处理，以减少组胺的吸收。同时还可给予抗组胺药物安其敏、苯海拉明、扑尔敏等。对症状严重者，可采用氢化可的松或地塞米松静脉滴注，或静脉推注10%葡萄糖酸钙溶液。

温馨小贴士

据化验证实，不新鲜或腐败的鱼类每克鱼肉含组胺1.6~3.2毫克，当每100克鱼肉含组胺200毫克时，人食用后就会发生中毒。人的中毒量为每公斤体重1.5毫克，一般在食用后0.5~1小时就可出现中毒症状，最快的5分钟，最慢的4小时。

秋后当防蜂蜜中毒

深秋季节，正是蜂蜜大量上市的时候，专家提醒，食用秋后采制的生蜂蜜（养蜂人在蜂房旁现采现卖的“生蜜”）容易发生蜂蜜中毒。

其原因与植物花蜜中所含的毒成分有关。自然界的植物可分为无毒和有毒两大类：无毒植物的花期较早，多在春天。而有毒植物的花期则较晚，入秋以后，绝大部分无毒植物花期已过，有毒植物则正是开花季节。此时蜜蜂若采集有毒植物的花粉酿成蜜，多会混进有毒物质——生物碱。人们吃了这种含有毒素又未进行加工处理的生蜜，一般会出现这样几种症状：过敏，气喘，皮肤出现斑疹或头晕、头痛、恶心、呕吐、腹泻、腹痛，也可能造成人的精神烦躁，易怒，还会影响睡眠。

温馨小贴士

在购买蜂蜜时，需要了解该蜜的产地与采收季节，以免误食中毒。食用时要先熬开成熟蜜，尤其是老年人和婴幼儿，因胃肠功能较弱，肝脏解毒能力差，更不宜食用秋后的生蜂蜜。

醉虾易引发食源性传染病

夏季各种致病微生物、病原体繁殖得很快，而这些美味的醉虾生冷食品就是细菌生长的最好巢穴，也是引发食源性传染病的重要原因。

所谓食源性疾病，就是吃出来的疾病。我国南方地区的居民历来有“吃生”的习俗，把活虾、活蟹等放在酒里蘸一下“醉吃”，这样虽然保留了鲜美的味道，却也让其中的肝吸虫有机会进入体内。

据最新统计，目前我国的肝吸虫病感染者已经达到了1249万，其发病率甚至赶上了病毒性肝炎。肝吸虫对人体的危害除了损害肝脏和胆囊外，还会导致全身多种循环系统出现各种复杂的并发症，甚至会发展成胆结石、胆管癌、肝硬化和肝癌。

由于肝吸虫的虫卵在较低的温度下仍能存活，因此无论是什么季节，都应当尽量少吃或不吃醉虾、醉蟹。尽管这些食物在制作中要放入酒、盐等多种作料，但仍不能将虫卵杀灭。

温馨小贴士

有人认为酒可以杀菌，也可以杀灭肝吸虫卵，吃醉虾、醉蟹时多喝点酒就没事了，这是非常错误的。

谨防鱼胆中毒

人们常说：“生吃鱼胆，清热明目”但是，您可知道，生吃鱼胆，有损健康，甚至可导致死亡！

鱼胆中毒者在服食鱼胆后半小时到14小时内，会出现胃肠道症状，表现上腹部、脐周、下腹等部位的疼痛，频繁的呕吐，反复的拉黄色水样或稀烂不

带脓血的大便，容易与一般的胃肠炎相混淆，因此，有“服食鱼胆史”便成为早期诊断鱼胆中毒的重要依据。

比较严重的鱼胆中毒患者，除了上述胃肠道症状外，还会有肝脏损害的表现，如肝肿大，肝区触痛、扣击痛，皮肤、眼巩膜发黄，血清转氨酶升高；肾脏的表现如腰痛，肾区扣击痛，少尿、无尿、蛋白尿、显微镜下见到尿中有红细胞和管型等；心血管系统的损害，如血压升高或降低，面部、下肢或全身的水肿；神经系统的损害，如头痛、嗜睡、神志模糊、谵语、抽搐昏迷等等。有些鱼胆中毒者还可能出现发热、休克、DIC（弥漫性血管内凝血）等病理过程。

由于鱼胆中毒尚无特殊的解毒疗法，病情的发展又可能导致多个器官的功能衰竭，招致患者死亡，故发生鱼胆中毒时，应赶紧送单位就医为妥。如果距离医疗单位较远，则可在准备交通工具或联系救护车的同时，针对腹痛、呕吐、腹泻等症状，就近找卫生员或备有药物的邻居，予口服颠茄之类的胃肠道解痉止痛药物；因患者频繁的吐泻可能会出现体内失水，有输液条件时可给予静脉补液，无输液条件也可给口服淡糖水、金银花水、生甘草水、生姜水等。

温馨小贴士

鱼胆中含水溶性鲤醇硫酸钠、氢氰酸和组织胺等毒性成分，能抑制细胞色素氧化酶，影响细胞呼吸链，使细胞呼吸停止，从而导致多器官功能损害。鱼胆中毒后，首先出现胃肠道症状，肝脏、肾脏均受到损害，并可造成肝肾功能衰竭而导致死亡。

谨防化学剂中毒

谨防"瘦肉精"中毒

近年来,国内外食用含"瘦肉精"的肉制品中毒事件时有发生。"瘦肉精"原是用于治疗人和家畜的支气管哮喘及用作家畜的保胎药,1984 年首次发现其可促进家畜肌肉组织生长,分解脂肪组织,具有"营养再分配效应",可以提高家畜的瘦肉率。饲养者将其作为饲料添加剂,可提高家畜瘦肉产量,因此被称为"瘦肉精"。

"瘦肉精"中毒潜伏期从 10 分钟到 6 小时,临床症状持续时间从 90 分钟至 6 天,这与其在体内吸收速率和半衰期有关。"瘦肉精"中毒主要引起肌肉震颤,尤其是四肢及面颈部肌肉,并可诱发窦性心动过速(约 120 ~ 150 次/分),严重时会出现室性心律失常及低钾血症、高血糖症、低磷酸盐血症、低镁血症、血中游离脂肪酸增加,症状有头痛、眩晕、恶心、呕吐等。

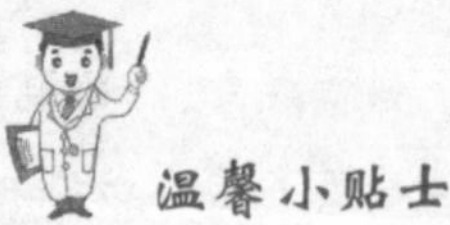

温馨小贴士

大家应从正规渠道购买猪肉,不要买颜色太鲜红的肉。鉴于内脏中"瘦肉精"残留量较高,食用动物内脏,尤其是肝脏时更需注意。

饲料中添加抗生素的后果

抗生素是细菌、真菌、放线菌等微生物代谢产生的一类物质,可抑制其他微生物的生长直至将其杀灭。现有的抗生素已达数百种,但具有治疗传

染病功能、有实用价值的却不到1/20。它们之间的物理、化学性质及药理性能，抗菌谱及作用机制均存在差异。

我国某些城市，农民用抗生素制药厂生物发酵法生产抗生素废弃的残渣饲养家畜。给幼小的动物饲以抗生素可明显改善其生长，这是由于控制了亚临床感染的结果。近年我国医学科学工作者对在饲料里掺入抗生素越来越感到忧虑，因为引起疾病的微生物抗药性不断增强，这将会严重影响抗生素对患者的治疗功效。在牲畜饲料里掺入抗生素消灭动物身上通常存在的生命力较弱的微生物，却使有抗药性的微生物得以繁殖，促进了细菌的抗药性。具有抗药性的细菌通过肉食进入人体，再把抗药性传播给其他细菌。

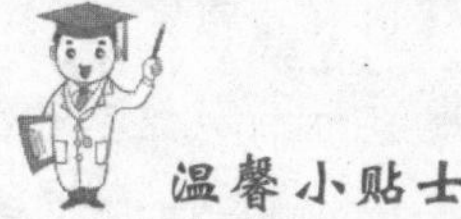

温馨小贴士

人们应当知道，人体摄入抗生素，并非都是有益的，由于每种抗生素都有其毒性，因此任何一种抗生素的滥用都能造成人体肠道原有正常生态菌群的混乱，损害健康。

奶制品中抗生素残留不容忽视

人患了由细菌感染引起的疾病时，常用青霉素、链霉素、螺旋霉素、先锋霉素等抗生素治疗。同样，乳牛患乳腺炎也常应用抗生素治疗。而鲜奶、奶粉中残留抗生素的原因主要是由于给乳牛注射抗生素造成的。卫生部门曾对市售135份鲜奶，60份奶粉进行了检查，检测结果：135份鲜奶中查出有30份含有残留抗生素，检出阳性率达22%，从60份奶粉中检测出有抗生素残留的2份，检出率为3.3%。上述检测结果说明，鲜奶和奶制品中存在的抗生素污染不容忽视。人若长期食用含抗生素的鲜奶、奶粉等，可引起消化道原有菌群失调和二重感染。

温馨小贴士

世界各国对牛奶及奶制品中残留抗生素的问题极其重视，我国食品卫生法中有关乳与乳制品卫生管理办法规定："应用抗生素5天的乳汁、乳房炎的乳汁及变质奶不得提供食用。"

谨防面粉处理剂中毒

新制面粉中含有类胡萝卜素及蛋白分解酶，不易制成品质优良的面制品，需放置一段时间，使其经空气的氧化作用，自然地进行一定程度的漂白和后熟，一般需要2~3个月。而面粉处理剂可以缩短面粉的漂白和后熟时间，有助于改变面团筋力和机械加工性能，提高面制品的品质，但是面粉处理剂对面粉中的维生素有破坏作用。我国批准使用的面粉处理剂有过氧化苯甲酰、溴酸钾、L－半胱氨酸盐酸盐等6种。过氧化苯甲酰氧化能力强，能使面粉脱色漂白、杀死微生物和增强面筋弹性，过氧化苯纯品受撞击会引起爆炸，使用时以磷酸钙作为稀释剂。过氧化苯甲酰含量19%~22%比较安全。面粉处理剂不能够单独食用，因为有毒。然而，面粉处理剂却能够掺在食品里吃，人们如果大量长期摄取添加在面粉中的处理剂，就会呈现毒性作用。

温馨小贴士

自发现溴酸钾有致癌性后，1995年国际添加剂专家委员会指出，溴酸钾不适用于面粉处理剂；1997年10月，中国食品添加剂标准化技术委员会，已建议将其从使用卫生标准名单中删除。但是目前有许多小工厂依然使用。因此，大家在购买面粉时一定要到正规的超市购买。

人工合成色素的危害

目前,国际上允许使用的人工合成色素总计有60多种,我国允许使用的人工合成色素有苋菜红、胭脂红、赤藓红、新红、柠檬黄、日落黄、靛黄、亮蓝等。人工合成色素一般色泽鲜艳、着色力强且稳定,主要用于果汁、饮料、配制酒、糖果、裱花蛋糕等食品。配制色素溶液时,要现配制现用,防止久放后析出沉淀。配制时尽可能避免使用金属器具,以防变色。由于人工合成色素大多以煤焦油为原料制成,其化学结构属偶氮化合物,可在体内代谢生成萘胺和氨基萘酚,这两种物质具有潜在的致癌性。我国食品卫生标准对人工色素的使用规定十分严格,婴幼儿的代乳食品中不得添加任何人工合成色素。患多动症的儿童在美国高达10%,这类儿童易感情冲动,注意力不集中,学习成绩差。这些儿童智力发育正常,也没有功能障碍,有些经过心理治疗和教育可以收到良好效果。但大约1/3的孩子,无论用什么办法都没有明显的效果。调查发现,其中相当一部分与食用人工合成色素有关。人工合成色素的用量须严格控制,不得超过允许的最大使用量。人们如果长期大量食用掺在食品里的人工合成色素,就会呈现毒性作用。

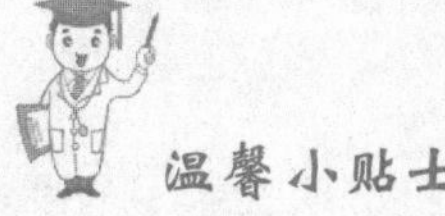

温馨小贴士

人工合成色素的用量须严格控制,不得超过允许的最大使用量。人们如果长期大量食用掺在食品里的人工合成色素,就会呈现毒性作用。

食用香料的是是非非

食用香料分允许使用和暂时允许使用两类,根据来源不同又可分为天然和人造香料。目前我国允许使用的食用香料有534种,包括天然香料137

种，人工合成香料397种；暂时允许使用的香料有157种。

天然香料以天然植物为原料，经热榨、冷榨、蒸馏、有机溶剂浸出等方法制成芳香油。也可用乙醇制成酊剂或浸膏，常用天然香料有八角、茴香、花椒、姜、胡椒、薄荷、丁香、茉莉、桂花、玫瑰、肉豆蔻和桂皮等。食用香料因用量少，一般不会危害健康。

温馨小贴士

但近年发现，某些天然香料中含有黄樟素，这是一种有强烈芳香气味的液体，动物实验发现，其可引起肝脏病变，所以天然香料对人体的潜在危害也是不应忽视的。

含防腐剂的食品安全吗

防腐剂可防止食品腐败，延长食品货架期，按其抗微生物性质可分为杀菌剂和抑菌剂，但两者不易严格区分。同一种物质，浓度高时可杀菌，浓度低时则可能抑菌，有效作用时间长可杀菌，有效作用时间短的话就只能抑菌。对于防腐剂，有些消费者可能了解得不太多，但在日常生活中确实有不少消费者每天都在食用它。

目前食品中使用的化学防腐剂包括有机类和无机类两大类。有机类有苯甲酸、苯甲酸钠、山梨酸、山梨酸钾、对羟基苯甲酸脂类、脱氢醋酸以及各种有机酸，如醋酸、柠檬酸和乳酸等；无机类防腐剂主要包括亚硫酸、亚硫酸钠、二氧化硫、硝酸盐及亚硝酸盐、次氯酸盐和磷酸盐等。另外还有苯甲酸、苯甲酸盐、山梨酸、山梨酸钾等各种有机酸类防腐剂，其抑菌作用受食品pH值的影响很大，pH值越低，抑菌作用越强，这类防腐剂被称为酸性防腐剂。有的食品外包装上写明含有“亚硝酸盐”等，有的消费者可能不知道这就是防腐剂。香肠、火腿、方便面、饮料、小孩子喜欢吃的小食品中，有不少都含

有防腐剂，吃多了不利于人体健康，还可能产生病变。在各种肉类和鱼类加工食品，比如罐头、火腿肠、香肠中，加入硝酸盐和亚硝酸盐后可抑制细菌的生长，放的时间长些，还可使肉类的颜色鲜美。但这两种防腐剂也是不宜过量食用的，亚硝酸盐和硝酸盐在酶的作用下，可与食物中蛋白质的分解产物结合，形成有强烈致癌作用的物质。因此，我国的《食品卫生法》对亚硝酸盐和硝酸盐的用量有严格的限制，不准超标。

可是从市场抽查的情况看，一些企业的违规行为还较多，甚至有的小饭馆、小吃店还将硝酸盐当嫩肉粉使用，用于炒肉或制作烤肉，人吃了很可能导致中毒。在绿色食品中，严禁使用上述防腐剂，通常允许使用的绿色防腐剂为“山梨酸钾”，所以，消费者在选择食品时，对标签上防腐剂的名称要仔细辨认。

温馨小贴士

目前，市场上使用的防腐剂多为人工合成的，由于化学合成物质不利于人体健康，国内外都在寻求天然食品防腐剂。常见的天然食物防腐剂有果胶分解物、辛香料提取物、琼脂低聚糖、乳酸链球菌素、丙酸、壳聚糖、溶菌酶、鱼精蛋白等。

糖精食品少吃为好

目前有的企业为了降低生产成本，在饮料、果脯甚至专供儿童消费的果冻等食品中使用糖精代替蔗糖，而食品标签上却不作任何明示，或用“蛋白糖”、“甜宝”等名掩盖使用糖精的事实，严重侵犯了消费者的知情权。

有关专家指出，糖精是从煤焦油中提取的、无热量的甜味剂，它的甜度相当于白糖的300~500倍。糖精不能被机体利用，大部分从尿排出，所以糖精对人体并没有营养意义。只是食品添加剂而不是食品，除了会引起甜的

味觉外,无任何营养价值。当人食用了较多糖精时,会影响肠胃消化酶的正常分泌,降低食欲和小肠吸收能力。短时间内食用大量糖精,还会引起血小板减少造成急性大出血,以及脑、心、肺、肾脏严重受损等恶性事故。美国国立癌症研究所对3000多名膀胱癌患者和近6000名健康人的饮食习惯调查发现,少量食用糖精并不会增加患膀胱癌的危险,但大量食用糖精,患膀胱癌的可能性明显增加。

近些年来,世界上许多国家严格控制糖精使用量,使其不超过食糖消费量的5%,且主要用于牙膏生产。按照这一比例和我国每年的食糖消费量计算,目前全国每年消费糖精应不超过890吨,但糖精实际使用量却超出这个数量的14倍。

在我国饮料、食品生产中,糖精的使用较为普遍。中国消费者协会日前对国内近百种不同档次、类型的饮料调查表明,含糖精的饮料达55%;有23%的饮料在生产中使用了糖精但却未标明;在中小城镇和农村市场上,近91%的饮料含有糖精。

据调查,目前在城镇中小学校周围小食摊上销售的、没有标识和生产地址的小食品及饮料,如汽水、雪糕、话梅等,大多都含有糖精。长期食用这些食品,会干扰孩子从正常膳食中摄取营养,或使一些孩子厌食,导致营养不良,影响身体发育。

温馨小贴士

在购买食品和饮料时,仔细阅读商品标签,尽量选择不含糖精的食品,购买有良好信誉的商品。家长要提醒和教育自己的孩子,抵制校园周边的“三无”小食品和饮料。

甜蜜的“水泡栗子”危害大

大家经常可以看到市场上或马路边有叫卖糖炒栗子的流动摊贩。他们

的手推车装着炉灶和圆铁锅，还带着一瓶“精制油”。炒栗子时如加了“精制油”，栗子肉“爆”出壳，看起来个头特大。炒好的栗子香气四飘，“爆”出壳的栗子肉与栗壳一样油光亮滑。每逢有行人走过，摊贩就殷勤地让人剥一粒尝尝，而且栗子壳、栗子皮都非常容易剥离，栗子肉入口后感觉特别甜，栗子肉松软但一点不糯。

其实，这些栗子都是他们在家用甜味剂泡好的。“水泡栗子”1 斤能泡到 1.5 斤，进价很低，街头不少炒栗游击队用的都是糖精栗子，炒时不需要加糖，吃上去就“甜蜜蜜”。

近年来，由于不少小作坊不择手段追求利润，大量使用被明令禁止的工业盐、滑石粉和漂白粉等添加剂。一些小型炒货厂产品的细菌指标、过氧化值超标以及超量、超范围滥用“糖精钠”、“甜蜜素”等食品添加剂的现象也很严重，已引起相关部门和协会的重视。

据专家介绍，开口栗子吃起来口感之所以特别甜，往往是因为超量添加了甜味剂。栗子如果不开口，所用添加剂实际上只与栗子“卖相”有关，与栗肉的甜度、吃的口感无关。开了口的“水泡栗子”如果再超量添加甜味剂，对人体健康危害很大。

街头上有些“糖炒栗子”油光发亮、香甜可口，有很多都是加了工业石蜡和糖精炒的，具有非常强的致癌性。正规的糖炒栗子应该用麦芽糖和精制植物油来炒。如果发现炒栗子外表乌黑发亮，放了一段时间色泽仍不退，这样的栗子多是加了石蜡。

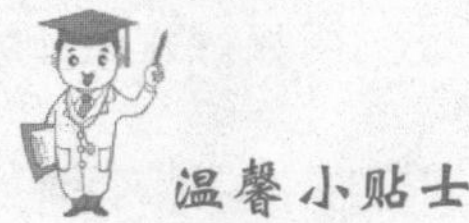

温馨小贴士

“甜蜜素”等甜味剂的甜味超过食糖 300 倍，按规定只能微量添加，一项实验发现，摄入大量糖精钠的老鼠会生膀胱癌。专家说，常吃超量添加甜味剂的“水泡栗子”，等于吃进“甜毒”。

十种常见的食品“杀手”

1. 硫磺：刺激人的胃黏膜，造成胃肠功能紊乱，影响人体对钙的吸收；造成慢性中毒甚至致癌。常见于辣椒、竹笋、腐竹、黄花菜、银耳、粉条、中药材等干货；瓜子、花生等干果；蜜饯等腌渍食品；馒头、包子、年糕等蒸制食品。

2. 甲醛：引起慢性呼吸道疾病；导致头痛、关、头晕、乏力、两侧不对称等感觉障碍；造成贫血，降低免疫功能；导致鼻咽癌、骨髓瘤、淋巴瘤等恶性疾病。常见于用甲醛泡发的水产品有鱿鱼、海参、虾仁，此外还有牛百叶、血豆腐等；还有用于卤肉、香肠等肉制品，豆制品、挂面、西瓜、红枣等。

3. 雕白块：又称吊白块，损坏身体的皮肤黏膜、肾脏、肝脏及中枢神经系统，严重的会导致癌症和畸形病变。摄入10克即可致人死亡。常用于米粉、米面食加工，豆腐、豆皮、鱼翅、糍粑等。

4. 双氧水和片碱：具有强烈腐蚀性，轻者造成口腔、食道灼伤，重者造成胃肠穿孔；引起肝、肾疾病，存在致癌、致畸和引发基因突变的潜在危害。常见于竹笋、猪油、开心果等干货；鱼翅等海产品，鸭掌、鸡爪、猪舌等卤制品。

5. 抗生素：抗生素会滞留在动物体内，人若长期食用含抗生素的畜产品，可引起消化道原有的菌群失调，同时还可使致病菌产生耐药性；而对抗生素过敏的人，还会诱发过敏反应。常见于水产品、家禽、家畜肉制品、鲜奶、奶粉等。

6. 激素：长期使用会使儿童出现性早熟，男性特征不明显。常见于水果蔬菜中，如番茄、苹果、葡萄、西瓜、水蜜桃等。

7. 瘦肉精：人在吃了含有大量“瘦肉精”的猪肉后，会出现心跳过快、手颤、等神经中枢中毒失控的现象，尤其对高血压、心脏病、糖尿病、甲亢、前列腺肥大患者危险性更大。

8. 毛发水：食用后会导致包括癌症等各种致命疾病的发生。常见于被造假的酱油等食品调料中。

温馨小贴士

防范食品"杀手"的原则：

①不要被外表迷惑，外观异常美丽诱人的食物中毒的可能性最大，最好不要购买。

②仔细闻一闻，很多化学添加剂都有气味。

③最好不要从小摊小贩手中买吃的东西，不要贪图便宜，要选择可依赖的商家和品牌。

④认真阅读产品说明，正规厂家的产品说明会告诉你食品的成分以供选择。

第五篇　怎样鉴别和选择食物

目前，市场上的商品琳琅满目，但一些不法商贩受利益的驱使，把利益的黑手伸进了关系到人们健康的食品市场，他们以假当真，以次充好。面对如此鱼龙混杂的食品市场，了解一些食品常识，掌握一些鉴别食物的方法和技巧是十分必要的。

日常副食类

食品的保质期和保存期

在食品标签上经常可以看到保质期和保存期，虽一字之差，却不能混淆。根据国家有关部门的标准，保质期的含义是："在标签上规定的条件下，保证食品仍然是可以食用的"。其中"规定的条件"，一般指的是储藏方法，如通风、干燥、阴凉等，在保质期内食品完全适于出售和食用。对超过保质期的食品应加以区别，如该食品的色、香、味没有改变，它仍然可以食用。当然对有些超期食品单凭感官不能做出鉴定时，则需通过化验检测来判定可否食用。

食品的保存期则为硬性规定，它是指在标签上规定的条件下，食品可以食用的最终日期。在此后该食品不再适于食用，应禁止出售。对此，我国

《食品卫生法》第七条中已作了明确规定。

食品保质期的新规定

轻工业部以食品的保质期重新做出规定，其具体期限如下：

(1)奶粉。马口铁罐装为12个月，玻璃瓶装为9个月，500克塑料袋装为4个月；甜炼乳：罐装为9个月，玻璃瓶装为3个月。

(2)麦乳精。镀锡铁罐装为12个月，玻璃瓶装为9个月，塑料袋4个月。

(3)糖果。第一、第四季度生产的为3个月，第二、第三季度生产的为2个月(梅雨季节生产的为1个月)。

(4)鱼类、禽类罐头为24个月；水果蔬菜罐头为15个月；易拉罐、玻璃瓶装果汁、蔬菜汁饮料为6个月。

(5)果汁汽水、果味汽水、可乐汽水玻璃装为3个月，罐装为6个月。

(6)11~12度熟啤酒省优以上为4个月，普通的为2个月；14度啤酒为3个月，15度熟啤酒为50天；葡萄酒、果酒为6个月；汽酒为3个月；瓶装黄酒暂定为3个月；露酒为6个月。

(7)饼干。镀锡铁罐装为3个月，塑料袋装为2个月，散装为1个月；塑料袋装方便面为3个月；夹心巧克力为3个月；纯巧克力为6个月。

(8)油炸干番茄酱铁罐装、玻璃瓶装为12个月。

(9)酱油和食醋为6个月。

温馨小贴士

目前，一些不法商贩在假盐制造的技术上已达到几可乱真的地步。消费者可从以下几个方面来识别真假：

1、防伪标志。如果防伪标志不规范地贴在包装袋表面，那肯定是假的。盐业公司的产品都是自动粘贴的，防伪标志不会出现歪斜。

2、封口。真盐上下封口完成一致，各有相同数量的横棱。私盐都是先

做好袋后封装，所以上下封口不一致，或一头有棱一头没棱，或上下封口的横棱凹凸状况不一致。

此外，私盐大都不加碘，特别是含硭硝或亚硝酸盐过多，对人体健康不利，而且缺斤短两现象严重。

怎样鉴别变质罐头

选择罐头归纳起来是“看”、“算”、“验”三个字：

“看”是看外形标志及内容物。马口铁罐头表面清洁无斑锈，底和盖稍凹进，焊缝和底部卷边无损伤，封门严密不变形者一般就是好罐头；玻璃罐头盖稍凹进，内容物不浑浊、无沉淀、不变色、块形完整、汤汁清澈多是合格产品。

“算”是计算一下保存期限，推算一下厂址厂名。为了保证罐头在正常运输和保管条件下不胖听、不漏气，保持原质，人食无害，国家对各类罐头都规定了保存期限，一般讲：8 个月的有鲜甘桔汁、糖水杨梅、鲜柚子汁、清蒸对虾、花生米等；一年的有蕃茄酱、糖水荔枝、糖水李子、鲜菠萝汁、浓缩柚子汁、浓缩柠檬汁、酸黄瓜、茄子酱、糖水杨桃等；一年半的有午餐肉、火腿午餐肉、糖水山楂等；两年的有糖水桔子、青刀鱼、蘑菇、糖水菠萝、糖水梨、糖水桃、糖水杏子、糖水苹果、糖水樱桃、糖水葡萄、糖水海棠、山楂酱、油浸鳗鱼、油浸鲳鱼、油浸青鱼、油浸鲅鱼、原汁猪肉、红烧猪肉、红烧鸡、红烧鸭、清蒸猪肉、清蒸牛肉、清蒸羊肉、咸牛肉、咸羊肉等。计算保存期限一是从商标纸上打印的出厂日期算出；二是从罐头的硬码代号上标出来。

“验”是检验一下罐头是否腐败变质。当罐头内部压力大于空气压力时，罐头的两底端就膨胀凸出，这种现象叫胖听，可用敲打、按压、穿孔的方法来检验。细菌性和化学性胖听的，敲打有空虚感，按压时不易压下，有时按压下去也会膨胀起来，穿孔后有气体跑出来。

温馨小贴士

目前，一些不法商贩在罐头制造的技术上已达到几可乱真的地步。消费者可从以下几个方面来识别真假：

①罐头盖四周无锈迹。

②看色泽，汁明液亮就是好罐头。

③看罐头外形是否有凸起，好的罐头顶部是凹的。

④用手指敲击罐头，声音应清脆。

选购烤鱼片的常识

建议消费者选购烤鱼片时注意以下几点：

(1)烤鱼片的保质期一般为6个月，消费者购买时尽量选购近期生产的产品，因为该产品水分、蛋白质含量较高，易滋生细菌，尤其在气温较高的环境中存放容易发生霉变现象。

(2)购买时应注意标签中的配料表，尽量不要选购含有防腐剂的烤鱼片。

(3)注意产品外观。好的烤鱼片产品一般呈黄白色，色泽均匀，边沿允许略带焦黄色，鱼片平整，片型完好，组织纤维非常明显，因而应选购黄白色或呈微黄色、鱼肉组织纤维明显的产品，不要一味追求鱼片的白度。颜色非常白的产品，有可能在加工过程中使用了漂白剂或添加了淀粉类物质。

(4)应选择企业规模较大、产品质量和服务质量较好的知名企业的产品。因为这些企业管理水平较高，生产设备先进，质量意识高，有较强的质量检验能力，从原材料到成品质量均能受到较好控制，产品质量有所保证。

(5)尽量选购袋装烤鱼片。因为散装烤鱼片直接暴露在空气中，一方面由于空气干燥使烤鱼片水分减少，致使烤鱼片又干又韧，影响口感，另一方

面又极易受到环境中细菌、灰尘、虫蝇等污染，使鱼片感染病菌或变质。

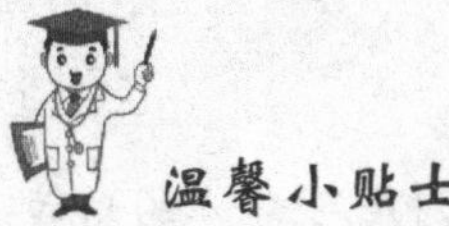

温馨小贴士

尽管烤鱼片是一种老少皆宜的方便食品，但消费者在食用烤鱼片时还应注意以下几点：

①变质的烤鱼片不可食用。若发现烤鱼片已出现手感发黏、有霉斑、有臭味或有明显异味等现象，说明鱼片已变质或被污染，食用后易引发肠道疾病，影响人体健康。

②有些烤鱼片生产企业为降低成本，在产品中掺加了淀粉、面粉等物质，若品尝时感觉有淀粉味道，或鱼片表面上有一层粉状物或异常白色的烤鱼片，不要购买。

③儿童不宜一次过多食用烤鱼片。由于烤鱼片中蛋白质含量很高，过量食用后容易引起消化不良及影响儿童食欲，长期食用将造成儿童膳食营养不均衡。

④开袋后的烤鱼片不宜放置过久，一是风干后影响口感，二是易滋生细菌，因此尽量按食用量来选择购买烤鱼片。

烘炒食品小常识

烘炒食品又称炒货，是以果蔬籽、果仁、坚果等为主要原料，添加或不添加辅料，经炒制或烘烤而成的食品。

烘炒食品具有重要的营养保健作用，已逐渐被人们所认识。市场上最常见、销量最大的是花生仁和瓜子仁。花生富含脂肪和蛋白质，一般约占其重量50%的脂肪和30%的蛋白质。此外，花生中还含有丰富的维生素、矿物质和碳水化合物。葵花子仁含油量约40%左右，含有较多不饱和脂肪酸、蛋白质，为人体提供大量热能，保护器官、滋润皮肤、增强维生素的吸收利用。

但由于炒货的原料是农副产品，原料季节性收购，常年加工，原料本身的质量直接影响到最终产品的质量。气候环境影响因素大，控制较难，贮存仓库和加工车间温度控制不严，或使用储存时间过长的原料，容易导致产品氧化变质，产生特殊的臭味和苦味。

那么怎样挑选烘炒食品呢，专家指出，合格的烘炒食品应具有果蔬籽、果仁、坚果等食品固有的外形、色泽、气味和滋味，口感松脆，不应有霉变、虫蛀现象，不应有酸败、臭味、苦味等异味。在挑选烘炒食品时：一要选品牌。目前市场上炒货产品质量表现为大型知名企业生产的产品质量较为稳定；而一些非主流销售渠道销售的产品质量参差不齐，具体表现在微生物指标超标，过氧化值不符合标准要求，产品超范围使用食品添加剂等。二要看标识。选购时最好注意产品的标签标识，炒货标签应标明产品名称、净含量、配料表、制造者（或经销者）的名称和地址、产品标准号、生产日期、保质期。因炒货油脂含量较高，如果保存不当，受高温和高湿度的影响，易造成产品变质。所以在购买时要特别注意产品的生产日期，选择保质期内的产品，最好是距离生产日期较近的出厂不久的产品。同时，检查包装是否有破裂，最好是真空包装或者在包装中有脱氧剂。三是品尝感观，打开包装闻一下产品的气味是否正常，应没有刺鼻的哈喇味；外观应没有发芽、霉变、生虫，口感应松脆。

温馨小贴士

因炒货含油脂量高，含大量热量，所以一次食用量不宜过大，否则容易造成脂肪堆积。少年儿童食用时要特别注意安全，边吃炒货边嘻笑玩闹，极容易造成食物卡住气管等意外，所以家长要特别注意。

糖葫芦安全隐患多

有些冰糖葫芦的山楂未成熟，味道不对，于是给糖葫芦上色；锅里高温熬着的糖变为焦糖。焦糖色素是一种食品添加剂，但是由于它含有砷、铅、汞等有毒元素，这些元素如果摄入过多，将严重危害人体健康。

温馨小贴士

人工合成色素主要是以煤焦油中分离出来的苯胺染料为原料制成的。几乎所有的合成色素对人体没有任何营养价值，某些合成色素还有致癌作用。因此，尽可能少吃冰糖葫芦。

怎样识别返青粽子

目前市场上出售的粽子中，其粽叶明显呈现两种颜色：一种是黄色的，闻起有一股幽香；另外一种是青绿色，外表看起来比较光鲜，然而闻起来却有一股异味，这类产品多来自一些个体小作坊。

业内人士指出，在这些小作坊中，不但生产环境极差，而且厂家大多采取化学染色手段，在浸泡粽叶时加入了工业硫酸铜和工业氯化铜等原料，让已经失去了原色的粽叶重新“返青”，人们称为“返青粽叶”。

专家指出，若较长时期地摄入“返青粽叶”中的过量重金属，人体中铜摄入量过大或长期积蓄于肝脏，不但可导致肾脏功能衰竭，还会引起铜中毒。由于其潜伏期较长，短时间内不易觉察，然而一旦发病就十分严重，甚至会致癌、致畸。

温馨小贴士

在购买粽子时可通过三种方法辨别其质量：

①看外观。染色粽叶具有均匀的青绿色，表面色泽光鲜，看上去很诱人。而原色粽叶颜色发黄发暗。

②是闻气味。染色粽叶包装的粽子煮熟后，粽子的清香味不足，甚至反而会有淡淡的硫磺味道。

③辨煮水。由于经过化学处理，返青粽叶的颜色相对稳定，加热后水的颜色变化不大，或呈轻微绿色，绿色表明其化学原料含量高。而原色粽叶加热后，水的颜色则会呈现淡黄色。

怎样鉴别人造鸡蛋

人造鸡蛋的蛋壳是用碳酸钙做的，蛋黄和蛋清则是用海藻酸钠、明矾、明胶、食用氯化钙加水、色素等制成。

其做法是先将一定量的海澡酸钠倒入一盆温水内搅拌成蛋白状物体，用明胶拌匀，再加苯甲酸纳、白矾等其他化学品混入制成蛋白，而蛋黄只是加些柠檬黄色素，再加氯化钙混合倒入模具形成蛋形，产生蛋的薄膜，蛋壳则是用石蜡、石膏粉、碳酸钙等制成。

人造鸡蛋所用的都是化学成分，主要是利用海藻酸钠的钙化，顶多就是一个凝胶体，其中的明矾、明胶等平时只是作为食品的添加剂、辅助剂，而国家标准对添加剂用法、用量都有明确的规定，在人造鸡蛋中却成了主要成分，对人体不但没什么好处，而且营养角度上与真鸡蛋相比更是不可同日而语。同时，有关专家指出，氯化钙也分食用级和工业级，色素也是一样，而这些人造蛋厂家都是地下工厂，很难说这些工厂用些什么原料。

危害：人造鸡蛋毫无鸡蛋味，研究发现，长期食用会造成大脑记忆力衰退、痴呆等。

温馨小贴士

如何识别人造鸡蛋

①“人造蛋”蛋壳两端有穿孔痕迹。

②在晃动时"人造蛋"会有响声,这是因为水分从凝固剂中溢出的缘故。

③"人造蛋"打开后不久蛋黄、蛋清就会融到一起,这是因为蛋黄与蛋清是同质原料制成所致。

④打荷包蛋时,蛋黄、蛋清在锅里会散黄。

如何鉴别"红心"蛋

蛋黄这种食品,本来就因为高胆固醇而受到歧视;添加苏丹红的鸭蛋黄,更是让人们对于"蛋黄"这种食品产生了空前的疑虑。即便是喜爱蛋黄的消费者,在红色蛋黄成为洪水猛兽之后,在挑选禽蛋的时候,也突然感觉到不知所措。

目前市场上发现某些"红心"咸鸭蛋其实并非鸭子多吃鱼虾而产生的,而是饲养者在饲料中违规添加致癌的"油红"(主要成分是苏丹红四号)。油红是一种工业染料,主要用于鞋油、地板、蜡烛等工业产品的染色。它与苏丹红一号、苏丹红四号相比,不但颜色更红艳,而且毒性更大,被国际癌症研究机构列为三类致癌物。

那么,如何鉴别致癌"红心"蛋呢?

(1)颜色上。放养鸭子产的蛋,蛋黄颜色会随四季变化而改变。春天,食物来源丰富,营养充足,鸭蛋质量非常好,蛋黄略呈红色;夏季,食物来源减少,蛋黄的红度变浅;秋季,鸭子以稻谷为主食,此时蛋黄颜色偏黄;冬季全靠饲料喂养,蛋黄呈浅黄色。而且,即使同一批鸭子产的蛋,蛋黄颜色也会深浅不一。而鸭子食用添加苏丹红的饲料后,蛋黄颜色则没有四季的分别了。

(2)煮蛋时。由于人为添加的色素更容易分离,放在水中会浮于水面或者溶在水里,因此在煮蛋的时候,如果发现水的颜色有变化的话,则说明很可能是人为添加的色素,最好不要食用。

(3)切蛋时。实际上,蛋黄自然红的鸭蛋,蛋黄"红中带黄",切开之后能

明显看见有红油流出，味道鲜美。而吃了“涉红”饲料的鸭子所产蛋的蛋黄则是鲜红色的，用它制成咸鸭蛋切开之后可以闻出有玉米面的味道，且蛋黄坚硬、干燥。

温馨小贴士

在买鸡蛋时，人们常识上认为蛋黄为金黄色或红棕色就是“柴鸡蛋”，营养价值会更好。其实，这种判断标准并不科学。蛋黄天然颜色呈金黄色，可能是胡萝卜素或维生素A含量较高所致，但并不是所有的“红心”鸡蛋都是“柴鸡蛋”，有可能是色素在起作用。如果鸡产蛋很多，那么蛋黄颜色通常比较浅，而有些商贩为了使鸡蛋变成“红心”，冒充“柴鸡蛋”，常常会向饲料中添加色素。因此，蛋黄颜色不能用于判断是否为“柴鸡蛋”的标准，更不能据此认为其营养价值高。

粉丝、粉条鉴别常识

目前，一些小商小贩受利益的驱使，在粉丝、粉条上作假，鱼龙混杂，使人难辩真假，下面是一些鉴别粉丝、粉条的基本常识，以供参考。

1. 色泽鉴别

将产品在亮光下直接观察，优质粉丝粉条，其色泽洁白，带有光泽。较差粉丝、粉条色泽稍暗或微泛淡褐色，微有光泽。劣质粉丝、粉条则色泽灰暗，无光泽。

2. 组织状态鉴别

用手弯、折，以感知其韧性和弹性。优质粉丝、粉条粗细均匀(宽粉条厚薄均匀)，无并条，无碎条，手感柔韧，有弹性，无杂质。较差粉丝粉条粗细不匀，有并条及碎条，柔韧性及弹性均差，有少量一般性杂质。劣质粉丝、粉条有大量的并条和碎条，有霉斑，有大量杂质或有恶性杂质。

3. 气味与滋味鉴别

可取样品直接嗅闻，然后将粉丝或粉条用热水浸泡片刻再嗅其气味；将泡软的粉丝或粉条放在口中细细咀嚼，品尝其滋味。好粉丝、粉条无任何异味。劣质粉丝、粉条则有霉味、酸味、苦涩味及其他外来滋味，口感有沙土存在。

温馨小贴士

优质的粉丝有以下几个特点：细长，均匀，整齐，透明度高，有光泽，干燥，柔韧，有弹性，无霉味，酸味和其他异味。

五谷杂粮类

面粉并非越白越好

购买面粉时，市民们经常以面粉的黑白程度作为判断面粉优劣的标准。一种流行的观点是：面粉越白，质量越好。但专家提醒，面粉偏白不宜食用。

专家介绍，面粉偏白是由于加入了过多的面粉增白剂造成的。面粉增白剂学名过氧化苯甲酰，是一种在化学工业广泛使用的氧化剂，加入面粉可抑制面粉中所含有的一些生物酶的活性及微生物的生长，促进面粉熟化，增加面粉白度。但过氧化苯甲酰对面粉中的β-胡萝卜素、维生素B有较强的破坏作用，也会氧化破坏维生素E和维生素K等，且其还原产物苯甲酸摄入过多也不利于人体健康，因此各国都制定了限量使用的标准。

如发现面粉特别白时，需小心购买，很有可能是添加了增白剂。也就是说小麦粉越白品质并非越好。选购小麦粉可采用以下方法：

一看：看包装上是否标注厂名、厂址、生产日期、保质期、质量等级、产品标准号等内容，尽量选用标明不加增白剂的小麦粉，还要看包装封口线是否有拆开重复使用过的迹象，若有则为假冒产品；再要看小麦粉的颜色，小麦粉的自然色泽为乳白色或略带微黄色，若颜色纯白或灰白，则为过量使用了增白剂所致。

二闻：正常的小麦粉具有正常香味，若有异味或霉味，则为遭到外部环境污染或面粉超过保质期，也可能添加剂过量，说明小麦粉已变质。

三选：要根据不同的用途选择相应品种的小麦粉，制作面包类应选择高筋的面包专用粉，制作馒头、面条、饺子等要选择中筋小麦粉，制作糕点、饼干则需选用低筋小麦粉。

温馨小贴士

小麦粉应该保存在闭光通风、阴凉干燥处。潮湿和高温都会使小麦粉变质，小麦粉在适应的贮存条件下可以保存一年。在面袋中放入花椒包可防止生虫。可使用塑料袋密封存放，使面粉与空气隔绝，能防止反潮发霉，也不易生虫。

怎样鉴别小米被染色

在农贸市场上，曾发现一些经过染色的小米在出售。所谓染色，是指小米发生霉变，失去食用价值，投机商将其漂洗之后，再用黄色素进行染色，使其色泽艳黄，蒙骗购买者。人们吃了这种染色后的黄色米，会伤害身体。

1. 感官鉴别法

色泽：新鲜小米，色泽均匀，呈金黄色，富有光泽；染色后的小米，色泽深黄，缺乏光泽，看去粒粒色泽一样。

气味：新鲜小米，有一股小米的正常气味；染色后的小米，闻之有染色素的气味，如姜黄素就有姜黄气味。

2. 化学鉴别法

取样品25克置于乳钵中，加入25毫升的无水乙醇，研磨，取其悬浊液25毫升，置于比色管中，然后加入10%的氢氧化钠2毫升，振荡均匀，静置片刻，观察颜色变化，如果是桔红色，说明小米是用姜黄素染色的。

温馨小贴士

水洗可鉴别小米真假：新鲜小米，用温水清洗时，水色不黄；染色后的小米，用温水清洗时，水色显黄。

小心霉变米染色变成黑米

目前，一些小贩不顾消费者的生命健康，把色素添加到大米里，甚至是用霉变大米经染色制成的，然后把大米倒进机器里搅拌、打磨，出来的米就变得光滑黑亮，变成小贩们叫卖的"优质黑米"。而且，这些"黑心米"的批发价都很便宜，一公斤还不到2元钱，而摊贩们的零售价最高可达六七元钱。

专家提醒消费者在购买黑米的时候一定要仔细观察。好的黑米通常有光泽，米粒大小均匀，很少有碎米，无虫、不含杂质，米粒上少裂纹。

染色黑米由于黑色集中在皮层，胚芽仍为白色，因此消费者可以将米粒外面皮层全部刮掉，观察米粒是否呈白色，若不呈白色，则极有可能是人为染色黑米。将有色大米放到用水浸湿的软纸上，然后用手搓，搓后软纸上留有颜色就是染色大米。

温馨小贴士

人们在买食用米尤其是黑米、红米等有色米时，应去正规的商场购买那

种有生产厂家、生产日期及电话地址的产品。

鉴别“毒大米”五招

消费者在购买散装大米时,可以从以下几个方面进行挑选:

一看:看大米的色泽和外观。正常大米大小均匀、丰满光滑,有光泽。含腹白少的大米比含腹白多的大米食味好。

二抓:抓一把大米,放开后,观察手中粘有糠粉的情况,合格大米糠粉很少。

三闻:手中取少量大米,向大米哈一口热气或用手摩擦发热,然后立即嗅其气味,正常大米具有清香味,无异味。

四尝:取几粒大米放入口中细细咀嚼,正常大米口感微甜,无异味。

五洗:使用温水淘洗,看看是否会产生大量杂质、油渍、蜡渍,如果没有上述现象,可断定没有掺入工业用油抛光。

添加非食用的矿物油的大米有一种既简便又实用的鉴别方法:用少量热水浸泡这种大米时,手捻能有明显油腻感,严重时水面可浮有油斑。另外是仔细看,因上油抛光米颜色通常是不均匀的,仔细观察会发现米粒有一点浅黄。

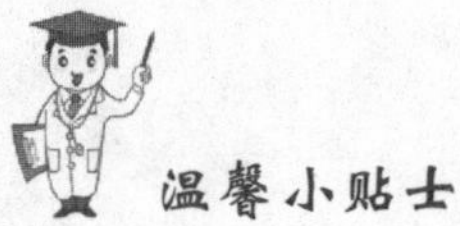

温馨小贴士

在购买小包装大米时首先应该查看包装上标注的内容。包装上必须标注产品名称、净含量、生产企业、经销企业的名称和地址、生产日期和保质期、质量等级、产品标准号、“QS”标记等,消费者尤其应该注意不要购买没有“QS”标志的大米。

速冻面米制品选购小诀门

一般市场上常见的速冻小包装食品如速冻饺子、馄饨、包子、烧卖等都属于此类食品，消费者在选购时应注意以下几点：

第一，注意销售场所的贮藏条件。速冻面米制品一般要求在－18℃以下的冷藏库内贮藏。否则即使在保质期内，内部质量也是无法保证的。

第二，看产品外包装。首先要选择包装材料好，包装完整，印刷清晰的产品，其次外包装应标明产品名称、配料表、净含量、制造商名称和地址、生产日期、保质期、贮藏条件、食用方法、产品标准号、生制或熟制、馅料含量占净含量的配比等。

第三，看产品外观。如果发现产品变形、破损、软塌、变色、表面发黏甚至黏为一团，包装内有不应有的杂质等都不应购买。

温馨小贴士

速冻食品不宜久放，在购买回家后，短期内应尽快食用，不要贮存过久。

日常肉食类

怎样挑选腌、腊食品

肉眼看腊肉色彩鲜明，有光泽，肌肉呈鲜红色或暗红色，脂肪透明或呈现乳白色。表面无盐霜、肉身干爽、肉质光洁结实，有弹性，肥肉金黄透明。凡肌肉灰暗无光，脂肪呈黄色，表面有霉点，抹拭后仍有痕迹；肉质松软，无

弹性，指压后凹痕不易恢复，肉表附有黏液的则不要购买。

优质香肠、灌肠其肠衣干燥、无霉点，富有弹性，肉馅与肠衣紧紧贴住，不易分离，肉质坚实而湿润，肉呈均匀的蔷薇红色，脂肪为白色，具有香灌肠固有的芳香味，无酸腐味。凡肠衣表面湿润有黏性，甚至有少数霉点，有破裂的肉馅与肠衣分离现象，肥肉丁呈淡黄色，肉馅松散，四周光泽灰暗，有褐色斑点，香味消失，有酸腐味的则不要购买。

优质板鸭体表光洁，呈白或乳白色、淡红色，腹腔内壁干燥、有盐霜，肉切面呈酱红色，切面致密结实、有光泽，具有板鸭特有的气味。凡体表发红或深黄色，有大量油脂渗出，腹腔潮湿发黏，有霉斑，肉切面带灰白、淡绿色，切面松散、发黏，有哈刺味和腐败酸气的，则不购买。

温馨小贴士

腌腊制品的霉变多发生于散装产品之中。采用真空包装的产品，如果封口不严或者包装袋破裂，也会发生霉变。散装腌腊制品应该晾挂在通风条件良好、干燥的室内。晴天打开窗户通风透气，雨天则关闭窗户。采用真空包装和除氧包装，只要按照规定的工艺操作，均能有效地防霉。

如果腌腊制品的保管措施不当，如仓库潮湿、不通风或者制品堆积，均会引起霉变。如果霉变在表层，则可以将霉层刮除，对剩余部分进行重新利用。如果霉变已经到达深层，或者霉变表层不能够刮除，则应废弃。

怎样鉴别放心肉

人们在集贸市场购买肉类食品时，有时会遇到不法商贩将各种肉类混在一起，以假充真、以次充好等情况。因此，我们有必要学一点鉴别肉类食品的知识。

牛肉：色泽淡红或深红，切面有光泽，质地坚实，有韧性，肌纤维较细，眼观断面有颗粒感。肌肉间脂肪明显可见,牛脂肪色泽呈黄色或白色,硬而脆。

羊肉:色泽淡红,肌肉发散,肉不黏手,质地坚实,肌纤维较细短。羊肉脂肪呈白色或微黄色,质地较脆。

猪肉:色泽鲜红,切面有光泽,肉质鲜嫩,肌纤维细软,瘦肉切面呈大理石样纹斑。猪肉脂肪呈纯白色,质地较软而黏稠。

狗肉:色泽深红或砖红,质地坚实,肌纤维比猪肉粗,脂肪呈灰白色,柔软而黏腻。

兔肉:色泽淡红或暗红,质地松柔,肌纤维细嫩,脂肪黄白色,质软。

温馨小贴士

"异常肉"多见于:

①囊虫肉(又称米猪肉):切开瘦肉,切面上有石榴籽大小的白色半透明颗粒状囊泡。

②过期冷冻肉:色泽暗黄,肉质发枯,外表有风干氧化斑点。近闻有淡淡的异味,解冻后有臭味。

③冷冻注水肉:冷冻注水肉表面很光滑,横切面有冰碴,底面会有血冰,化开后出水较多。

怎样挑选活鸡

(1)看鸡的整个神态。健康鸡显得有精神,活泼好动;病鸡显得没有精神,反应迟钝,体质消瘦,放在地上不爱动,无论喂它什么皆不食。

(2)看鸡头。健康鸡的脑肌肉丰满,以手触之头伸缩富有弹性,用手拍鸡则有叫声;病鸡脑肌肉消瘦,用手拍之无声。健康鸡的鸡冠鲜红,大多挺直;病鸡的鸡冠或冠尖呈暗紫色或青紫色,苍白肿胀,蔫搭萎缩。健康鸡眼

睛炯炯有神，四处张望；病鸡眼睛无神或闭眼打瞌睡。健康鸡的嘴清洁干净，呼吸自然；病鸡的嘴不断哈气，呼吸急促，有的鼻孔流涕，嘴中流涎。

(3)看鸡翅膀。健康鸡羽毛整齐，光泽均匀，翅膀自然紧贴鸡体；病鸡羽毛松散，光泽暗淡，翅膀下重微张开。

(4)看肛门。健康鸡的肛门周围干净无烘迹黏液；病鸡肛门周围有绿色或白色烘迹黏液和脏毛。

(5)摸鸡嗉。健康鸡的嗉子无气体，不胀不硬；病鸡嗉子膨胀有气体，积食发硬，如倒提起来，头奋脚冷嘴流泫，必是病鸡无疑。总之，应挑选嗉内有粮食的、又叫又跳喜啄食的活鸡购买。

温馨小贴士

市场上出售的烧鸡，有些是用患病的死鸡加工制做的，怎样识别呢？买烧鸡时不要只看色泽，因为色泽是用蜂蜜或红糖过油而成，所以好鸡病鸡一般看不出有什么差别。首先应当看烧鸡的眼睛是否呈现半睁半闭的状态，如果是这样，就可断定不是病鸡，因病鸡死亡时眼睛已全部闭上。其次，买烧鸡时用手轻轻挑开肉皮，如果里面的鸡肉呈现白色，就可以断定是健康鸡做成的。因为病瘟鸡死时没有放血，肉色是红的。另外，买烧鸡时闻一闻有无异味，也是识别质量的方法之一。

如何识别劣质猪肉

(1)注水肉。用眼看，猪肉注水后，表面看上去水淋淋地，瘦肉组织松驰且颜色较淡；用手摸，注水肉没有黏性；用刀切，注水肉弹性差，刀切面合拢有明显痕迹；用纸试，将卷烟纸内贴在瘦肉上，过一会儿揭下纸将其点燃，你就会发现，有明火的，说明纸上有油，肉没有注水，反之则是注水肉。将普通薄纸贴在肉上，正常鲜猪肉有黏性，纸不易被揭下，注水肉无黏性，很容易被揭下。

(2)次鲜肉:肌肉色稍暗,脂肪缺乏光泽,外表干燥或有些粘手,新切面湿润,指压后的凹陷部不能立刻恢复,弹性差,常有氨味或酸味。

(3)死猪肉:死猪肉皮肤一般都有出血点或血痕,颜色发暗,脂肪呈黄色或红色,肌肉无光泽,用手指按压后,其凹陷部不能立即恢复。

(4)米猪肉:即患囊虫病的猪肉,这种肉对人身体危害极大,不能食用。囊包虫呈石榴籽状,寄生在肌纤维(瘦肉)中,腰肌是囊包虫寄生的地方。识别时可用刀子在肌肉上切,一般厚度1公分,每隔1公分切一刀,4~5刀后,仔细观察切面,如见肌肉上附有石榴籽大小的水泡状物,此物即是囊包虫。

温馨小贴士

新鲜猪肉肉质紧密,富有弹性,皮薄。膘肥嫩、色雪白,且有光泽。瘦肉部分呈淡红色,有光泽,不发黏。不新鲜的内无光泽,肉色暗红,切面呈绿、灰色,肉质松软,无弹性,粘手,闻起来有难闻的气味。严重腐败的肉有臭味,切记不宜购买、食用。

如果掌握了以上几种方法,不难在市场上挑选到优质鲜猪肉。

怎样识别鱼是否受过污染

含有各种化学毒物的工业废水大量排入江河湖海,使生活在这些水域里的鱼类发生中毒,多种化学毒物长期蓄积在鱼腮、肌肉和脂肪里,致使鱼体带毒,甚至致畸、致癌。有关报道中总是不停地出现河流污染、海洋污染的字样,让人不得不担心我们吃到肚子里的鱼,究竟是在补充营养还是“服毒自杀”?所以具备一双超级“慧眼”,挑选出没有受过污染的鱼是人们必备的贴身本领!

1. 看鱼形

污染较重的鱼,其鱼形不整齐头大尾小,脊椎、尾脊弯曲僵硬或头特大

而身瘦、尾长又尖。这种鱼含有铬、铅等有毒有害重金属。

2. 观全身

鱼鳞部分脱落，鱼皮发黄尾部灰青，有的肌肉呈绿色，有的鱼肚膨胀。这是铬污染或鱼塘大量使用碳酸铵化肥所致。

3. 辨鱼鳃

腮是鱼的呼吸器官，相当于人的肺。大量的毒物就可能蓄积在这里。有毒的鱼腮不光滑，较粗糙，呈暗红色。有的鱼表面看起来新鲜，但如果鱼鳃不光滑、形状较粗糙，呈红色或灰色，这些鱼大都是被污染的鱼。

4. 瞧鱼眼

有的鱼看上去体形、鱼鳃虽正常，但其眼睛浑浊失去正常光泽，有的眼球甚至明显向外突起，这也是被污染的鱼。

5. 闻鱼味

被不同毒物污染的鱼有不同的气味。煤油味是被酚类污染；大蒜味是三硝基甲苯污染；杏仁苦味是硝基苯污染；氨水味、农药味是被氨盐类、农药污染。

温馨小贴士

在选购淡水鱼时，要仔细查看鱼的眼睛，根据眼睛可以查看鱼是否新鲜。鱼眼饱满突出的、具有海水鱼的鲜腥味或淡水鱼的土腥味的、鳞片有光泽的、鱼肉有弹性无异味的，才是新鲜鱼，可供选购。

变质冷冻鱼、肉、禽的识别

变质的冻肉（包括猪肉、牛肉、羊肉等）解冻后，肉色无光泽，切面为暗红色、绿色或灰色，脂肪灰白带有污秽色泽，闻之有腐败臭味。肌肉表面极度干燥,或手感黏腻、湿润,肌肉无弹性。

变质的冻鱼眼球不如新鲜鱼饱满,体表光泽稍差;解冻后肌肉弹性差,肌纤维不清晰,闻之有臭味,若鱼头部有褐色斑点,腹部变黄,说明鱼的脂肪已变质。

变质的冷冻肉(包括鸡、鸭、鹅)解冻后,皮肤发黏无弹性,肉切面无光泽,发绿、发臭。

温馨小贴士

家里电冰箱冷冻室的鱼、肉、禽食品,储存时间久了以后,应检查一下。解冻后如发现变质,就不能再食用。因为它除了可使人发生细菌性食物中毒外,其产生的有毒的蛋白质分解物,还会使肝脏受损。

虾米艳红隐患多

买过虾米的人都知道,虾米除大小不同外,一般有三种颜色:黄色、肉红色和艳红色。从外观上看,艳红色的虾米似乎更新鲜,殊不知,这种虾米隐患很多。

虾米加工工序并不复杂:将收来的鲜虾放锅里煮熟,再晒干、去壳,即成虾米。煮虾是虾米加工中最重要的一个环节,在此过程中,加工者一般都会加上一勺粉红色的染料。一般地说,新鲜煮熟的虾会变成淡淡的肉红色,但加了颜料煮出来的虾米的红色却鲜红艳丽,讨人喜爱,而且两三个月都不褪色。

这种神秘的粉红色染料到底是什么呢?经北京化工研究院和北京大学分析测试中心检测,这种粉红色染料叫“亮藏花精”,俗称“酸性大红”,主要用于木材的染色,还可用于羊毛、蚕丝织物、纸张、皮革的染色,塑料、香料和水泥的着色,还可制造墨水。该染料溶于水呈红色,不能用于食品添加剂。

这种染料吸附性强，色泽牢靠，有强致癌性。可见，经过这种染料染色的虾米决不可食用！

温馨小贴士

挑选小常识：

①新鲜的虾体表面有光泽，触之有糙手感，躯体有伸屈力，肌肉有弹性。

②河虾呈青色，海虾呈青色、白色或微红色。

③虾变质后，体表失去光泽，触之有黏滑感，色变红，虾体无伸屈力和弹性。

④剥开变质的虾壳，内脏泛红色，背沿上无肠管痕迹。

⑤正常虾米应呈淡淡的肉红色或黄色，若虾米呈老黄色，说明制作虾米的虾本身已不新鲜，若经过粉红染料着色的虾米，则呈鲜红艳丽的红色。

瓜果蔬菜类

如何识别无公害蔬菜

适应人们提高生活质量的需求，无公害蔬菜成为节前市场的“新宠”。然而，目前除北京、上海、广州等发达城市外，大部分城市都没有完全实行无公害蔬菜市场准入机制，市场上普通蔬菜和无公害蔬菜“鱼龙混杂”。

目前，无公害蔬菜的检测手段还不够简单。如果每次买菜都去检测中心检测，既不方便，也不现实。

专家告诉市民，安全蔬菜的级别由低到高分别是放心蔬菜、无公害蔬菜、绿色蔬菜、有机蔬菜。目前，国内的绿色蔬菜主要指放心蔬菜和无公害蔬菜,还难以达到真正的绿色级别。

专家建议,在挑选蔬菜时应注意以下四点:

第一,看色泽。各种蔬菜都具有本品种固有的颜色,有光泽,显示蔬菜的成熟度及鲜嫩程度。

第二,嗅气味。多数蔬菜具有清香、甘辛香、甜酸香等气味,不应有腐败味和其他异味。

第三,尝滋味。多数蔬菜滋味甘淡、甜酸、清爽鲜美,少数具有辛酸、苦涩的特殊味道。

第四,看形态。多数蔬菜具有新鲜的状态,如有蔫萎、干枯、损伤、变色、病变、虫害侵蚀,则为异常形态。还有的蔬菜由于人工使用了激素类物质,会长成畸形。

温馨小贴士

专家给无公害蔬菜下的定义是,通过应用无公害的技术进行生产,经专门机构检测认定,允许使用无公害农产品标志的蔬菜。

有关黑木耳的小常识

黑木耳是一种子实体胶质,浅圆盘形,耳形或不规则形,新鲜时质地柔软,富有弹性,口感好。干制后菌体收缩,颜色变深褐色或黑色,多生长在栎、榆、洋等阔叶树上。

1. 黑木耳的采集与加工

黑木耳的采收分春、伏、秋季节:从清明到小暑前采收的叫“春耳”。这段时间的木耳,朵大肉厚,色泽灰黑,吸水膨胀率好,质量佳。从小暑到立秋前采收的叫“伏耳”,此时由于气温高,病虫害也多,容易造成烂耳,质量差,但产量最高。立秋后采收的叫“秋耳”,朵形略小,肉质中等,质量一般好于

伏耳次于春耳。

采收后的鲜木耳含水分多，如不及时制干，易造成腐烂变质。制干的方法有两种：一种是天气晴朗，光照充足，将采收的木耳薄薄摆摊在晒席里，烈日曝晒1~2天，就可达到制干程度。另一种是如果采收时下雨，可及时采取烘干的方法。

2. 黑木耳的营养价值

黑木耳主要有润强壮，清肺益气，补血活血，镇静止痛等功效；并能治疗痔疮出血，产后虚弱，寒湿性腰腿疼痛等症。由于木耳有润肺和清涤胃肠的作用，因此它也是纺织工人和矿山工人的重要保健食品之一。

3. 黑木耳的选购

购买黑木耳最好到大商店或超市中选择有一定知名度企业生产的产品，这些企业的产品质量较有保证。购买时要看清包装上的厂名、厂址、净含量、生产日期、保质期、产品标准号等内容。

温馨小贴士

消费者在购买食用菌产品时应仔细观察其外形、色泽，必要时可闻气味，观察的重点是看产品是否有霉变，颜色是否正常，是否有大量的食用菌破碎，看包装底部是否有大量的泥沙、杂草，死的昆虫，用鼻闻是否有特别异常的气味等。

干菜选购小窍门

干菜是人们日常生活中经常食用的产品。目前，国内大部分干菜产品的生产加工仍采用传统的自然干燥工艺，企业大多是土灶式的手工家庭作坊式生产，这样的产品存在的质量问题较多。

为此，有关专家提醒广大消费者，在选购干菜，特别是常见的银耳、黄花

菜和笋干时,应掌握以下几个小窍门:

(1)银耳。不同质量的银耳感官差异很大。优质银耳干燥,色泽洁白,肉厚而朵整,圆形伞盖,直径3厘米以上,无蒂头,无杂质;普通银耳色白而略带米黄色,整朵,肉略薄,直径1.3厘米以上,无蒂头,无杂质;较差银耳色白或带米黄色,但不干燥,肉薄,有斑点,带蒂头,有杂质,朵形不正,直径1.3厘米以下。银耳的本色应该是普通的白色,根部淡黄,味道表现为无味或略带土腥味;而用二氧化硫熏制的银耳却是黄白异常分明,看上去是雪白和特黄的,味道表现为刺激性气味。

(2)黄花菜。选购时,一用眼睛观察,正常的黄花菜颜色是金黄色或棕黄色的,而经过硫磺熏制后的黄花菜是嫩黄色,比正常的黄花菜颜色淡;正常的黄花菜颜色是均匀的,而熏制过的黄花菜的颜色是不均匀的。二用鼻子闻,正常的黄花菜应该具有黄花菜自身的香味,没有其他的气味,而熏制过的黄花菜有刺激性的气味。三用手成把握紧黄花菜,松手后,菜能自动散开恢复原形的,说明菜身干,质量好;如果手捏成把,松手后仍成团形的,不能恢复原状的,说明菜湿,含水分高,容易长霉。

(3)笋干。质量优劣鉴别首先看色泽,如呈黄白色或棕黄色,具有光泽的为上品,色泽暗黄的为中品,色泽酱褐的为下品。其次看笋体,短粗,体态肥厚,笋节紧密,纹路浅细,质地嫩脆,长度在30厘米以下的为上品,长度超过30厘米,根部就显得大而老,纤维就多而粗,笋节亦长,质地就老。当笋干含水量在14%以下,手握笋干折之即断,并有响声的,说明湿度适中;如果折而不断,或折断无脆声的,说明笋干水分大。有些笋干由于水分较大,在存放期间,容易长出大片白霉,有的是虫蛀洞眼,则品质差。

温馨小贴士

黄花菜的储藏方法:

①晒蒸时不可添加焦亚硫酸钠或盐糖及任何化学物料。

②在晾晒过程中不可混入杂物或沙土，而且必须晒到含水份7%后存放，否则存放中易发霉变质。

③存放要避免雨淋和反潮，地面要衬防潮纸，塑料纸，加垫木，支空码放，切不可在潮湿处存放。

怎样鉴别安全水果

所谓"安全水果"是指低或没有农药残留的水果。下面介绍几种选购水果时应注意的事宜：

(1)尽量购买当令水果，不合时令的水果须多喷洒大量药剂才能提前或延后采收上市。

(2)选购时不用刻意挑选外观鲜美、亮丽而无病斑、无虫孔的水果。外表稍有瑕的水果无损其营养及品质。此外，外表完美好看的水果有时反而残留更多药剂。

(3)表皮光滑的水果农药残留较少，而外表不平或有细毛者，则较易附着农药。另外有套袋保护的水果，则药剂附着较少。

(4)若水果外表留有药斑或不正常之化学药剂气味者，应避免选购。

(5)长期贮存或进口的水果，常以药剂来延长其贮存时间，宜减少购买。

温馨小贴士

水果食用前应以大量清水冲洗，若以盐水或清洁剂清洗不见得效果较好。削皮或剥皮食用的种类宜先清洗后再削皮或剥皮。

如何识别激素水果

添加了化学激素的水果有害健康，而现在市场上含有化学激素的水果

种类繁多,而且光凭肉眼是难以辨别的,那么到底该如何避免食用含有化学激素的水果呢？对此,有关人士表示,消费者在购买时要选择通过绿色认证的食品,因为在绿色食品、有机食品中是不允许使用任何化学激素的,消费者可以放心食用。

消费者在购买水果时最好是先尝后买,淡而无味或吃起来有生味的水果千万不要买。在购买水果之前,首先要看水果的外形、颜色。尽管经过催熟的果实呈现出成熟的性状,但是果实的皮或其他方面还是会有不成熟的感觉。比如自然成熟的西瓜,由于光照充足,所以瓜皮花色深亮、条纹清晰、瓜蒂老结;催熟的西瓜瓜皮颜色鲜嫩、条纹浅淡、瓜蒂发青。消费者一般比较喜欢秀色可餐的水果。而实际上,其貌不扬的水果倒是更让人放心。其次,可以通过闻水果的气味来辨别。自然成熟的水果,大多在表皮上能闻到一种果香味,催熟的水果不仅没有果香味,甚至还有异味,催得过熟的果子往往能闻得出发酵的气味。另外,催熟的水果还有个明显的特征,就是分量比较重。同一品种大小相同的水果,催熟的水果同自然成熟的水果相比要重很多,很容易识别。

温馨小贴士

专家还提醒消费者,不要买不到成熟期的水果,如果在成熟期之前半个月至一个月左右上市的水果,颜色又好看,很大可能就是使用过催熟剂的,即使没用催熟剂,水果也不好吃,而且营养价值低。

怎样挑选脐橙

柑、橘、橙旺销的时候,大家在一饱口福的时候,一定要注意“染色橙”和“石蜡橙”,谨慎购买摸起来黏手的柑、橘、橙。为什么有的脐橙会黏手呢？

原来,一般脐橙都是要经过打蜡处理的,尤其是反季脐橙(每年三四月

份的脐橙）。但是，通常柑、橘、橙类的保鲜剂中，很多都有虫胶、松下甘油酯等物质，这些物质如果过量就会渗透到水果的皮下，人过量食用了这样的柑、橘、橙后会对身体有害。此外，有一些人不是在水果上打果蜡而是打工业石蜡并添加色素。蜡打得越厚，外面越好看，里面烂得越快，这就是人们常说的“染色橙子”，这样的橙子由于染色不均所以会在柑、橘、橙的表面形成色差。

温馨小贴士

专家提醒，皮上有厚厚一层东西，闪闪发光，摸起来黏手的脐橙不要买。买橙子特别是脐橙要选正常成色，看表皮的皮孔。好橙子表皮皮孔较多，摸起来比较粗糙，而质量不好的橙表皮皮孔较少，摸起来相对光滑些。好橙子如果用纸擦一擦，可以发现纸的颜色不会有什么变化，如处理时加了色素，一擦就会褪色。

日常饮品类

不同饮料的质量鉴别

目前，市场上的各种饮料琳琅满目，品种繁多。那么怎么鉴别饮料的质量呢？专家指出，应从以下几个方面进行鉴别：

（1）从商标内容判断质量，首先检查品名、生产日期、保质期、主要原料辅料和生产厂名、厂址等，这是合格产品必须具备的。不同饮料的保质期是不同的，此外，不同饮料商标上应标明的内容也不同。如没有注明具体内容或指标，则该产品质量不可靠。

(2)从外观上判断质量,果味型汽水不应出现絮状物;塑料瓶装与易拉罐汽水手捏不软不变形;罐装饮料如发现盖上凸起,说明其质量有问题;各种包装饮料倒置时,均不应有渗漏现象(但果汁饮料的轻微分层属正常现象);果茶之类饮料及其他一些饮料,如太黏稠、太鲜红或颜色异常,则质量不佳。

(3)从气味和味道判断质量,正常饮料应气味清香,无异味,无刺鼻感,无异常味道,酸甜适度。如果有苦味、酒味、醋味等,则表明其质量有问题。

(4)从实质判断质量,果味饮料应清澈透明,无杂质,不浑浊;果汁饮料因加入果汁和乳浊香精,会有浑浊感,但应均匀一致,不分层,无沉淀和漂浮物;固体饮料不应有结块、潮解和杂质。

温馨小贴士

按照国家有关部门的规定,果汁型汽水、果蔬汁饮料,应标明果蔬原汁含量;乳饮料应标明非乳固形物含量;植物蛋白饮料应标明蛋白植物固形物含量,如大豆固形物、杏仁固形物等的含量;天然矿泉水则应标明矿化成分表和规定指标。

怎样识别蜂蜜的质量好坏

自古蜂蜜就是人类的天然保健食品,具有对人体的滋补和药理功能。蜜蜂采集自然界植物的花蕊、花粉,经其唾腺内的酶素和蜜囊(胃)的反复转化,将花蜜中的蔗糖分解为两种化学成分,即葡萄糖和果糖,便于人体直接消化吸收。人体所需要的蛋白质、核酸、糖类、维生素和矿物元素在蜂蜜中全能找到。

将蜂蜜长期放置在常温下,不见霉变或质变,主要缘由是蜂蜜对各类菌均有较强的抗菌作用。蜂蜜含有抗氧化剂,还因呈酸性、含糖量高,保持着

很高的渗透力，微生物无法在这种环境内生存。据实验得知蜂蜜对60多种细菌和7种真菌有抑菌作用。

那么，消费者该如何判断识别呢？一般可从色、香、味、形方面着手，即色浅、味香、口感好、黏稠度高、杂质少的蜂蜜为上品。可用干净的竹、木筷将蜂蜜搅拌均匀后，经嗅觉、口尝，要无异味和油腥味；从瓶装或散装的蜂蜜表面看，如有较多泡沫、酒糟气味，口感酸性，此为质低的已发酵变质的产品。蜂蜜的色泽可有深浅，但要透明度高，液蜜中不可有杂物；也可将蜂蜜置于器皿内加3～4倍干净蒸馏水（凉开水也可），再加适量95%的乙醇液（酒精）慢慢搅拌，如见有白色絮状物，证明掺入了饴糖（麦牙糖、高粱饴等）成分，还可将适量（1～2匙）蜂蜜盛于器皿内，用煤气微火加热（蜂蜜中含有17%左右的水分），待加热后水分蒸发，冷却后见发软的即为纯净的蜂蜜，反之硬而脆的即是含蔗糖饴糖之类的劣质产品。另外，放置时间长的蜂蜜多从底部形成结晶体，纯正的结晶体用手捻搓时，其晶体细软，似奶油般无沙砾感，而含蔗糖的用手捻揉时有较强的沙砾感，其结晶块大粗硬。

温馨小贴士

真假蜂蜜的区别在于，真蜂蜜颜色透明或半透明色，有特殊的芳香味，香甜可口，有黏稠糊嘴感，暴晒后变稀薄，结晶颗粒牙咬如酥、含之即化；而假蜂蜜颜色混浊、色泽鲜艳、浅黄或深黄，无芳香味或有刺鼻异味，味淡或甜或咸或涩，暴晒后无明显变化或更黏稠，结晶块咀嚼如砂糖，声脆响亮。

选购茶叶辨质量

新茶是指刚上市的茶叶或是当年的茶叶；陈茶是指存放1～2年以上的茶叶。人们一般都喜欢饮用新茶，这不仅是因为新茶汤色艳、味道香，而且营养价值也高。鉴别新陈茶，主要从色香味和含水量两方面入手。

(1)色香味:新茶的色、香、味均佳,给人以新鲜爽口的感觉;陈茶色泽呈暗绿色或暗褐色,汤色暗、枯黄、透析度降低、香气低沉,并产生一种令人不快的老化味,即人们常说的“陈味”。茶叶的陈味,是其类脂成分发生水解和氧化的结果。陈茶香气消失,是由于茶叶中芳香物质已挥发掉,以及不饱和成分被氧化所致。陈茶汤色变深变暗,是由于茶中的氨基酸和糖分发生褐变反应的结果;陈茶汤透析度降低,是茶中的茶黄素被进一步氧化聚合的结果。

(2)含水量:只要用手指捏一捏,就能很简单地鉴别新陈茶。新茶一般含水量较低,在正常情况下含水约7%,茶叶条索疏松,质硬而脆,用手指轻轻一捏,即成粉末状。陈茶因存放时间过长,经久吸湿,一般含水量都比较高,茶叶湿软而重,用手指捏不成粉末状,茶梗也不易折断;同时,当茶叶的含水量超过10%时,不但会失掉茶叶原有的色、香、味,而且很容易发霉变质,以致无法饮用。

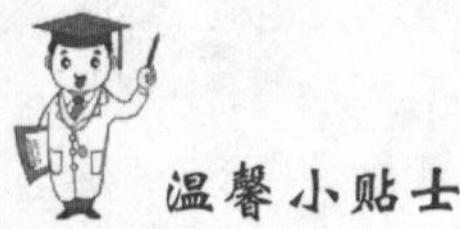

温馨小贴士

提醒大家注意购买新茶应防上当:有些鲜茶里掺进了陈茶。这种茶色泽不匀,新茶色泽新鲜悦目,陈茶发暗、枯、黑,两者混在一起,茶色深浅反差很大。所以,买茶者只要仔细辨认一下,新陈混杂的次茶是不难鉴别的。再有,有些茶贩用外形相似的叶子鱼目混珠,即用类似茶叶的植物叶子制成假茶充新茶。为防上当,可当面冲泡或用唾液把1~2片茶叶打湿软化,再把叶片展平,是真茶叶边缘有明显的鹰嘴状锯齿,是假茶就没有这种锯齿,很容易鉴别。

怎样鉴别牛奶的品质

许多消费者以为,牛奶越稠越香越好,浓牛奶里蛋白质丰富。其实市面

上的许多牛奶之所以香浓，是因为加入了香精和增稠剂。

专家指出，在鉴别牛奶的优劣时，可将一滴牛奶滴在一个玻璃片上，上下左右轻晃，如果这滴牛奶一晃就流了出去，说明它品质很差；如果轻晃之后，这滴牛奶依然保持凝聚，则说明它的蛋白质含量很高，是品质较好的牛奶。

温馨小贴士

晒伤是皮肤的急性炎症，冷敷是最有效的处理办法。具体的方法是，将牛奶放入冰箱的冷藏室，在4～10℃的温度下冷藏，这样温度的牛奶最适合做冷敷。将干净的小毛巾或纱布在冷牛奶里浸湿后，拧至不滴水，敷在晒伤的皮肤上。晒伤面积大时，可用小毛巾冷敷，晒伤面积小时可用4～8层的纱布冷敷。隔5分钟浸一次牛奶，敷30～60分钟，一天敷2～3次，这样持续3天左右，晒伤的皮肤就会得到修复。如果没有冷藏牛奶，也可以用牛奶兑凉白开进行冷敷。牛奶的酸性对皮肤具有消炎收敛的作用。

厨房调味品类

假烹饪大料的鉴别

优质的大料色泽棕红，鲜艳有光，朵大均匀、呈八角形，骨朵饱满干裂、香气浓郁，破碎和脱壳籽不超过10%。而劣质的大料呈黑褐色，骨朵瘦瘪，边缝开裂不足，朵形不完整，碎粒多，握在手中感觉阴凉，香气淡薄。常见的假大料主要是形似大料的莽草籽冒充，其特征是红色或红棕色，果皮薄，骨朵果较多的为10～13枚聚合果，香气有松脂味，舌有麻感，尝味淡，有毒。其次野八角骨朵果为10~14枚，灰棕色或灰棕褐色，果皮薄，口尝味淡，舌有麻感。

温馨小贴士

在农贸集市上选购大料时一定要注意，仔细观察，不要上当买来假大料，因为二者不细观察根本看不出区别，可假大料不是一般的起不到调味的作用，而是毒性很大，食用后易造成食物中毒，出现恶心、呕吐、昏迷、惊厥、四肢僵直、呼吸麻痹等症状。

如果仔细察看，还是能找出真假大料的区别：假大料即为莽草籽，外观果实瘦小，尖端向上弯曲较大，果肚面有很多皱纹，果的颜色比较浅，介于土黄色和棕色之间，果瓣间的接触面为三角形，用舌舔，有刺激性酸苦味，闻着有松叶味或樟脑味。

“放心醋”酸味柔和，不刺激

目前市场上的很多假醋都是用工业冰乙酸、自来水和色素勾兑出来的。对人体的神经系统、消化系统和呼吸系统产生严重危害，会导致肺癌、胃癌，对人体危害极大。

对付假醋也有一套科学严谨的鉴别办法：首先，对外包装进行认真观察。外包装上一般会明示“勾兑醋”或“酿造醋”，观其颜色，白醋无色透明，陈醋色泽棕红发黑，均不会出现沉淀悬浮物及霉花浮膜。品质优良的醋具有独特的香味，酸味柔和，回味绵长，不会出现刺激性酸味。而且摇晃时，优质陈醋有丰富的泡沫并且持久不消。劣质陈醋有时也会产生泡沫，但会很快消失；最后，需要提醒的是烹调食醋，只能用铁锅，不能用铝锅。以防过多的铝会引起消化功能紊乱，造成组织损害而影响智力。

温馨小贴士

切辣椒烧手涂点醋：切完辣椒后，手像被火烧了一样疼，火辣火辣的。这时，有些人会用冷水冲洗，但这只能稍微缓解疼痛，不能彻底解决问题。其实，可以用涂抹酒精、食醋，热水洗手等方法去除辣味。

结块食盐谨慎买

碘缺乏将引起甲状腺肿大（大脖子病）、克汀病和对儿童智力发育造成潜在性损伤，对人类造成生理上和精神上的巨大伤害。

如何鉴定碘盐呢？首先是外包装的甄别：防伪标签粘贴位置整齐、统一；只有封口处有很短的折痕；包装的背面有 8 位数编码；封口处有不规则、不明显的锯齿，手摸起来有凹凸感。其次是观其颜色，颜色应洁白，无暗灰色或黄褐色，结晶整齐一致，坚硬光滑，呈透明或半透明，不结块，无反卤吸潮现象，无杂质。再次是嗅，无异臭或其他外来异味。最后是尝，咸味纯正，无苦味、涩味或其他异味。

温馨小贴士

目前市场上的私盐有以下情况：①直接晒制的海盐——生产环境污染严重，未经提纯，达不到食用标准，且不含碘；②工业用盐——含有大量有毒有害的杂质，老百姓吃了会掉头发、掉眉毛，严重者会中毒死亡。

选购芝麻酱小常识

专家建议，消费者在选购芝麻酱产品时，应该注意以下几个问题：

(1)应避免挑选瓶内有太多浮油的芝麻酱,因为浮油越少表示越新鲜。

(2)购买芝麻酱时除注意口味、价格因素外,还可从感官上进行粗略判断。看看产品的包装结实,整齐美观,包装上应标明厂名、厂址、产品名称、生产日期、保质期、配料等。

(3)生产时间不长的纯芝麻酱(20 天以内),一般此时无香油析出,外观棕黄或棕褐色,用筷子蘸取时黏性很大,从瓶中向外到时,酱体不易断,垂直流淌长度能达到 20cm 左右。

生产时间较长的纯芝麻酱(30 天以上),外观棕黄或棕褐色,此时一般上层有香油析出,但在搅匀后,流淌特性不会有太多改变。

(4)芝麻酱一般有浓郁芝麻酱香气,无其他异味。掺入花生酱的芝麻酱有一股明显的花生油味,甜味比较明显。掺入葵花籽的芝麻酱除有明显的葵花籽油味外,而且同纯芝麻酱相比,气味淡了许多。

(5)取少量芝麻酱放入碗中,加少量水用筷子搅拌,如果越搅拌越干,则为纯芝麻酱。其主要原因是由于芝麻酱中含有丰富的芝麻蛋白质和油脂等成分,这些成分对水具有较强的亲和力。

温馨小贴士

在食用芝麻酱时应该注意以下几点:

①芝麻酱开封后尽量在 3 个月内食用完,因为此时口感好、营养不易流失,开封后放置过久,容易氧化变硬。

②芝麻酱调制时,先用小勺在瓶子里面搅几下,然后盛出芝麻酱,加入冷水调制,不要用温水。

慎买散装食用油

一些居民偏爱购买散装食用油,专家提醒:要避免买到掺入未脱毒棉籽

油的混装油。

棉籽油颜色与菜籽油相似,无味,掺在菜籽油里,菜籽油的味道不会改变。专家介绍,没有脱毒的棉籽油中棉酚毒性很强,对人体的神经和血管均有毒害作用,对胃肠黏膜刺激性较强,对心脏、肝、肾损害较严重。长期食用这种油或经这种油煎炒、油炸的食品对人的生殖系统也有毒害作用,会造成生殖系统功能紊乱,轻则使妇女患上妇科疾病,育龄夫妇不能生育,重则导致严重的棉酚中毒症而丧生。

然而,一些不法分子在利益的驱使下,掺假使假、以次充好,将低价油掺进高价油中销售,最常见的是菜籽油中掺入棉籽油。因此,最终到消费者手中的油就成了混合油。而且目前散装油零售商、批发商都没有清洗油桶的设备,时间长了,油桶里面的杂质、油垢越积越多,也会导致散装油质量存有问题。

温馨小贴士

菜籽油放入冰箱不“冻”,在一定温度下,菜籽油遇冷不凝固,只是变浓些,而棉籽油则会凝固,可将油放到冰箱里鉴别真假。

怎样挑选放心油

在选购食用油时,应详细看清每瓶油的标签、品牌、配料、油脂等级、产品标准号、生产厂家、生产日期、保质期等。消费者还可通过气味、色泽、味道、透明度和沉淀物等几方面鉴别食用油优劣。

首先是气味,取一两滴油放于手心中,双手摩擦生热后,用鼻子闻一下有无异味(哈喇味或刺激味),如有异味则不能食用。不同品种的食用油有其独特的气味,但都无酸异味。

二是色泽,一般高品质色拉油颜色浅,低品质的色拉油颜色深,加工出

来的劣质油比合格食用油颜色深。其他等级的植物油和特种油脂产品也都有其固有的颜色,如香油、油茶籽油、红花籽油等色泽较深。质量好的花生油呈淡黄色或澄黄色,豆油为黄色;菜籽油为黄中稍绿或金黄色;棉籽油为淡黄色。

三是味道。质量正常的油无异味。如有苦、辣、酸、麻等味则说明油已变质,有焦糊味的油质量不好。

四是透明度。高品质食用油透明度好,无混浊,如果油中水分多,或油脂发生变质,或掺了假的油脂,油质就会浑浊,透明度低。

五是沉淀物。高品质食用油无沉淀和悬浮物,黏度小。

六是加热鉴别。水分大的食用植物油加热时会出现大量泡沫,且发出“吱、吱”声。油烟有呛人的苦辣味,说明油已酸败。质量好的油泡沫少且消失快。

温馨小贴士

油贮存的时间不宜过长,一般在南方最长不应超过一年。油最好买小包装,买回去别在热源边放置太久,应放在避光阴凉的地方保存。发现油有异样颜色,闻之有异味或加热时出现过多的泡沫,还伴有呛人的油烟味,那么这种油都是劣质油或变质油,很可能是地沟油、垃圾油,绝对不能食用。

真假碘盐的鉴别与选择

为了人体的健康,国家规定在碘缺乏地区全部供应加碘食盐。这种加碘食盐就是通常所说的碘盐,是在普通食用盐中按20～50微克/千克的剂量添加碘化钾或碘化酸。因此每个家庭都应重视碘营养的补充,要主动购买碘盐。

那么,如何识别真假碘盐呢?下面介绍几方法:

(1)看包装:精制碘盐用聚乙烯塑料包装袋,加印有“加碘”或“加碘盐”字样,并表明生产单位、出厂日期,字迹清晰,手搓不掉,袋质较厚或有覆膜,封口整齐、严密。假碘盐所印“加碘”“加碘盐”字迹模糊不清,甚至用手即可擦掉,包装简单、不严密,封口不整齐。

(2)看颜色:精制碘盐外观色泽洁白。假冒碘盐外观异色,或淡黄色,或暗黑色,并不够干爽,易潮。

看防伪标志:精制碘盐有激光防伪标志。

(3)凭手感:精制碘盐用手抓捏较松散,颗粒均匀。假碘盐手捏成团,不易散开。

(4)闻气味:精制碘盐无气味、更无臭味或其他异味。假碘盐因掺有工业含碘废渣,带有硝酸铵等含铵物质,因而有氨味等气味。

(5)用口尝:咸味纯正的是精制碘盐,咸中带苦涩味的是假碘盐。

(6)显色试验:将盐撒在切开的马铃薯切面上,如显出蓝色,是真碘盐,如无蓝色反应,则是非碘盐。

温馨小贴士

怀孕期妇女缺碘不仅严重影响妇女的身心健康,还会危及胎儿,从而导致流产、早产、死产、先天畸形、克汀病、亚克汀病、单纯性聋哑以及新生儿甲低。儿童期及青春期缺碘主要导致地甲病、甲肿、甲状腺功能低下等。成人缺碘将导致甲肿、甲状腺功能低下症。

白糖放太久会长螨虫

白糖贮存时间长了,会因吸潮导致晶体表面溶化,透明度降低,颜色变暗,此时对人体的影响不大。不过白糖久存会寄生螨虫,而且还会不停地繁殖,这种现象肉眼是看不见的。有人做过实验,从500克白糖中竟检出1.5

万只螨。人吃了被螨污染的白糖,螨会进入消化道寄生,引起不同程度的腹痛、腹泻等症状,医学上称之为肠螨病。如在婴幼儿或老年人的食物中直接加入这种被污染的白糖,可因呛咳等使螨虫进入肺内而引起哮喘或咯血,并易引发气管炎、肺炎。如果螨虫侵入泌尿道,还会引起泌尿道感染,出现尿频、尿急、尿痛或尿血等症状。

所以,家庭一次购买白糖不宜过多,并应贮藏在干燥处,加盖密封。对于刚买回来的白糖,即使是新出厂的,也可能有虫,最好不要直接食用。在调制饮料或做凉拌菜时,应注意将白糖加热处理,一般加热到70℃,只需3分钟螨虫就会死亡。

温馨小贴士

检查白糖中是否有螨虫的方法是:取少许白糖放在白纸上,借助5倍以上的放大镜观察,如发现食糖中有麻麻点点的小点在移动,就是有螨虫了。

选购酱油的技巧

面对商场中琳琅满目的酱油,消费者在选购时,往往缺乏足够的常识和科学的鉴别方法。这里为大家介绍一些鉴别酱油的常识,以帮助广大读者选购到既合心意又有质量保证的酱油。

首先,酱油的颜色不是越深越好,因为酱油颜色是由酱油中的氨基酸和糖类相互作用生成的一种化合物——“焦糖”决定的。优质酱油应呈红褐色、棕褐色、有光泽而发乌。酱油颜色越深,意味着营养物质氨基酸及糖类的消耗越多,颜色深到一定程度,酱油中的营养成分也就所剩无几了。另外,摇晃瓶子,看酱油沿瓶壁流下的速度快慢,优质酱油浓度很高、黏性较大、流动慢;劣质酱油浓度低,像水一样流动较快,瓶底没有沉淀物或染物。

其次,酱油不是越鲜越好。一般来说,豆粕、小麦在发酵过程中,蛋白质

水解成氨基酸，其中谷氨酸、天门冬氨酸等给酱油带来了鲜味儿。优质酱油味道鲜美，咸甜适口，味道醇厚柔和，口味绵长。很多消费者认为酱油越鲜越好，于是一些生产厂家为迎合大众的口味，在酱油配兑时添加水解蛋白质、谷氨酸、核苷酸等，这样做虽然可以增鲜，但对人体健康不利。

再次，价格越高并不代表酱油等级越高。很多消费者购物时，喜欢根据价格高低判定其质量优劣，其实并不尽然。专家认为，优质酱油澄清、无沉淀、无浮膜、色泽呈红褐色，比较黏稠，细闻有酱香味和酯香味。

现在市场上酱油有特级、一级、二级、三级之分。国家也有明确规定，在酱油的外包装上必须标明质量等级和氨基酸含量。有的消费者在选购酱油时往往忽略这一点，而去追求包装精美、价格偏高的酱油。

此外，调味汁、酱汁并不就是酱油。调味汁、酱汁与酱油是两码事。国家在酱油的卫生标准中明确规定了其氨基酸态氮每百毫升不得低于0.4克，而调味汁、酱汁其内在质量不执行酱油标准，基本不含氨基酸态氮。

温馨小贴士

专家提醒，并不是所有的酱油都可以用来炒菜或凉拌。国家标准明确规定，酱油的用途有烹调和佐餐之分，且必须在标识中标明类型。因为二者在发酵中工艺不同，卫生指标也不同，所以不能互相替代。

辣椒面的鉴别方法

辣椒面是由干辣椒碾碎加工而成的，正常情况下，一斤干辣椒最多出八两辣椒面。所以，一斤辣椒面的价格一般要比一斤干辣椒高出两三块钱。然而，一些摊位卖的辣椒面价格不仅没有干辣椒高，反而比干辣椒低不少。碰到这种情况，消费者要小心了，这种辣椒面有可能是添加了苏丹红的劣质辣椒面。一些不法商贩为了牟取暴利，往往以每斤三四毛钱的价格收购玉

米皮,然后进行染色。染完色的玉米皮再以每斤七八毛钱的价格卖给辣椒面加工厂。除了掺到辣椒面里的玉米皮要用工业染料苏丹红Ⅳ号染色外,一些等级较低、颜色发黄的辣椒在加工成辣椒面的过程中也要用它来染色。经过加工后的玉米皮看上去和辣椒面的形状相似。辣椒面颜色格外红艳,切价格比干辣椒便宜很多。

专家提醒消费者,天然辣椒的颜色很自然,因为它是一种植物性的色素,随着存放时间的延长,它的颜色会慢慢黯淡下来,或者是在日光下曝晒,慢慢会褪色;而添加了苏丹红的辣椒粉颜色很鲜艳,很持久,比如放了一年半年,它的颜色不会褪下来,即使拿到阳光下去仍然还是很鲜红。

温馨小贴士

在购买辣椒面时可以拿一个容器,取一点辣椒粉放进去,然后加一点做菜用的食用油,把油加进去搅拌一下,放一放,过几个小时后看看。假如颜色很红,那就提示辣椒粉可能加了苏丹红;如果颜色变化不大,那就说明没有加苏丹红。